U0719937

霍桑探案

程小青作品

霍桑探案

程小青 著

DETECTIVE
HUO SANG

乌骨鸡

11

海南出版社
·海口·

图书在版编目（CIP）数据

霍桑探案. 11，乌骨鸡 / 程小青著. -- 海口：海南出版社，2025. 1. -- ISBN 978-7-5730-2072-7

Ⅰ. I247. 7

中国国家版本馆 CIP 数据核字第 20248CV140 号

霍桑探案 11　乌骨鸡

HUO SANG TAN' AN 11　WUGUJI

作　　者：程小青
策 划 人：彭明哲
责任编辑：高婷婷
插　　画：杨冬梅
封面设计：张　军
责任印制：郄亚喃
印刷装订：河北盛世彩捷印刷有限公司
读者服务：张西贝佳
出版发行：海南出版社
总社地址：海口市金盘开发区建设三横路 2 号
邮　　编：570216
北京地址：北京市朝阳区黄厂路 3 号院 7 号楼 101 室
电　　话：0898-66812392　010-87336670
电子邮箱：hnbook@263.net
经　　销：全国新华书店
版　　次：2025 年 1 月第 1 版
印　　次：2025 年 1 月第 1 次印刷
开　　本：880 mm×1 230 mm　1/32
印　　张：10.25
字　　数：231 千字
书　　号：ISBN 978-7-5730-2072-7
定　　价：46.00 元

· 目录 ·

请君入瓮

别墅之怪

逃犯

乌骨鸡

黑地牢

古钢表

毋宁死

血 手 印

一个故事的辩证

“包朗，你来得正巧！要是这一个小小的问题解决了，你不但又可得到一种新资料，还可以得到一种新知识呢。”

说话的是我的老友霍桑。话的内容具有相当的吸引力，我被他引起了几分兴味。自从我和霍桑分居以后，我因着笔墨的羁绊，已不能再和他天天见面。除了他接受了什么奇特的疑案，有时候仍要请我去相助以外，其他寻常案子总是他一个人单独进行，我已没有机会参与。那天下午我因着江浙内战的影响，写作事务比较的闲些，特地抽空到爱文路旧寓所里去访他。我刚在那壁炉边的沙发椅上坐定，他劈头就说出这几句话，使我的精神提振了几分。

我仰直些身子，问道：“你又有什么新奇的案子？”

霍桑摇了摇头：“这是战后第一件案子，虽算不得新奇，可是也加得上‘有趣’的评语。”他伸手开那书桌的抽屉，似要找寻什么东西。

我又问：“案子的情节怎么样？”

霍桑答道：“我简括些说几句给你听。有一个少年女子被人杀死了，伤处在女子的咽喉。凶器分明是一把利刀，案中牵涉一个少年男子，有嫌疑。发案之前有人看见他从被害少女的屋子里走出来。这男女俩本来相识，并且似乎有过一段恋爱史；后来崔警佐在少年家里的衣袋中搜出了一种重要的证据，就是这东西。你瞧！”他已经从抽屉中取出一把便用刀来，小心地扳开了刀片，递给我。

我接过刀一瞧，那刀连柄足有六寸多长，刀锋很阔厚，刀尖也尖锐，很有当作凶器的可能。

霍桑问道：“你看怎么样？”

我答道：“刀是舶来品，刀锋很锐利，钢质也不坏。”

霍桑点点头：“唔，你再瞧瞧。”

我再仔细瞧那刀，刀的锋口上面有几粒黑赭色的小斑点。

我说：“这里有几粒斑点，粗看看不出。”

他又点点头：“对。你有什么见解？”

“唉！像是血渍啊！”

“唔，像是？”

“不，我相信确是血渍。”

“喔，你也以为是血渍？我告诉你，警厅里的崔警佐和一个姓王的西医，都这样说过，他们都认定是血渍。”

我捉住了霍桑的口气，问道：“难道这里面还有疑惑？”

霍桑皱皱眉，说：“你知道这一点关系一个人的性命，不能不特别慎重。要是单单凭我们肉眼的观察，当然算不得凭证。有时候刀上沾染了果汁，一经干透了，也会变成这种颜色。因为人类的血液里也和桔类等的果汁一般，含着些酸的成分，酸和铁质接触了，都能变成一种铁柠酸盐，干了以后的颜色是彼此相同的。若是单凭肉眼的能力，绝不能分别出来。”

“那么你可知道怎么样分别？可是用显微镜？”

“不是。有一种方法很简便，只需用一种淡亚马尼亚液[①]，滴在斑渍上面，五分钟后便能明白。若是果汁所染，斑点上会泛出绿色，倘若是血渍，那是不会变色的。”他就站起来，拿回了刀，走进化验室去，调配亚马尼亚液。

我仍独坐在办公室中，默默地寻思。霍桑的处事谨慎和孜孜研究的精神委实是可佩可敬的。其实这种应用科学的知识，凡从事侦探工作的人都应有所涉猎，查案时才不致指黑为白，冤屈无辜。可是现在警探们和司法人员的修养实在太落后了，对于这种常识大半幼稚得可怜，若说利用科学方法侦查罪案，自然差得更远。他们处理疑案，还是利用着民众们没有教育，没有知识，不知道保障固有的人权和自由，随便弄到了一种证据，便威吓刑逼地胡乱做去。这种传统的黑暗情形，想起来真令人发指。

“包朗，有结果哩！”霍桑的呼声从化验室中传出来。

我马上立起来，走到化验室里去，看见他正拿着一个放大镜，在窗口察验那便用刀。

我问道：“怎么样？是血不是？”

他点点头：“当真是血！你瞧，这斑点不是完全没有变动吗？”

他把放大镜和刀一起授给我。我也凑在光线中细细地瞧一瞧，那细斑果真还是黑赭色。他和我重新回到办公室。

我说：“那么，这个疑问已经解决了，那个少年男子谅必就是——”

霍桑忙接口道：“慢。你不是要说这少年男子就是凶手吗？”

“唔，难道还不是？这不是一个重要的证据吗？”

---

① 亚马尼亚液，氨水（ammonia）的音译。

“是的。不过我们还不能随便轻断。”

“为什么？可是你的化验不正确？”

“我相信是正确的，不过还不够。”

我不知道他这话有什么意思，但慢慢地坐在原椅上，瞧着他不答。他也照样坐下了，抽出一支纸烟，一边擦火，一边向我笑一笑。

他说：“包朗，我说一个故事给你听，好不好？”

我更摸不着头脑，含糊地点点头。

他又说：“你总听到过发现地心吸力的大科学家牛顿吧？他爱猫，家里养了一大一小两只白猫。他为便利猫在两间房中出进，特地在分隔的板壁上凿了一大一小的洞——大的洞属于大猫，小的洞便利小猫。这故事你也听过吗？”

我应道：“这是个流传很普遍的笑话，小学生们也知道。”

他吐出一串烟，问道：“喔，你也看作笑话？”

“不是笑话是什么？有了一个大洞，小猫不是一样可以进出的吗？我想牛顿是个天才的科学家，绝不会这样笨。”

“当然不笨。可惜你也误解他了！”

“喔？误解在哪里？”

“你不是说壁上另凿一个小洞是多余的吗？”

“是。”

“要是大猫小猫在同一时间进出，怎么样呢？”

“那不妨一先一后挨次走——或是大猫先走，或是小猫先走，那也不成什么问题。”

“如果事实上成了问题，两只猫必须同时走，不能等先后，那又怎么样？”

霍桑的问句近乎推车撞壁，使人回旋不得，可是他的面容很庄重。

我继续辩道："那不会有，即使有，也是难得的事——"

霍桑插口道："难得的？你是说不是绝对没有，不过是偶然的？是不是？但是你总也知道，科学方法上的一个重要因素是'正确'。所谓正确也就是排除一切偶然性。反过来说，一件事中所包含的偶然性越大，那就是正确性越小。牛顿有的是科学头脑，一切都力求正确，故而连开猫洞的小事也如此正确。我相信这有趣的故事是可能有的，不过在一般常人眼中看作笑话罢了。"

我并不答辩。霍桑分析这个多少带些笑话性的故事，目的无非要说明正确的重要，不过不免有些过于郑重其事。

室中静一静。霍桑连续吐吸了一会儿烟，再接再厉地发挥下去：

"包朗，我再说一个关于我国人的故事。《史记》关于石奋有过这样一段记载：汉朝石奋的少子石庆，在武帝朝做太仆。有一天石庆御帝出外，武帝忽然问庆，车中有几匹马。石庆用马鞭把马数了一数，才举手回答：'六匹马。'其实古时天子的车子定制是六匹马，石庆又不是第一次驾驭，可是他必等数过之后才回答，可见他处事的精细正确，不容有偶然性的存在。所以我说石庆的头脑也是合乎科学态度的。"

我有些不耐，说："霍桑，我明白了，你说了一人串话，无非要说明你对于这刀上的斑渍的认识还不够正确，是不是？"

"是。"

"那么怎样才算够正确？"

霍桑道："这斑渍是不是血的问题虽然已经解决了，但还有第二个问题，这血究竟是人类的血？还是其他动物的血？再进一步，就算是人血，可就是因刺杀那女子沾染的，也得有了其他的佐证才能确定。你怎么跳浜式地就断定那少年是凶手？这是科学态度吗？”

我略略有些难堪。他分明在说教，又像训诫，可是理论很充实，简直无懈可击。诡辩当然不是对付知己朋友应取的态度，我不能不静默一下。

我又说：“那么是人血不是的问题，你也有方法研究吗？”

霍桑答道：“在现代的科学界上，这一着还没有正式的鉴别方法，但非正式的方法是有的，例如检查赤血球核心的有无，可以辨别其他动物血或人血，不过手续麻烦些，不像第一步这样简单。我想先自己试一下子，要是不成功，再去——”

办公室的门突然给推开，有一个颀长的女人站立在门口。

求助人

伊的打扮非常惹目。伊身上穿着一件深蓝色的宁绸小花皮袄，宽大得似乎不称体，下面玄色印度绸镶珠边的裙子，又非常时式，可是穿在伊的身上，又似乎太小些，并且在这当儿也觉得不合时令。更奇怪的，伊的足上是绣花白缎鞋，手上戴着一副白麂皮的手套，腕上还有一副很厚重的金镯。伊分明拼命地学“摩登”，可是掩不住“效颦”的嫌疑。我又瞧伊的容貌，黑目细眉，瓜子脸，菱形嘴，但面颊瘦损而焦黄，也不施脂粉。伊的年纪在二十五六。

那女子并不立即走进来，向我们俩瞧来瞧去。一会儿伊把手按在门框上面，操着镇江土音开口了：

“哪一位是姓霍的侦探先生？”

霍桑本打算立起来，重新往化验室里去着手实验，忽见这奇怪装束的女子突如其来，也不无有些纳罕。

他立起来，淡淡地点点头："我就是。夫人，尊姓？请进来。"

那女子慢慢地进了门，在门旁站一站，略有些踌躇不前的模样。

伊答道："霍先生，我姓金，到上海还没好久。"

我暗暗地点着头。凡内地有钱的人，一到了上海，看见了上海人的装束，往往有一种模仿的心理，可是装扮出来，总不免非驴非马，弄得不成样子。这女子即使不自己说明，我也早料定伊是才刚从外乡来的。

霍桑向伊瞧一瞧，点点头："金夫人，请坐。"他随手将那把有血渍的刀，小心地放进书桌抽屉里去。

那女子仍站着不坐，作哀恳声道："霍先生，你做做好事，救救我的丈夫！"

霍桑从容地应道："喔，什么事？"

"唉，霍先生，你非救救他不可！"

"唔，说啊，什么事？"

"他……他……他快要死了！"伊用手捧住了脸。

霍桑仍瞧着伊，答道："快要死了？为什么不去请医生？我不是医生啊。"

女子道："不是……他不是生病。我……我怕有人要谋死他！"

霍桑的眼珠转一转，但神气非常冷静。女子仍呆木木地站在门口里面。

霍桑问道："谁要谋死他？"

女子又文不对题地自言自语："太危险！我……我真害怕！"

霍桑皱皱眉，向我瞧瞧，随即自顾自地坐下来。那少妇低垂了头在发怔，伊不肯坐，站又像站不稳，分明伊的神经已经失了常度。霍桑好像因着有人阻扰了他对于血刀的研究，有些不高兴，所以这一天他的忍耐功夫特别差。他冷冰冰地坐着，从眼角斜视着来客，不再开口。我自动地打破这僵局。

我说："金夫人，你姑且坐下来，把实在的情形简括些说一说。我们正有别的要事，不能多耽搁。"

少妇抬头瞧瞧我，似乎给我提醒了，很感激。伊点了点头，就侧着身子在我对面的另一只沙发上坐下。接着，伊不再等催促，便急急地自动陈说。

伊说道："我的丈夫叫金栋成，本来是贩皮货的，为着避难到上海来，还没有两个月。起初我们本来很安逸。自从一个礼拜前，我们在戏院里看了一次戏之后，他忽然变了。他的身上常带着一支手枪，走两步会回头看一次，处处防备着，像怕人暗算。他晚上睡也睡不安定，常常从梦里跳起来喊叫。我……我怎么不害怕？"

少妇的白手套又一度接触伊的面颊，伊的两肩在微微耸动，伊顿住了不说下去。霍桑的眉峰更蹙紧些，冷漠地应一句：

"我早说这件事应当去请教医生！"

我默然不答，心中很不满霍桑用这种态度对待一个求助的女子。因为伊虽有些吞吞吐吐地欲言不尽，但这是受了惊变后的常态，似乎情有可原。

我又问女子道："你可知道你的丈夫因什么缘故才这样？"

伊道："他……他虽然不肯告诉我，我可早已知道他……他有一个仇人。"

“你怎么知道的？”

“那天晚上，我也一同往戏院里去的。我们坐在楼上的包厢里。到了十一点钟模样，戏台上正十分闹热的当儿，栋成突然吃惊立起来，接着他便拉着我回去。我很奇怪，正要问他为什么如此，他只用手向对面的包厢中指一指，不说一句话，拉着我就走。我曾站住了向对面的包厢中瞧一瞧，有一个高个子戴黑帽的男人，正拉开一把椅子坐下来，此外没有什么。我的丈夫谅必就因看见了那个人，才急急地要离开。”

“这个人是谁？你可认识？”

“我不认识。回家后我问过他。他只是发愣，不肯说。”

问答停一停。霍桑似乎已经听出了些滋味，冷淡神气缓和些。

他淡淡地说：“也许你的丈夫看错了人，自己心虚，才有这种病态。”

女客忙应道：“不是，霍先生，没有错。因为我起先也这样想，不料昨天晚上栋成害怕的那个男人果真在我家后门出现了。”

霍桑的眼光又闪一闪，身子也挺一挺直，他的精神显然也提振了些。

他问道：“怎么样？”

姓金的女人说：“那时候约臭六点半钟光景，天已经黑了。栋成还没有回家。那男人悄悄地推开了我家的后门，正要走进来，忽被小弟看见——霍先生，小弟姓杨，是我们家里的仆人。小弟问他是谁，那个人掉转头，马上退出去。”

“你可曾瞧见这个人？”

“没有，那时候我恰巧在楼上。”

“那么你怎么知道这个人就是你们在戏院中瞧见的人？”

“据小弟说，他瞧得很清楚。那人身材很高，脸色墨黑，穿一件棕色外衣，头上还戴一顶黑呢的铜盆帽。那模样和我在戏院里看见的差不多。”

“嗯，差不多？”

“唉，不！霍先生，简直是完全一样，不会错。你想要是这个人不是来找栋成为难，怎么会不声不响地闯进人家后门里来？看见了小弟，又怎么不说话就走？后来栋成知道了，又为什么吓得不成样子？”

霍桑点点头表示接受，说：“你丈夫吓得怎么样？”

“他听得小弟把那回事说明之后，他的脸色顿时发白。接着，他就摸出一支手枪，一个人装腔作势，在客堂里乱跑，竟像发疯的样子。我被他吓得一夜没有睡。如果再这样下去，我也许也要发疯！”伊顿一顿，又说，“霍先生，这件事你总得发些慈悲，救救他的命。我们女人嫁夫从夫，只能靠丈夫活命。况且我们结婚还没多久，万一栋成有什么三长两短，我一个人又怎样过活？”伊取出一块手巾来，掩住了伊的眼睛，嘴里有些唏嘘声，似乎很悲伤。

故事已描绘出一个动人的轮廓，女客的谈话也流利得多。霍桑已被引起了些兴味，改变了先前的冷漠态度。

他说：“这样看，这里面似乎真有一个人要和你丈夫为难。你现在要我做什么事？”

少妇答道：“最好请你查明那个人是个什么样人，究竟因为什么事要跟栋成为难。要是有方法，把他们的怨恨排解一下，免得惹出祸殃来。”

霍桑皱眉道：“但是你的丈夫既然守着秘密，连你都不肯告诉，别的人又怎样着手？”

姓金的抬起些头，又作哀求声道：“霍先生，这就要请你们想个方法，先叫他把真情说出来。不过他既然瞒我，要是知道了我到这里来请求你们，一定要怪我，所以你们绝不可提起我。他的脾气很坏，在这当儿我更怕他。”

霍桑想一想，点点头：“这一层你尽管放心。现在我要问几句话。你丈夫在上海有没有交往的朋友？”

少妇摇摇头：“没有。我已经说过，我们到上海还只六七个礼拜。”伊顿一顿，用手指卷一卷那件宽大的宁绸皮袄的角，似乎在追忆：“唉，霍先生，我记起来了。有的——有一个人。”

“唔？”

“这个人到我们家里来过两次，不过坐一坐便去，栋成也没有留饭，好像彼此并没有深交。”

我不禁高兴地接嘴道：“好！这就是一个探听真情的线索。”

霍桑仍宁静地问道：“你可知道这人住在哪里？”

妇人说：“我不知道。但是我想他仿佛是栋成的同乡，因为我听得他们谈话都是天津口音。”

“你也不知道这个人的姓名？”

“不知道。我看见那人身材瘦长，年纪约莫四十光景。他的下巴上胡须很浓，像好久没有修饰，衣服也不大洁净。别的我都不知道了。”

这几句话又未免使霍桑失望。他抱着右膝，低头沉吟了一下，继续问那妇人。

他说：“那个来客几时到你们家里去的？这个你总记得吧？”

伊低头想一想，答道：“我想想看，今天是二月二十三。唔，他第一次来，距离今天已经有十天，因为我记得那是在我们往戏院里去的前三天。隔了几天，他又来过一次。第一次我在客堂里看见他，第二次我没有下楼。那人勾留的时间很短，一转眼便走。”

“他们谈些什么？你可也听得？”

“不。第一次我闯进客堂去，只听得客人说：‘他在南京。’那时栋成看见我，好像很惊慌，忙挥挥手叫我走开。我只得退出来。”

经过一度短短的静默，霍桑又提出另一个问题：

“还有一句话。你丈夫在这里既然没有职业，又没朋友，他天天干些什么？”

“他每天早晨起身很迟，饭后总得到浴堂里去，直到上灯时才回家。吃过晚饭，他不是逛什么游戏场，便是往戏院里去，在家的时间很少。不过从一个礼拜之前起始，晚上他不出去了。”

“他看戏和逛游戏场的时候，你是否总跟他一块儿去的？”

“不是。他自个儿玩的时候多，我难得跟他出去。”

“那么他此刻在哪里？”

“大概还在浴堂里。他不到天黑，不回家，天天如此。”

霍桑放了右膝，站起来。他向妇人问明了那浴堂是在新闸路口的兴发园，又得知他们的寓所是在新生路一百四十一号。

他又向伊说：“金夫人，现在你放心回去。少停等你的丈夫回家以后，我们会到你们寓里去会见他，设法查问这回事的详情。我知道，我们绝不会说是你来报告的。你放心。”

妇人也立起来，仍用着颤动的声音，问道：“霍先生，你想栋成到底会有危险不会？”

霍桑缓缓地说：“据我预料，你丈夫即使当真有一个仇人，那人也许只想恫吓一下，不一定就有谋害之心，你丈夫也不致就有性命的危险。你此刻不用过度担忧。”

那妇人整一整伊身上的那条镶珠边的黑裙，向我们俩鞠一个躬。伊的脸上表现出感激的神气。

伊说：“多谢，多谢！我但愿如此。万一这里面真有什么危险，总要请霍先生救他一救才好。”

我和霍桑都答应着。我又向伊安慰了几句，才送伊出门。回进办公室时，我看见霍桑正开了一扇窗户，在窗口呼吸新鲜空气。

他回头问我道：“包朗，你此刻不是闲着吗？这件血刀案我正打算专心进行，不愿意给别的事打断。这件金栋成的事，你能不能代替我走一趟？”

我答道：“也好。你想这回事的内幕怎么样？”

他淡淡地说：“我看不会怎样严重。并且是虚是实，还说不定。也许是出于误会。”

“那么你想我应当怎样着手？”

“第一步，你先去见他一见，找个理由，设法探明他是否真有一个仇人，因为我在这一节上还有些疑惑。假使是实在的，你再问他和那个人究竟有怎么样的纠葛。假使他守秘不说，你尽管回来，我们可以从别方面进行。据我料想，这绝不是什么大不了的案子，你放胆进行好了。”

他来了！

那天晚上七点钟时，我独自动身向新生路去。天色早已昏黑，路上的电灯已完全明亮。我的车子从沙渡路向西转弯，就进入新生路。路上行人稀少，冷风扑面，使人有些不寒而栗。我把外衣的纽子扣紧了两个。

这件案子，在霍桑眼中，显然无足重轻，但是我一个人单枪匹马地去应付，却也并不容易。因为我去见金栋成，近乎“毛遂自荐”。我应得用什么方法，才能使他吐实，确是一个小小的难题。我既然不能说明受了他的妻子的委托，他如果因陌生而拒绝不纳，我又将怎样对付他？霍桑虽叫我找个理由，可是这理由也不容易找。

反复考虑的结果，我定意进去时先冒他一冒，说这两天有人看见一个人在门外徘徊往来，形迹非常可疑；因此特地向他探问一下，他是否觉察到了这个人，并且他与那个人有没有关系。如果那女人的故事不虚，这问句一定能打动他的心，至少他的神气也隐瞒不住。那时候我再临机应变，他势必不能再拒绝我。

车子到了新生路中段，我便下车，找寻一百四十一号门牌。那是一条新辟的马路，地点非常冷落。马路两旁的屋子稀少，除了偶然有几宅孤立无邻的住宅以外，还有许多空地。我寻到了那个号数，那是一宅新造的西式屋子，一连共有三幢二层楼屋，四周围着一垛通连的青色砖墙，内部却每一幢另有分隔。那金栋成的住宅，在靠边转角的一家，侧面恰临胶州路。

我先向屋子里瞧瞧，窗口里有灯光透露，楼窗上也有灯光，显见那夫妻俩都已回家。但是我走到门口听听，楼上楼下都是静悄悄的没有声响。我在那绿色新漆的铅皮铁门上轻轻地敲了两下，没有声音；我又叩得重一些，仍旧没有应声。我细瞧门上，又不见有什么电铃，不免暗暗地纳闷。

路上没有行人。风似乎加了些劲。我再听听，屋子里面依旧是寂静无声，我更瞧瞧隔壁居中的一幢屋子，更是上下墨黑。

我踌躇了一会儿，脑中忽而发生一种奇想。这会不会是一个圈套，要把我引入彀中？我的手自然而然地伸进外衣袋去，竟没有带防身的手枪。当然，我是去访霍桑闲谈的，原不料有这一回意外的任务。我想到好几年来，我们经手破获的案子很多，那些失败漏网而衔怨我们的人，像恶棍巨憝之流，当然不在少数。所以我这个怀疑，在实际上是可能有的。但是我此刻既然来到这里，可能因着我凭空的疑惧，便退缩回去？况且我生平经历的危险已经不少，这一次如果退缩不前，岂不要叫人笑我？

蓬蓬蓬！……

我又第三次叩门。结果仍没有人答应。我不再等待，伸手旋那门钮，竟应手而开。门里面有一方空地，种着两棵棕树。那空地沿着围墙，直通屋后。左侧里有一条水泥通道，直接那前门口的水泥阶级。这屋子是新建的，故而内部的布置不很完备。我定一定神，放开脚步，一直走到屋子门前。我站住了，伸手在那花玻璃上弹指作声，可是依旧没有人来开门。

奇怪！怎么一回事？因为我看见那右边通阳台的窗中，电灯明明亮着。难道里面果真没有人？这时我本能地想起了某一案件中的骇人经历，我的心房不由得乱跳起来！

我从前门的花玻璃中内窥，看见近门有一盏电灯，光力很弱，隐隐还瞧得见里面的楼梯。我不再停留了，因为再停留下去，会自起狐疑，挫弱我的勇气。我照样将门钮旋动一下，门也不曾下锁。我踏进了门，咳嗽一声；没有声音。我故意放重脚步，踏进一步；还是杳无声息。我举拳直叩那右侧里客室的门，却到底不见有人答应！

惊异吗？自然。这屋子里在玩什么把戏？我果真是被玩弄的对象吗？

我又伸手去旋那客室的门钮，竟不能开动。室门既然锁着，里面谅必没有人，但是电灯又为什么亮着？

嘀嗒！

我猛听得锁孔中的响动声。客室门突然地开了！一个高大汉子赫然出现在我的眼前。他一手拉着门钮，一手执一把手枪，枪口对准我。

唉！我料想得不错，我当真已投进了圈套！怎么办？我手无寸铁，抵抗自然谈不到；其实即使我衣袋中有枪，这时也来不及拿出来！

还好！幸亏我经历的事情不算少，虽临危难，还不曾丧失我的镇静的定力。门里面的电灯照见对方恶狠狠地挺立着。我抱着无抵抗主义，既不退缩，也不举手，但很宁静地站着，瞧着那大汉高声说话：

“喂，什么意思？”

那人有一双凶狞的眼睛，方脸，阔嘴，大蒜鼻，下颌特别突出，身体高出我一寸光景，肩膊也比我阔得多。如果我和他徒手相搏，胜负还保不定，何况他的手里还有枪。可是他在我身上打量了一下，似乎微微一震。他不但没有开枪的倾向，他的执枪的一只手竟也放低了一些。

他期期地问道：“你……你是谁？”

他的呼吸急促，眉峰蹙紧，脸上又像抱歉，又像局促不安，似乎这回事出于误会，并不像我先前所料的要诱我入彀。

我婉声答道：“我叫包朗，是私家侦探霍桑的朋友。”

我把霍桑的牌子掮一掮，果然产生效果。那人的态度顿时改变了。他一边急急地把手枪塞到他穿的一件玄色呢西装外衣的袋中去，一边将门拉开些。里面像是一间客室。

他忽然向我拱拱手，说："唉！对不起！对不起！我弄错了人！……先生……嗯，包先生，请进来。我正打算要请教，再巧没有！包先生，你说的霍桑先生可是住在爱文路的？"

我随便点一点头，心中暗忖，我先前的想法未免神经过敏。这个人自己也有意请教霍桑，这又出我的意料。那么我即使说明他的妻子曾到霍桑那边去请求，谅他也不致怪伊，这样，谈起来自然更容易合拍，我不必再怕他守秘密了。

我进了客室，缓缓走到一只西式的靠背椅面前，眼睛在这光亮的客室中瞥一瞥，仿佛踏进了一个小小的家具陈列所。室中有许多器物，方桌、长台、琴几、圆台、沙发、靠背椅，中西杂列，并且有新有旧，实在太不相称。我又瞧那人身上穿一件墨绿色的白羔皮袍，外面罩一件玄色外衣，短了四五寸光景；脚上穿的一只挖花的本国式呢鞋，却是那时候上海最流行的。一种不伦不类的模样，竟和他妻子的装束无独有偶。他伸出一只戴了两枚金指环的右手，向我摆一摆，先自面向着窗坐下来。

我坐定之后，便依着他的语气，答道："金先生，你本来也要见见我们吗？可是就因着你的那个仇人的事？"

金栋成愣一愣，眼球突出了，向我呆瞧着。这反应并不出我意料，反使我暗暗欢喜，因为我的单刀直入的话锋已经刺进了他的心坎，他已不能掩饰。

他作骇异声道："包先生，是……是的。你也知道了吗？"

我点头道："正是，你的夫人已经告诉我们了。"

金栋成又呆一呆，接着点点头，忽又叹息一声。

他道："唉，难为这小妮子，竟也这样子关心我！……唔，包先生，你的话不错。我就为了他，要请你们设法探明白他的踪迹，想一个对付方法。"

我顺势问道："那么这个人是谁？跟你有什么怨仇？"

金栋成又紧皱着眉峰，不回答，分明内中确有什么惊人的事实，他一时不便出口。他低头想一想，他的眼睛霎了几霎，似乎已有了主意。

他说："包先生，对不起，这一着我现在还不能说明白。我可以告诉你，这个人姓董，从前曾吃过我的哥哥的苦，此刻我的哥哥死了，他就寻到我身上来。他是一个穷凶极恶的人，有些蛮力。老实说，我委实有些怕他。"

我问道："他此番来找你，你想他有什么目的？要诈你的钱财？还是要害你的性命？"

金栋成又怔一怔，疑迟了一下，摇摇头："我……我不知道。可是他总不怀好意，要我的命，也说不定。我觉得我敌不过他，也不愿意把这件事报告警察，因为……因为……"

我见他顿住了不说，催问道："因为什么？"

他吞吐地继续道："因为……因为这件事关系我哥哥的秘密。现在哥哥死了，我不愿意再把它张扬开来。所以我要请教你们的，就要请你们侦查他的踪迹，想个法子吓他一吓。"

我摇摇头，正要表示拒绝，他似乎已经会意，不等我发表，忙接续下去：

"包先生，要是你们另有别的方法，也行，只要秘密，妥当，免得我吃他的亏。包先生，你得帮帮忙，成功了，我一定重谢。"

他说话时他的右手伸到外衣袋里去，一会儿又抽出来，又不时搔头摸耳，显得他方寸已乱。

我问道："你到底要叫我们做些什么？"

他疑迟道："我本来的意思，要请你们吓他一吓，叫他知道些厉害，不敢再来找我。"

我皱眉道："对不起，这种事我们不会干。我们不是三头六臂，吓不退人；若使利用了权势去吓人，那是我们最痛恨的。何况你和他结怨的情形，我一点儿头绪没有，我们不能随便给人家利用。"

他慌忙地说："包先生，我早已说过，这回事关系我的哥哥的名誉，跟我实在没有直接关系。我只是代哥哥受过罢了。包先生，你尽管相信我，我决不骗你，骗了你准会落在长江里！"

他宣誓，他挥手，接着的又是拱手。他的语声很恳挚，似乎我非答应他不可。我又自己纠正我先前的估量。这个人简直虚有其表，他的内心充满了恐怖，显然脆弱得毫无力量，不然他不会如此发急。

我问道："那么你和这个姓董的会过面没有？"

他放低了声音，答道："我见过他一次。那是本月十六日的晚上，在大新戏院里。"接着他便说明那晚的事实，和我们先前所听得的相同。

我又问："以后你可曾见过他？"

金栋成道："没有。可是昨天傍晚他竟然到我家里来了！"他又告诉我那时的情状，也和他的妻子说的一样。

我想起了霍桑的提示，问道："当初你在戏院中瞧见他时，会不会瞧错了人？"

"不会。他也向我瞧一瞧，分明也看见我。何况昨晚上他已经到这里来过。"

“那时你没有看见他，说不定另有一人。你想不会是误会吗？”

金栋成忙摇着两手，答道：“不会！绝不会！我告诉你，他虽没有直接和我谈过，可是已经打过电话给我。”

话既然这样肯定，误会的假定显然已没有成立的可能。我就进一步探究。

我继续问道：“他几时打电话给你的？”

金栋成道：“那是三天前的事。我在兴发园浴室里洗澡，他突然打电话来找我。你想他也知道我洗澡的地方，可见他对于我的行动已经调查得很清楚。”

“他说些什么？”

“他不和我多谈，只说：‘老魁，你好啊！你等一下子，我要和你谈几句话。’我一听声音，果真是他，便急急避开。”

“他那时叫你老魁？这是你的名字？”

他忽吐一吐舌尖，有些窘：“那是……那是我的小名——阿魁，别的人也不知道。他先问浴堂里的堂倌，说要找老魁，堂倌回答没有。他才说要找一个住在新生路姓金的人。”

“他后来可曾到兴发园里去找你？”

“我不知道。因为我离开了兴发园，到现在还没有去过。我已经另外换了一个浴堂。”

我忖度了一下，表示我的见解：“瞧这情势，虽是明明有一个人要和你作难，但也许那个人并不真是你的姓董的仇人。他的目的也不是报仇，只想用恐吓手段，诈取你的钱财——”

金栋成忙着插口道：“绝不，绝不。包先生，你别再不相信。那晚上我在戏院中瞧得清清楚楚，他也隔着戏院的池子瞧我，一定已经认识我。他在电话中又叫我的小名，声音又明明是他。绝不会错。”

他既然一口说定，我自然不便和他辩论，就提出另一个问题：

“近来你可有别的朋友来瞧过你？”

金栋成顿了一顿，才缓缓地答道：“有的，有一个姓何的同乡来过。他因为境况不大好，要问我借几个钱。这个人不会有什么关系。”

“这个人怎么会知道你住在这里？”

“我第一次在路上偶然碰见他。后来他到这里来过两次。”

“你可也知道他的住处？”

“据他自己说，他住在云南路的方泰客栈里。”

“他可知道姓董的和你有纠葛的事？”

金栋成低头踌躇了一下，摇摇头：“不知道。这回事除我自己以外，没有第二个人知道。故而——”

他说到这里，他的眼睛偶然向窗上一瞥；接着他的头颈一缩，忽而跳起来，纵声大呼：

“哎哟！他——他来了！快——快捉住他！……”

理论和方针

我本来背窗坐着，一看见金栋成的变态，也急忙旋转头去。玻璃窗外面有一个戴黑呢铜盆帽子的人头，转瞬间便不见。

变端来得太突兀，我没有准备。金栋成急急从他的外衣袋中摸出了手枪，似乎要追赶出去。可是他的脸色泛白，两腿也颤动不止，莫说追赶，连站也几乎站不住。我估量他这样子出去，非但无效，反而会掣肘误事。我马上立起来，把他一推，让他重新坐下：

“坐下，别乱动！我去追他！”

我顺手将他的手枪夺过了，急忙回身出室，推开那花玻璃的门。这时候我猛听得外面门上的铅皮击动的声音。等我开了花玻璃门，跨下水泥阶级，踏上空地，早已不见人影。那前门果然半开半合，那人分明已经夺门而逃。我毫不犹豫地追出门外，路上也不见有什么人奔逃。我想胶州路比较静僻，那人或是转了弯，从这条路逃去。我先奔到左手的转角上，向胶州路的南北两向一望，也没有逃人的踪迹，只见一辆黄包车正在向北进行，但相距已远，不像就是逃走的人。

没办法，我只得回转身来。我正要退进屋子里去，忽然看见有个短衣人从东面走过来，也正要进门去的模样。这人一看见我，突然停了脚步，样子有些慌张。

我厉声问道：“你是谁？”

那人愣一愣，略一迟疑，答道：“我……我叫杨小弟。你……你干什么？”

他说的是一口上海话，身上穿一身玄色布的棉袄棉裤，外面罩一件黑洋缎马甲，头上戴一顶半旧的黑呢铜盆帽，果像仆役打扮。这时路灯光照见他的脸上有些惊异，眼睛张大了，呼吸也很急促。他注视着我的手中的手枪。

我又问道：“你此刻从哪里来？”

他答道：“我从我的家里来啊。什么事？”

“你别问。你家住在什么地方？”

“温州路八十八号。……你……你究竟是谁？为什么问我？”

他的语声还安定，不像会弄什么乖巧。我也婉和些语调：

“我是来替你家主人办案子的。刚才你从东面过来，有没有看见一个像你一样戴黑呢铜盆帽子的人？”

那仆人呆一呆，摇头道：“没有啊。难道那个人今天又来过吗？”

我应道：“正是。我听说昨天傍晚你亲眼见过他，是不是？”

杨小弟连连点头道：“是的，是的。”接着他便描摹那人的衣服状态，并说他的主人听得以后吓得像疯子。我又问他回家去有什么事。据他说他的妻子生了一个儿子，傍晚时他趁空回去瞧一下子。

一会儿我们已回进客堂。金栋成依旧坐在椅上，双目直视，还是喘息不安。他的妻子站在他的旁边，一只手按在他的肩上，分明伊听得了他的惊呼声音，特地下楼来瞧瞧，这时候正在竭力安慰他。伊看见我和小弟进去，便从后面的另一扇门里避去。

金栋成勉强坐直些，颤声问道：“包先生，怎么样？你……你可曾捉到他？”他气息咻咻的，脸上也没有一丝血色。

“人不可貌相”，这里是一个额外的例证。这个人又高又大，外表本来很犷暴，谁知他的神经竟会如此脆弱？他一看见那人，便吓得这个模样，可见他的内心中一定有某种恐怖。可惜的这内幕中的玄秘，他既然不肯说，我也没法看透它。

我答道：“没有捉住。我追出去已经没有踪影。”

他低声说：“包先生，你……你总得想个法子抓住他。我很害怕！”

我安慰他说：“你别这样。我料他看见你这里已有准备，在这一两天内绝不敢再来冒险。你姑且定定神，别自起惊慌。我此刻回去，找霍桑先生商量一个方法，以便在最短时期中给你解决这个难题。明天饭后，你可到他的寓所里去听消息。你可知道霍先生的住所的号数？”

金栋成点点头，又向旁边的仆人杨小弟瞅了一眼：“我已经问过小弟，霍先生不是住在爱文路七十七号吗？”

我应道：“是。你准明天去。今夜里你尽管安睡，别再自起猜疑才好。”

我回到霍桑寓里的时候，霍桑还没有进晚餐。他因着血刀的实验没有效果，心中正感到非常闷懑。他留我在他的寓里吃夜饭，饭后又问我经过的情形。我就把所见所闻扼要地说了一遍。末了我又补充些意见。

我说：“霍桑，今天你的料想未免差了些。这件事并不像你所估量的这样简单，实际上确有一个人要和金栋成作难。我相信他们中间一定还有某种不可告人的秘密。而且那幕后人也一定非常可怖，金栋成才如此丧胆。不过金栋成既然不肯说明，侦查时实在很棘手。”

霍桑正在火炉旁边，嘴里衔着纸烟，垂着目光打盹似的听我说。我说完了，他的头仍不抬起来。隔了一会儿，他才缓缓地举起手来，从口中取下纸烟，他的眼光仍落在地毯上面。

他说：“这样看，这件事倒也有些兴味。我刚才不是估量错。我觉得那女人的态度有些不自然，所以我怀疑伊的故事的正确性，至少很像是出于误会。现在据你观察，事情是实在的。不过当事人既然不肯把真相说明白，或是用谎言搪塞，我们自然也无从下手。你想一个患病的人谎报病状，医生即使隔靴搔痒地下了药，又怎么能见功效？”

“你觉得金栋成有什么地方说谎不实在吗？”

“是。他说那个要作难他的人，是他的死了的哥哥的仇人，与他本人并没有相干。这明明就是谎话。”

“是啊，我也觉得他这句话靠不住。”

霍桑又说：“根据心理的规律，一个人的内心如果没有内疚的缺陷，绝不会凭空自馁。《孟子》上引曾子告诉他的弟子子襄的话：‘自反而缩，虽千万人，吾往矣。’所谓理直气壮，就是这个意思。假使姓金的话是实在的，他是代人受过，那么他问心无愧，又不是瘦弱无能，又何致见影心虚，害怕成这个样子？”

我应道：“对，你说得不错。现在你打算怎么办？”

霍桑道：“我们假使能够知道他和那人所以结怨的实在情形，和那怨仇的性质怎么样，那才有线索可寻。若能如此，解决的希望自然也有。”

我说：“照眼前的情形看，你说的两个问题就不容易处理。你瞧可还有什么着手的方法？”

霍桑不答，重新把纸烟送到嘴唇间去。他吐吸了几口，凝视着烟端的烟纹徐徐地上升。他的神气很宁谧。我知他正在竭力运思，不便打断他的思绪，只索守着静默。

一会儿他又放下了烟，微笑说：“包朗，据我意料，这件事像是一件寻常的胁诈案，不见得怎样了不得。”

我问道：“喔，你又来了！何以见得？”

“你想那姓董的两次到金栋成家里去，可是没有动作；又打一次电话给他。那有什么意思？不是只有恐吓一下的作用吗？如果他的目的在图害金栋成的性命，那尽可乘机下手，又何必如此客气，预先打电话通知他？”

“虽然，也许那人另有用意，先吓金栋成一吓，使他心虚神慌，以便容易下手。因为就体格方面说，金栋成不是一个容易对付的人。”

霍桑摇头道："你的想法太美丽了，实际上不一定可能。你给予姓董的评价太高了。因为你假定姓董的用意很狡猾，而且非有些对于心理的研究办不到。但据你说的这个金栋成像是个粗人，不像会有这样智黠的敌手。另一方面说，他所下的代价未免也太大。他要行凶报仇，势必求迅速了事，以便脱身逃罪。他这样两次虚声恐吓，岂非太不经济？万一目的没达到，却给人捉住了，又怎么样呢？"

理论很正确，辩证也很显豁，我自然不能再辩。

我又道："照你的话，那姓董的只想诈索，金栋成又为什么如此恐惧？"

霍桑道："这件事在金栋成的心目中，一定自以为是他的仇人要谋害他的性命，因此才神魂不安。"

"你怎么说他'自以为是'？难道实际上并不如此？"

"这很难说。就现状论，或者这个人并非姓董的本人，却另有人假冒了，借此完成他的恐吓诈钱的目的。"

"但是他对我说过，他和姓董的怨仇，除他自己以外，没有第二个人知道。谁又能够利用这个机会？"

"这个算不得。金栋成也许故意秘密，假说没有别的人知道，防我们从别方面刺探他的隐秘；或是他的秘密实际上早已泄漏，不过他自己还没有知道罢了。"

"那么你看这件事我们应得怎样对付？"

"我看事情还待开展，这只是一个引子。"

"我们静坐着等待自然发展吗？"

霍桑弹去些烟灰，皱眉说："要是马上进行，眼前也有一条值得一试的线路。我怀疑一个人，从这个人身上着手。"

我忙插口道："你说的人不就是那个向金栋成借钱的姓

何的？”

霍桑点头道：“是。你总记得金栋成的妻子曾说，他们到上海以后，本来很快乐。金栋成也逍遥自在，可见他心中原没有什么负担。直到那晚在大新戏院里看戏以后，他才发生变化。但那个姓何的第一次去访他，就在他们看戏的前三天。这里面不是有些痕迹可寻吗？”

我赞同道：“对。我起先也很怀疑这个人。但金栋成竭力替他辩白，说他并不知情，绝没有关系。”

“我们不必听他。就目前的事实论，这个人像是案中的重要角色，绝不能因着金栋成的见解就放弃不理。”

“那么假冒的人可就是这个姓何的？”

霍桑丢了烟尾，摇摇头：“这还不能说定，我们也不必先存什么成见。你既然约金栋成明天饭后到这里来看我，到那时候我们对于这个谜团一定可以更加明了些。”他瞧瞧炉檐上的小瓷钟：“包朗，回去吧。嫂夫人盼望太久了。事情并不太紧张，我不留你在这里过夜哩。”

第二天饭后，我依约往霍桑寓所里去。我看见他沉着脸，默坐在炉边，模样不快乐。我不知他是否因着金栋成的案子，或是那另一件血刀案产生了阻碍，才有这种懊丧的神情。经我一问，才知道这两件案子的进行都不很顺利。血刀经过再度的化验，仍没有确切的结果，因此他不能不另请化学专家去化验。金栋成的案子，他早晨也已出去探询过一下，同样没有端倪。他曾到那云南路方泰客栈去找姓何的人。据说那人先前果曾在栈内耽搁过几天，但在一星期前已离栈不知去向。他又往金栋成常到的兴发园浴室里去问过。一个堂倌说，这几天金栋成已经换了浴堂，不再去洗澡；起先每天午后，他总要在浴堂里打一个盹，消磨四五个钟头；并说金栋成性子很躁急，用钱也很阔绰，故而在一般堂倌们眼中，金栋成手里一定很有些钱。

我问道：“你可曾问有人打电话去的一回事？”

霍桑道：“问过的。堂倌说确有这一回事。这电话，使他失去一个好主顾，给予他的印象特别深。因为金栋成接电话以后，模样很慌张，匆匆地穿好衣服便走，以后竟一去不回。”

“后来打电话的人可曾到浴堂里去找他？”

“没有。我也问过那堂倌，据他说并没有人问起金栋成。”

“此外你可曾得到什么别的线索？”

“我还知道那个姓何的是个胡子，身材瘦长，年纪在四十光景，名字似乎叫少梅。他曾和栋成一块儿到浴堂里去过几次。除了这个人以外，金栋成更没有别的相识的朋友。”

“那么你现在想用什么方法了结这件案子？”

“我仍想照原定的方针，打算先找到这个姓何的人。我相信这个人是案中的一个要角。”霍桑顿一顿，忽向窗外望一望，继续道，“唉，有人来了，大概就是金栋成。你等一等，让我来问他几句，或者另有别的线索，也说不定。”

曙　光

施桂领了一个客人走进来，果然是金栋成。他穿的仍是昨天的墨绿花缎的皮袍和玄色短外衣，头上却多了一顶青灰色高顶的呢帽，更见得特别。他见了霍桑，脚跟相并地僵立着，似乎有些瑟缩不前的样子，幸亏我在旁招呼他，他才走进来。霍桑的眼睛在他的脸上瞟了几瞟，便婉声招呼：

“金先生，别拘礼，请坐。我们不妨随便谈谈。”

客人在炉边坐下了，没有卸外衣，他的两只手插在外衣袋里。霍桑也在来客的对面坐下来：

“金先生，你昨夜可曾安眠吗？”

金栋成点了点头，又向我瞧瞧。他的两只手从衣袋中抽了出来，两相交搓着，却不答话。

我又不禁暗暗诧异，这个人外表上明明像是个鲁莽汉，谁想到还有这一种害羞怕丑的神气。

霍桑开始用婉言问他，这姓董的人究竟和他有什么怨仇。他的答语仍是昨天向我说的几句老话，绝对不承认是他自己的仇人，只补充了一句姓董的叫老九，是浦口人。霍桑虽用旁敲侧击的方法，却到底不能教他吐实。霍桑忽然采取一种突然的袭击：

“金先生，你和姓董的是不是在军队里面结的怨？”

问话和反应都出我的意料！来客突然跳起来，哆开了嘴，突出了眼球，好像一个胆小的人骤然间看见了鬼魅。

“没有的事！……没有的事！”他怕他的答辩还不够强调，还用两手乱摇着。

霍桑仍很镇静地说：“没有？我说错了？那么你不是在军队中服役过的吗？”

“嗯……嗯，没有……也没有……霍先生，你怎么有这奇怪的念头？”他还在发喘。

霍桑淡淡地笑一笑：“我看见你走路的姿态和立正的姿势，都像受过军队训练。”

金栋成点点头：“喔，那不错，我当过几年警察。霍先生，你的眼睛真凶！”

霍桑又笑一笑："好，好，请坐下来。"

来客归座之后，室中一度沉默。我默忖，霍桑的问句虽近乎虚冒，但是也并非绝无根据。

霍桑又问道："那么这个姓何的人和你有怎样的关系？"

金栋成道："他是我的同乡，并没有深交，这一次也是偶然碰见的。"

"我听说他曾向你借贷。这事可实在吗？"

"实在的。他只问我借些做小生意的本钱，数目并不大。"

"他什么时候问你借的？在你瞧见那姓董的仇人以前？还是以后？"

"以前。他第一次到我家里去时就开口。"

"借多少？"

"二十块钱。"

"你答应他没有？"

"我答应的，第二天便在兴发园里如数给他。"

"以后他可曾再向你借过？"

"唔，是的。第二次他又开过口，那时他又寻到兴发园去。"

"这一次又借多少？"

"他要借五十块钱。我没有借给他。"

霍桑的眉毛忽而掀一掀，眼睛向我瞟一瞟，仿佛暗示我他已寻得了什么线索。他又问："这一次一定是在你瞧见姓董的以后了，是不是？"

金栋成沉吟了一下，皱着眉头，答道："唔，是的。但是，霍先生，你不要误会。少梅和这件事实在没有关系。"

"你为什么要给他辩护。"

"不是辩护。因为他实在没关系。"

“何以见得？你有凭据吗？”

金栋成立即应道：“是。因为在二十那天，姓董的打电话给我，何少梅跟我一块儿在浴堂里——他还在我的旁边。”

这确是一个重要的反证，我不禁暗暗地点头。有这一着，莫怪他深信这姓何的无关。但是霍桑似乎还不肯放弃他的见解。

他说：“虽然，这何少梅即使没有直接关系，但说不定还有居间通线的嫌疑。你可也有证据给他证明吗？”

金栋成把眼睛移瞧我，说：“昨天我已和包先生说过，这件事绝不会是别的人假冒。因为我和姓董的的关系，没有任何旁的人知道。你想谁又能够托名假冒？”

“你确信没有别的人会知道你们之间的事？”

“对，我确信如此。”

金栋成的斩钉截铁一般的答话使霍桑有些失望。他低垂了目光，静默了好一会儿。

他又道：“那么你告诉我，这何少梅现在住在哪里？”

金栋成不高兴地答道：“我不知道。但这个人绝没有关系，我劝你别盯在他的身上。要是你肯帮我的忙，你得另寻方法，才能抓住那姓董的；或者你派个人在我的屋子外面也行。”

霍桑不答，紧皱着眉峰，立起身来，背负着手，缓缓地踱着。局势有些僵，可是我也没法打破。

一会儿，霍桑回转头来，冷淡地说：“既然如此，我也只能听它自然。我不能接受保镖的任务。以后如果有什么变化，你立即通知我们。再会。”

金栋成现着十二分懊恼的样子，悻悻地退出去。我注意到他的举步的姿势果真像个军人。

霍桑作懊丧语道：“这种案子真叫人气闷极了！他既守着秘

密，不信任我，我自然也无能为力。包朗，你回去吧，眼前只能搁一搁，有消息我再通知你。我准备继续进行那血刀案了。”

于是我也无精打采地回家去。先前我本抱着满腔希望，以为这件案子转瞬便可了结。现在看起来，事情已成僵局，莫说结果，连进行的路径竟也无所找寻。

我到了家里，不到半个钟头，正在和我的妻子佩芹谈论这件事，忽然霍桑打电话给我。他说他先前本托警署侦探长汪银林查访那个姓何的胡子。这时有一个探伙，在妙法路鸿升客栈内访得了一个状貌相同的人。不过那人是个卖叫货的小贩，白昼往各马路去叫卖，必须上灯时才回栈房。故而霍桑约我傍晚时再去。

消息虽还空洞，但还算可喜。这真像黑夜漫漫中，东方陡然漏露一线曙光；又仿佛炎热闷损的夏天，忽然听得隐隐的雷声，虽未必立即有雨，但心理上往往会有凉快的感觉。据霍桑意料，这何少梅多分和此案有关，金栋成却又尽力替他分辩。现在那人既然有了着落，谁是谁非，不难立即解决。

阴历二月里的天气，白昼还短。那天又恰是欲雨不雨的阴天。寒风开始加劲。灰褐色的云片密布在天空中，下午时已像垂暮。到了六点钟时，天色已瞑，我赶到霍桑寓里，看见他的精神似乎比早晨时焕发得多。

他先向我说：“这何少梅假使当真找到了，没有错误，那么在这件案子上多少总可以得到些光明；最低限度，我们也可以明白金栋成和董老九究竟有什么怨仇。这样，我们才可以进一步着手调查。”

我问道：“你想何少梅会知道金董二人间的秘密？”

霍桑道：“很可能。你可觉得金栋成有一种明显的表示，不愿意我们追究那个何少梅吗？这无非就怕我们找到了何少梅之后，他的秘密便不能保守。”

我点头以表示同意他的意见。

霍桑又说：“方才你走了以后，金栋成的妻子又来过一次。伊是来探听消息的。我乘机约伊上灯时再来，以便汪银林把那人带来以后，叫伊辨认一下，是不是何少梅本人。”

这时候街上的电灯早已明亮。霍桑的办公室中也灯光灿灼。我默念约时将到，这案子的秘幕也许不久就可以给揭穿，精神上又兴奋起来。我们谈了一会儿，消耗了两支纸烟，便听得前门外一阵脚步声。胖胖的汪银林果真已领了一个人进来。

那人身材瘦长，穿一件玄色假花呢的旧棉袍，颏上虽有胡须，却已修剃整洁。我们和汪银林经过简单招呼，彼此坐下来。但那人仍呆立着向我们乱瞧。

霍桑婉声招呼他道：“朋友，请坐。我们请你来，没有别的意思，只要向你问几句话。你不用惊慌。你不是叫何少梅吗？”

那人点一点头，勉强在沙发的边上坐下来。他的嘴角牵一牵，似乎要答辩，但没有声音。

霍桑道：“你尽管实说。这件事与你没关系。可是你若使说谎强辩，那未免反而坏事。现在我问你，你做什么生意？”

那人停了一停，才答道：“我做叫卖货——卖肥皂。”

霍桑点点头：“唔，但是我瞧你以前绝不是做这种生意的。你是当过兵的，是不是？”

那人霎霎眼，忽现出诧异的眼光，但也不期然而然地点了点头。

霍桑又道：“我没有说错吗？好。你因着溃败以后没处活命，才逃到这里来做叫卖生意，是不是？”

何少梅的眼光，诧异中又含着惊服的神气。他虽不答应，可是明明有承认的暗示。

霍桑作赞许声道："很好！你眼前的营生虽是辛苦些，可是心安理得，比在那争权夺利的军阀们的手下，干那杀人喋血的勾当，总要好出几百倍。"

语气很婉和，词意是温慰。这是霍桑谈话的艺术，目的在笼络对方的心，使他能心悦诚服地说真话。效果真不坏。来人微微叹一口气，又点点头。

霍桑顺水推舟地问道："我问你，你从前的伙伴中，不是有一个叫金栋成的吗？"

那人定着眼睛寻思着，一时似乎追想不出，接着他摇摇头："我不认识。"

答语又是意外的。霍桑正要继续发问，忽而仰起些身子，侧着耳朵倾听。他随即向我微微点点头，目光向室门转一转。我立即领会了，急忙走出办公室，反身将室门拉上。

警　报

我到得外面，果然看见施桂领着金栋成的妻子轻声走进来。伊的身上还是那套过度时髦的装束。我忙迎上前去，向伊附耳说了一句，叫伊不要声张。伊点点头，一言不发，跟我走到霍桑的办公室的门口。

我先从锁孔中张一张。那何少梅正面向门坐着。我向妇人招招手，叫伊瞧视。伊俯下身子来略一窥视，便立直了向我点一点头，似回答正是这个人。我暗忖这人既然就是何少梅本人，为什么又不承认和金栋成相识？

办公室中的谈话在继续，我当然不便再进去。我向那妇人演个手势，就站在门外偷听里面的谈话。偷听是不道德的行为，不过我是执行任务，在理应当别论。

何少梅答道："我当真不认识这个姓金的，并非说谎。"

霍桑道："你新近还向他借过钱，怎么说不认识？你不是说谎是什么？"

室中静一静。接着何少梅忽发出突然醒悟似的声音：

"喔，你说借钱给我的人？他不是住在新生路的吗？"

"是，新生路一百四十一号。"

"对了。可是他并不姓金，他姓王啊。"

"姓王？叫什么？"

"叫王德魁。"

"得魁？……唔，不错。他是和你同伍的？"

"是的。他是炮兵第七团中的少尉排长，我在步兵二十一团当上士。我们从前虽然早相识，不过并没有怎样深的交情。"

两个人都是吃过军粮的，霍桑的观察没有错。刚才那假托的金栋成所以不承认，用意显然在掩护他的秘密。进一步推想，霍桑所假定的"在军队中结怨"，大概也离事实不远。

我回头向妇人瞧瞧。伊也恰巧在瞧我，伊的脸上显着惊异的神气，似乎伊的丈夫是军人这一点也是伊以前所不知道的。

霍桑和何少梅的问答实际上没有断，我的听觉也不曾渎职。侦探长汪银林却始终旁听。

霍桑说："王德魁有一个哥哥，你可也认识？"

那人停了一停，才道："这个我不知道。"

"那么还有一个姓董的人，你总认识？"

室中又静默了一会儿，才听得何少梅的答话：

“我认识的姓董的有三四个。先生，你要问的那一个叫什么名字？”

“我知道有一个姓董的和王德魁有些怨仇。这个人当然也是行伍中人。你可知道这一回事？”

“我……我不知道。但是当我第一次碰见王德魁时，他曾问我，有没有看见过董团长。”

“唉，那么这董团长你也认识的？”

“是，他就是炮兵第七团团长，是老魁——嗯，王德魁的上司。”

“唔，你可知道王德魁和董团长究竟有什么怨仇？”

“这个我不知道。得魁从来不曾提起过。”

“那么得魁问你的时候，你怎么回答他？”

“我说我没有看见他。王德魁又问我可知道董团长在哪里，我也回答不知道。”

“实际上你可知道董团长的踪迹？他此刻不在上海吗？”

“先生，我实在不知道。”

“真的？我想你当时绝不止这几句话。”

“先生，我实在没有说什么。我完全不知道他们俩有什么纠葛；只知道得魁是董团长手下的一个排长——”

蓬蓬蓬！……

意外的岔子发生了。外面前门上拳击声乱作，立即打断了室中的谈话，并且惊得那妇人缩作一团。我正打算走出去瞧个究竟，忽见施桂已抢步出去开门。转瞬间一个浑身黑黑的短衣的人飞步进来，满嘴里高声乱嚷：

“不好了！……不好了！……”

我仔细一瞧，不是别人，就是那王德魁——假名金栋成——的男仆杨小弟。

警报声早已传进了办公室。室门突地给拉开。霍桑首先从室中冲出。汪银林紧紧地跟在他的后面，他的玄色毛细呢的长袍袖口也卷了起来，好像准备应对任何紧急事件。我看见霍桑的面色灰白，眼睛中射出骇异的目光。霍桑临变不乱的精神，本是我素来佩服的，这时候他的惊奇出神的反常状态也是我难得瞧见的。

那妇人首先开口："小弟，什么事？"

杨小弟气息咻咻地答道："他……他死了！……他死了！"

霍桑抢着道："谁？……谁死了？"

杨小弟道："老爷……老爷给人杀死了！"

"哎哟！"

那妇人一声惨呼，身子便站立不稳，向后倒下去。我急忙张臂将伊扶着。汪银林无所措手地在发呆。霍桑也咬着嘴唇，顿足叹息：

"完了！……我失败了！"

"霍先生，这到底是什么一回事？"汪探长迷惘地插一句。

霍桑不答，仍闭紧了嘴，在瞧那报警耗的仆人。我暗忖霍桑本假定这是一件诈索案子，此刻竟酿成了命案，怪不得他要自认失败。接着霍桑恢复了镇静态度，开始问话：

"小弟，他死在哪里？"

"在门口的阶沿上。"

"凶手是谁？有人看见吗？"

"没有。我不知道。"

那妇人勉强站住了，一听这话，不禁哭出声来，争着要奔出去。我仍拉住伊不放，觉得伊的两手如冰，呼吸也短促异常。

霍桑回头向汪银林道："银林兄，你和包朗兄陪这位王夫人先走一步。我还要向何少梅问几句话，随后就来。"他重新进办公室去。

汪银林点点头，就和我一同扶着妇人，跟杨小弟走出去。小弟是乘了车子来的，这时一辆黄包车仍停在门口。但汪银林有汽车等着。我们为迅速计，叫杨小弟回绝了黄包车，我们四个人一同乘汽车驶向新生路去。

我乘机问杨小弟发案的经过。事实很简单。据他说在这天午后，他又回家去瞧他的妻子，直到上灯以后才回主人家去。他进了那绿漆铅皮的前门，看见屋子里黑漆无光，分明主人主母都不在家。他正要摸出钥匙，打算走上水泥阶级去开屋子的门，忽觉阶下有一个人躺着。他俯下身去一瞧，正是他的主人——王德魁。那时他看见主人的脸上血液淋漓，知道已没有救。他高声喊了两声太太，没有人答应。他不知道主母在什么地方，一时没法，便想起我们本担任这件案子，所以便赶来报告。

王德魁的妻子因着受惊过度，靠着车子坐垫，不住地发抖。伊用手捧住了脸，呜咽不绝，右手上的两枚阔厚的金戒指在车厢中反光。我问伊离家时的经过，伊吞吐不清。伊说伊在六点半钟时，因着霍桑的预约，将前后门关锁好了，到爱文路来践约。伊预计到霍桑寓里，证明了何少梅之后再回家，伊的丈夫还不会回来。不料得魁这一天偏偏早归，才让那凶手得到了下手的机会。那时候屋子里完全没有人，凶手自然容易脱逃。

我听了这番话，也不禁暗自自责。昨晚我将那凶手吓逃以后，以为他不敢再来；后来霍桑又假定它是一件寻常的胁诈案子，愈加觉得无足重轻；他又因着王德魁不肯实说，也不同意派一个暗探在他们屋外守伺的办法。谁知那凶手再接再厉，竟然出乎所料地动手了。俗语说："智者千虑，必有一失。"这句话恰好是我们俩在这件案子上的写照！

汽车到了新生路一百四十一号门前，汪银林先跳下去，推开了绿漆的前门，向里面张了一张，便回过来扶那妇人下车。妇人仍掩住了面，嘤嘤地啜泣。

汪银林问那仆人道："你可有后门上的钥匙？"

小弟点点头。

银林又说："那么你扶着你家太太走后门进去，免得经过这尸体。"

短衣人答应了，扶了少妇，转弯向胶州路后门方面走去。

我和汪银林走进了前门，仍是静悄悄的。隔壁窗上也和上一天一样，没有灯光也没有人声。分明这凶案除了小弟以外，还没有第二个人知道。银林摸出一个电筒，向地上一照，我便瞧见王德魁仰面躺在阶级下面。

他的口目都紧闭，神气似还安宁，身体微微偏斜，右足搁在最下一层的阶上。汪银林伸手摸摸死者的鼻子，就用电筒照那伤处。他的咽喉间露出一把刀柄，已被血液涂满；身上仍穿着皮袍外衣，并不过分凌乱；胸口有一片很大的血迹；他头部下面的水泥径上也染了一大摊血；另有一只高顶呢帽，遗落在水泥径旁边。汪银林摸摸死者的衣袋，又看看那只曲在身侧的右手，站起来。

他说："手枪还在他的袋里。"

我说："致命伤既然在咽喉，谅必一中刀就死。他不但来不及用手枪抵抗，我看连求救声音都喊不出。"

汪银林干咳了一声，答道："是。凶手着实厉害。假使他不用这种措手不及的方法，这个人也不容易对付。你瞧，他的身材如此高大，生前不是很有些蛮力的吗？”

我默然不答。世界上的事，若是单从外表推测，理论虽是，实际上往往会相反。假使银林先前也见过他的那种惊悸心虚的状态，此刻就不会说这句话了。

我们为着等霍桑来瞧验尸体，便守在尸旁，并不把尸身移动。汪银林趁空和我谈论。

他说：“死者的右手上有两只金戒指，衣袋也不像给搜索过。我看绝无谋财的意味。”

我答道：“当然不是谋财。我相信的确是仇杀。”

“唔，你看这个人怎样被杀的？”

“我想当他回来的时候，他的仇人或是预先埋伏着，或是偷偷地跟在他的后面。当他将要跨上阶沿的时候，方始发觉他的背后有人。大概在他旋转头来瞧视的时候，那凶手便乘机下刀。”

“对，这见解我很赞同。你可知这杀人的凶手是谁？”

“他本来有一个仇人，先前已经向他寻仇过几次，都没有成就。这一节霍桑可曾告诉你过？”

“谈起过的。但霍先生的初意，以为这只是虚声恫吓；并且他所怀疑的人就是那个何少梅。瞧现在的情形，他的推想已经不能成立。我们应当另寻线索才是。”

“不错，这王德魁的被杀，何少梅当然没有丝毫嫌疑，但那杀人的是谁，何少梅也许知情。霍桑方才说还要问他几句，大概就为这一层。”

汪银林忽自言自语地咕哝着道：“虽然，我以为……”他说了半句，忽忍住了不说。

我催着道：“你有什么意见？”

汪银林低声道："我以为这屋子里的两个人不无也带着几分嫌疑。"

"喔，何以见得？"

"第一，死者回家的时间问题，尚待调查。当他的妻子离家的时候，死者是不是还没有回来，现在还不知道。"

我想一想，反问道："你这样说，莫非连他的妻子也在嫌疑之列吗？"

汪银林踌躇道："从时间上推测，伊似乎也不能例外。"

"这未免离题太远。伊昨天就来求教我们，对于伊的丈夫的安危，万分关心。怎么会有这相反的事实？"

"唔，那么除这女人以外，还有杨小弟也得仔细查一查。就时间上推测，这仆人一样有可能性。试想杨小弟究竟在什么时候回来的？他自己说是上灯时回来的。这话可信吗？"

我插口道："这一着容易证明。他说他的妻子新近生产，他昨天和今天都曾回家去。他的家在温州路八十八号。他究竟什么时候从家里出来，一问便可以明白。"

"那很好，回头我马上去查一查。"

我问道："银林兄，你疑心他，有什么根据？他为什么要谋死他的主人？"

汪银林又犹豫了一下，才说："这虽还难说，但死者既然有仇人，那仇人不能自己下手，怎知道不会想贿买串通的方法？"

理由不能算牵强，我没有反证，一时自然不能辩答。静默中汪银林又向我提议。

他道："包先生，你在这里等一等，我去叫一个警士来，准备等霍先生一到，就可把尸体移送验尸所去。"他转身从那绿漆门口出去。

手印和碎砖

我一个人陪在尸旁，焦虑着霍桑怎么还迟迟不来。一阵阵寒风吹来，棕榈叶发出细碎的声响。天似有雨意，越觉得阴冷刺人。楼窗上已有灯光透出，我知道那妇人已经进了卧室。隔邻一幢屋子依旧是上下墨黑，我才知是空屋。一个幻念打动我：凶手不会是预伏在空屋中的吗？

一会儿汪银林带了一个站岗的警士进来。那警士偻着身子，先用电筒向地上照了一照，忽然仰起来报告他的见闻：

“汪探长，这个人我看见他坐车子过来的。”

汪银林问道：“你可记得在什么时候？”

警士疑迟道：“这个我不能说定，我记得那时候电灯已经亮。嗯，我记得同时有两部车子经过我的岗位。”

我也插口问道：“你瞧见有两部车子？”

警士道：“是，我确实记得。因为这地方很冷静，经过的人不多，我容易注意到。”

“当时的情形怎么样？你说得仔细些。”

“我先瞧见这个人的车子。他的那顶高顶狭边的呢帽，戴在头上似乎太小，故而引起我的注意。”

“还有一辆车子呢？”

“那是在后面。车上坐的一个男人也戴一顶黑呢帽子，衣服我没有瞧清楚。两部车子一前一后，相差不过十多步路。”

这一着和我所假定的仇人尾随的想法有几分符合，不过找寻的方式还没有确定。我偷眼瞧瞧汪银林，汪银林低头不语。

警士继续道：“汪探长，我记得在两部车子经过以前，另外有一个人向这方面走过来，形迹很可疑。”

汪银林问道："怎样可疑？"

"那家伙穿一件黄色大衣，头上戴一顶花呢鸭舌帽，不像正经人。他走过我身旁的时候，两只手插在外衣袋里，连连回头向我瞧了两瞧。"

"那时是什么时候？你可记得？"

"记得的。大约在六点钟模样，电灯还没有亮。"

我接口道："银林兄，我看另一辆车子和这个黄衣人，或者和此案有些关系，也说不定。"

汪银林点头道："是。好在霍先生马上就来，我们听听他的意见再说。"

花玻璃门里面的电灯亮了。接着的是开锁声音。杨小弟拉开了门，张一张，重新缩进去。汪银林吩咐那警士看守尸体。他向我招招手，似乎预备先进屋子里去。正在这时，我看见走进两个人来，一个是霍桑，后面一个我不认识。汪银林也立定了。

霍桑只向我们点了一点头，便掏出电筒来照察地上的尸体。那个跟霍桑进来的人向汪银林打了一个招呼，显然彼此也素来相识。那人穿一件暗蓝色呢袍，身材不高不矮，戴一顶花呢鸭舌帽。他站在霍桑的背后，从旁瞧那尸体，嘴里自言自语，似在那里低低地惊异叹息。我和汪银林都静默旁观。

一会儿霍桑立直了身子，向四周瞧一瞧："这地方当真怪静僻。"他旋转头来，向那同来的人说："海林，你干的什么事？怎么说不听得什么？"

那人期期地答道："霍先生，这件事发生的时候，委实没有一点儿声响。我到这里以后，一步不曾离开过。要是有喊救命的声音，我一定听得到。可是实在没有。"

我低声向霍桑道："你可是派这个人守在屋子外面的？"

霍桑点点头："是。我表面上虽没有接受王德魁的请求，实际上我也认为有守伺的必要，所以派海林来。"

起先我本以为霍桑也和我一样疏忽失算，拒绝了王德魁的建议，不曾设法防备。谁知出我所料，他是暗中有埋伏的。汪银林就将岗警的报告简要地告诉了霍桑。霍桑重新蹲下去，用电筒察看尸体。

我又道："这样，这个疑团不难给打破。刚才我们正苦时间问题没有着落。现在既然有一个证人，当然容易明白了。"

汪银林道："对。海林，你把经过的情形说一说。"

那海林取下了鸭舌帽，战战兢兢地答道："我受了霍先生的吩咐，马上就到这里来守伺。那时路上电灯还没有亮。我站在这屋子对面的一垛短墙旁边。这门口进出的人，我都看得清清楚楚。过了一刻钟工夫，电灯亮了，但天还没有完全黑。我看见一个女人从这屋子里面出去，到了门外，立定了像要找黄包车的样子。但那时候路上并没有空车，伊就向左转弯，向胶州路去。我又等了十分钟光景，又看见有两部车子从东面过来。一部停在这屋子的门口，下来的就是这个死者；另一部并不停，转弯向南去。"

我向汪银林道："这样，可见王德魁回家时，他的妻子已先出外。你刚才第一个怀疑已经不能成立。"

汪银林点点头，低声道："是，我原只随便猜度一下罢了。现在别打断他，让他说下去。"

海林用手指着地上的卧尸，继续道："我看见他进门以后，顺手把铅皮门合上。但是过了十多分钟，仍不见屋子里有灯光透出。我心中不免奇怪。正在那时，我又看见一个穿黑色短衣的人从外面进来，不久，短衣人忽而退出，向东飞奔过去。这一着当然很可疑。霍先生吩咐我，看见形迹可疑的人进出，应得尾随他的踪迹。我一直跟他到沙渡路口，他跳上了一部空车。我奔追了一会儿，也雇得一部车子，便跟随在他的后面。不料他是到爱文路去找霍先生的。但我仍旧等在霍先生寓所对面的树背后，看他有什么动作，以免当面撞破他。直到你们四个人坐了汽车走后，我才进去报告霍先生。"

就情势而论，当杨小弟进来的时候，王德魁必已先被人杀死，小弟刚才的说话也是实情。因为王德魁既然先回，势不致一个人站在门外至十多分钟之久，才被小弟进来杀死。我向汪银林瞧瞧，暗示他的第二个怀疑也落了空。

汪银林缓缓地说："这样看起来，杀人的凶手是谁，简直无从捉摸。霍先生，你的意见怎么样？"

霍桑仍弯着腰，还在用电筒细察那把凶刀，似乎没有听得汪银林的说话。

他自言自语地说："刀柄上已被血液涂满，即使有什么指印，现在也瞧不出了。"

汪银林见霍桑不回答他，似觉没趣，也默然不接口。霍桑用电筒照看那垛和隔邻分隔的短墙，又把光线射到空屋的窗上去。

我乘机说："我以为这案了的第一个关键，就在海林到这里来时，可惜太晚了些。"

汪银林忽现注意色，问道："这话有什么意思？"

我道："我以为那凶手必预先伏在这里。当凶手进门的时候，海林还没有到场，故而没有瞧见。那人掩进来以后，或者躲在屋子的后部，或者伏在围墙里面的棕树底下，直等到王德魁回来，那人出其不意，突然跳出来行凶。行凶以后，他也许早已瞧见海林在对面守伺，一时自然不敢冒险；或是他安排完毕，正待动身逃走，忽听得杨小弟回来的脚步声，因而重新匿伏。直到杨小弟重新退出去，海林也跟随着走开了，外面没有了障碍，他也就安然脱身。”

汪银林点了点头，没有说话。旁边的海林在搔头皮，显得很窘。

霍桑离了短墙，执着电筒，在照视那条水泥通道，接着他照到了铅皮门上，忽而把门推拢了，让电筒光停在一处。

他低声说：“奇怪！银林兄，包朗兄，瞧，这是什么痕迹？”

汪银林和我都走近去。电筒光集中在铅皮门里面边上的一个痕迹，像是三个指印，可是不清楚。

汪银林说：“我看是手印。”

我接嘴说：“是，是血的手印。”

霍桑把眼睛贴近了门边，点点头：“是的，不过很浅淡模糊，线纹自然更瞧不出，奇怪。”

电筒光移动了，从那铅皮的大门起始，经过了那两棵棕树，一直向屋子的后部照过去。这一着分明暗合我的意思。他大概在找凶手伏匿的痕迹。不一会儿，他又沿着围墙退回来。他仍扳亮了电筒，在地面上照察。忽而他在墙边屈曲了身子，取出软尺来量了一量，显见他已找到了什么足印。

我和汪银林都站立不动，防走过去踏乱足迹。接着，他回到门口，重新在铅皮门的下部照了一会儿，嘴里似在低低地诧异。他把电筒光移向地面，忽又在水泥通道的旁边立定。他找了一会儿，从地上拾起了什么东西，放在电筒光中仔细照视。接着他从衣袋中摸出一张白纸，轻轻地将拾得的东西包好。

我问道：“你找得了什么东西？”

霍桑道：“半块碎砖。”

“半块碎砖？”

“是，也许有些用处。”

“有什么用？”

“砖上有些绿色的漆。”

“有什么意思？”

“等我带回去验一验再说。”

汪银林的注意点显然和我的不同。他并不注意我的充满了诧异的疑问，却自顾自地重新提出他的问句：

“霍先生，关于凶手问题，你的意见到底怎么样？”

霍桑摇摇头：“这案子委实很复杂棘手。对不起，现在我还不便发表什么。你先把尸体移送出去，这屋子也得照顾着，别的事我们再讨论。”

他把纸包和电筒放在袋里，向海林和我招一招手，便先自垂头丧气地走出去。我也和汪银林点头作别，同着海林走出尸屋。

故 事

那晚上我和霍桑分别的时候，本抱着满腹疑团。因为霍桑先发制人地向我表示，解释的时机还没成熟，关塞了我的质疑的门。我自然毫无办法。所以我第二天再去见他，原打算问问他案子的究竟，却不料没有见面。过了一天我再去，虽然会面了，但他说他所得到的线索不够正确，还没有端倪。这样过了两三天，仍旧没有结案的消息。我心中越发不安，因此不惮其烦地再去找霍桑探问。

他约略告诉我，银林已经到杨小弟家里去调查过，小弟的妻子生产和小弟回家去探访等都是事实。银林也曾去访问王德魁的再隔壁的邻居，也找不出可疑的人物。那贴邻的空屋也经察勘过，并没有匿伏的痕迹。霍桑又说从那围墙里边得到的足印，已经与杨小弟和死者得魁的足印比过，尺寸都不相同，显见那足印属于另外一人。不过这个人的踪迹难明，一时还无从着手。末后，我又问起那凶手究竟和那个何少梅有没有关系。

霍桑答道："这个人我已仔细问过，实在没有关系。那天他在这里听得了王德魁的死耗，非常吃惊。在你和汪银林走后，他便向我和盘托出。据说当王德魁第一次见他，就问他有没有关于董团长的消息。何少梅随便回答董团长似乎在南京。不料王德魁一听得，马上惊慌失措。但何少梅实在不知道他们中间有什么纠葛，也并不知董团长的实在的下落。这一层我确信不疑，故而已经将他放掉。"

我道："那么你此刻可有什么具体的方法，追缉那个董团长？"

霍桑皱眉道："我实在没有方法。我早已说过，我在这案子上已经失败了。请你原谅，别再催逼我。"

失败是霍桑难得承认的。这一次他当真是失败了吗？可是我听他的口气，这还像是托词——是一种对于我的质问的防御性的托词。有什么办法呢？我自然只有采取迂回策略，从另一角度进攻了。

我问道："霍桑，在发案那天的晚上，你不是在尸体旁的水泥径侧边拾起半块碎砖吗？"

他点点头："是。"

"这东西到底有什么用？"

"唔，有些用——"他顿住了，皱皱眉，"包朗，我老实说，这件事我委实没有把握，我准备放弃了。你不必再打扰我。"

迂回也受了阻碍，我自然非常失望。但霍桑的防线既然筑得这样坚固，我也再没法可施。

隔了一天，报纸上忽然发出一段悬赏广告。

广告内容略谓本月二十四日晚上，有一个穿黄色大衣，戴花呢鸭舌帽的人，曾到新生路一百四十一号屋子里去行凶，事后潜逃出外，迄无下落；如果有人知道他的踪迹，出首报告，因而拿获，定有重赏云云。

广告是警署登的，显见霍桑果真已谢绝不干，因而才推疑到这个不知谁何的人，又登出这种百无一效的无聊广告。照此看来，这件案子大概要变为悬而不决的疑案了。

一个星期的时光又无影无踪地溜走了，王德魁的血案的结局仍旧杳无消息。到了第二个星期，那悬赏的广告也不见了；凶手的下落更似石沉大海。

扫兴吗？自然。可是情势如此，我也无能为力，只准备索性把这案子归入我的日记中的没结果的悬案页中去。三星期后，我对于这案子逐渐淡忘了，忽而霍桑打电话来，叫我立刻就去。电话很简单，并不说明事由，我不知道是否就因着王德魁的被杀案子已有结果；或是他早先进行的那件血刀案有了新的发展。但是霍桑的召唤，我是一向不敢怠慢的。

我到达他的寓所时，时间是午后三时，忽见施桂抢步走出来迎接我。

他低声说："包先生，霍先生说，请你在外面等一等。里面正在谈话呢。”

我在办公室外面站住，正要向施桂询问，霍桑和哪一个人谈话。施桂忽像故意规避似的走到了后面去。奇怪！这又是什么意思？

一阵沙沙的异声，突然接触我的耳膜。什么声音？从哪里发生？接着一个女子说话了：

“霍先生，你既然知道得这么详细，我也用不着瞒你了。是的，你说得对，他实在是我杀死的。但你可知道我因为什么杀死他？”

语声略略停顿。我感到十二分惊奇。那女子的声音是从办公室出来的，虽很低弱，我听得出像是王德魁的妻子。伊所说的“他”，不就是指王德魁吗？那么王德魁竟是被他妻子杀死的？怪事！

我听得霍桑的声音接道：

“这就是我要请你说明白的。你为什么谋死你的丈夫？”

“不，他不是我的丈夫。我是给他强占的！他起初把我当玩物看，后来又把我当作奴隶！我本来姓沈，从小也念过书。我的丈夫叫沈铭三，是做教员的，不幸早死了，我一直守着寡。去年军阀们为了夺地盘，互相打起来，我和我的婆婆没力量逃难，故而强盗般的驻兵一到，我便受辱了。那个污辱我的，就是这可杀的王德魁！”

声音很凄婉，又含着愤慨。语声停一停，又是一阵沙沙沙。我虽充满着疑惑惊讶，但仍平心静气地倾听，不敢移动一步，也不愿漏一句话。

妇人的声音又继续下去：

“霍先生，你知道军阀们在混战的时候，真是无法无天！

那如狼似虎的兵正像一群猛兽！小百姓的性命财产听任处置，妇女们受辱的也不止我一个，说出来叫人心痛。我受辱以后，一时死不得，也只得吞声偷活。

“不多几时，他们败退下去了，地方才略见安静。我们婆媳俩才得透一口气。哪知几星期后，王德魁忽又到我家里来。那时候他穿得很阔，完全换了一副面目。他取出一卷钞票，几只金戒指，向我的婆婆手中一塞，说要娶我做妻子，这就算是聘金。我婆婆不答应，说我们情愿做苦工活命，不愿意分开。可是这有什么用？我正从后门里逃出去，他忽而摸出手枪追上我，强迫我马上走。我拗不过他，没奈何，跟他到了上海。他就领我到新生路的屋子里去。

“他起先用软语劝我，又拿许多奇怪的衣服首饰给我穿戴。他说他已经发了横财，不再吃粮当兵，叫我别三心二意。我心里虽恨他，但是孤零零的一个女人，当然不能和他对抗。

“过了几时，他的恶相露出来了，常常骂我不会服伺。他晚上回家，我又打盹不等他，他就用皮鞭揍！哎哟！霍先生，我怎么受得住呢？因此，我存了拼死的心，打算找一个复仇的机会。”

沙沙声又接替了语声，再来一个停顿。故事很凄楚。我对于凶案的动机已经有一个轮廓。一霎那间，故事又接下去：

“在我动手的十多天以前，我的机会来了。原来他喜欢喝酒，每次喝醉了回来，常常做噩梦，梦中会跳起来乱喊。有一天夜里，他大声喊叫，我听得清楚：‘董团长，别装腔！我老魁不怕你！’好像有个姓董的人要找他报仇，他非常害怕。直到那晚上我们从戏院里回来，我才知他确有一个仇人，他看见了吓得不成样子。可是当时我瞧见对厢中的人毫不在意，分明只是他自己心虚。我才想起他虽误会了人，我何不利用这个机会向他报仇？我打定了主意，一面假意和他亲昵，使他不疑心，一面趁他在浴堂里的时候，变了声音，打个电话吓他一吓。他果然信以为真，并且吓得厉害。我就定意假借那仇人的名义，预备乘间将他杀死。

“我悄悄地买了一把刀，一件棕色大衣，一顶黑帽子，一只旧皮鞋，脸上涂了些锅灰，设法假装那人的模样。第一次我假装了走出后门，过一会儿重新从后门进去，马上退出来，无非要借杨小弟做一个证人，使他确信另有一个凶手，以便事成以后，我可以脱却干系。后来我等小弟走开了，又悄悄地从后门溜进，溜到了楼上。小弟告诉我有个黑脸人闯进来。我知道我的计策已经成功，叫他报告那恶鬼。他听得以后，忽向小弟打听，要请什么侦探。小弟就把先生你介绍给他。我素来知道你的大名，心中不免害怕起来。小弟又说你的本领怎样大，上海人没有一个不知道；无论什么奇怪的疑案，一经你的手，没有不穿破的。他果然有些心动。霍先生，我也识得几个字，好几年前，曾读过关于你探案的记录。现在想起来，果真名不虚传，你委实是一个聪明人！”

霍桑问道：“那么，你当时所以比他先来见我，莫非就想将计就计，利用我做一个证人，事后不致怀疑你，是不是？”

妇人道：“正是，我实在有这种意思。所以你的朋友包先生到我家里去的时候，我还冒险露露脸，也让他证明一下。我装扮了走上阳台，把脸在窗上现一现，马上逃开；逃走时先把铅皮门击一下，叫包先生信作是从前门出去的；其实我重新逃到后面，溜上了楼，换了衣裳再下来。那时包先生没有看破，我自以为我的计划已经成就了。故而第二天我就把衣鞋等东西卖掉，一心等待动手的机会。后来你约我傍晚时再到尊寓，我认为机会已到。因为我知道那几天他回家较早，我若使杀死了他，再到你寓里，事后你绝不会疑心我。

“不料那天傍晚，我看见我们屋子的对面，有一个人徘徊着不去，因此引起了我的疑心。我暗忖这个人如果特地为守伺来的，我的计划不免要完全失败了。接着我又想出一个计策。我先从前门出来，转了弯后，仍悄悄地从胶州路的后门进去，随即伏在花玻璃门的里面。

“一会儿他果真回来了。我等他将要跨上阶沿，就开门出来，出其不意地举刀直刺他的咽喉。我料他或者要挣扎一下，或者会喊叫，不免有些危险。不料非常容易。他一吃刀就倒下去，我竟像杀一只小狗一般。当时我怕对面的人瞧见，把铅皮门推上些，随即退进室中。我才发觉我的手套上染了血，马上脱下来，重新将门下锁关上了。我不敢把血手套留在屋子里，故而出了后门，就把手套塞在胶州路的阴沟里。那里很僻静，天又快黑，路上没有人。我将阴沟的铁盖用力扳开了，将手套丢进去，然后才赶到你寓里去。我自以为这手套万无一失，却不料到底被你拾得了做证据！”

霍桑说：“你两次到我的寓里来时，我看见你都戴着那副白麂皮手套；但第三次来时，你听了小弟的警报，装作昏倒。我的朋友包朗将你扶持的时候，我见你的右手指上戴着金戒指，可是已没有手套。后来我又看见凶刀的柄上涂满血渍，可知凶手的手上也当然不能不染血。我又发现铅皮门的边上有个浅淡的血手印，那不像是手指直接印上去的，像是血手套的印。这两点既然合符，我的推想马上成立。我又料定你不敢把血物留在屋子里，因而姑且在附近找寻一下。我费了两个黄

昏，方始找得。现在——”

嗒的一声，话声戛然停止了。

我仍屏息站着，希望还有下文。同时我开始自咎疏忽。当时我的确也觉得那妇人的手冷如冰，在汽车里时又看见伊的手上的戒指，可是不曾联想到这手套的有无竟是全案的一个要证！

呱嗒！

办公室的门钮在转动，接着门便被打开了。

不可解释的疑团

霍桑站在门口，向我点点头，含笑说："包朗，对不起，劳你久待了。但是有这样一个故事饱你的耳福，你也不见得会感到寂寞吧？"

我点点头，跨步走进去，正待瞧瞧那个妇人。奇怪，办公室中除了霍桑以外，更没有第二个人。我惊诧之余，更张目四瞧，委实看不见那妇人的踪迹。不过前窗开着，那妇人会从窗口里出去了吗？

霍桑随手把门关上，慢慢地走到炉边，坐到那只沙发椅上去。

他又含笑问我："包朗，你找什么呀？"

我瞧瞧他的神色，又听他的语气，分明含着调笑的意味。我呆立着：

"霍桑，你捣什么鬼？你存心要戏弄我，一个人在这里玩'隔壁戏'？"

"你太恭维我，我可办不了。……瞧。"他举着右手的食指，向靠壁的一张小桌上指一指，“老友，你这样少见多怪？嗯……我不能怪你！我置备这一种特制的收音机，还没有和你说起过哩。刚才你隔着一层板壁，还能够信以为真，可见我这一次收音的成绩着实不坏。”他又笑一笑。

小桌上果真有一架留声机，是黑漆小型的。我才恍然醒悟：

“原来是这么一回事！我哪里想得到？”我在他对面的椅子上坐下来：“霍桑，这一件案子，你起先不是怀疑会失败吗？后来又怎样发觉的？”

他抽出一支纸烟来烧着，缓缓答道：“我所说的失败有两层含意。第一，我起先料想这是一件寻常的胁索案，结果是谋杀案。第二，我看穿了它的真相以后，还不能决定怎样解决，为保留自由处置权起见，准备向汪银林表示放弃。你若使要问我怎样查明案中的真凶，有两个线索。内中一个你刚才在留声片中总已听得了。”

我说：“是不是那个门边上的血手印？”

“是。你总也看见那印浅淡模糊，指纹根本看不出，可见绝不是肉手指所印，而是戴手套的手指所留。另一个线索在这里。”

他立起身来，走到书桌面前，放了烟去开抽屉。我默坐着看他。他从抽屉中取出一个厚重的白纸小包，打开来，内中是半块碎砖。

他道：“包朗，你来瞧瞧，这就是破案的另一个线索。”

我走近去把那砖头仔细瞧察。砖约有二寸见方，但并不完整，那断碎的一面微微涂着些绿色的漆，此外并无异状。

我道：“这东西究竟有什么用，我至今还莫名其妙。”

霍桑重新拿了纸烟，又回到沙发椅前坐下来。

他答道："你坐下来，吸一支烟，我来解释给你听。"

他说着，又抽出一支烟递给我。我接过烧着了。他吸了几口，才缓缓地分析：

"我对于这件案子，起先不是假定有别的人从中假冒吗？当初我还以为假冒的目的在于诈财，不料当真害了那家伙的性命。我看见那死人目闭口合，死时似乎很安宁。假使他当真是被他的仇人所杀的，凶刀既然从他的咽喉刺入，他眼见着仇人行凶，他死后的神态绝不会如此平静。因此我料想那杀死他的人，仍旧不出我的假定，必定是另一个人假冒的。死者在临死时必已看清楚这个凶手，而且认作是不足畏惧的，故而有这种宁谧的神情。

"接着，我在那前面的铅皮门和围墙旁仔细察验。除了门边上的血手印以外，我又在那西面一扇门的里面，看见铅皮上新漆的绿漆给擦去了一些。那擦痕还很新鲜，自然引起我的注意。我又在附近找寻，果然找得这一块碎砖，砖上也有绿漆涂着。略一推想，我假定有人把这碎砖在铅皮门上掷击过。这掷击的动作有什么作用吗？还是偶然的呢？我想起了你的经历，前后推想了一下，胸中便有了成竹。你明白了吗？"

"抱歉得很，我还不明白。"

"那天傍晚，你去见王德魁时，那个仇人不是曾在窗外现过形的吗？这一着也显然是假冒的，目的无非要借你做一个证人。否则那人既然看见客室中另有他人，不便下手，怎么反会在窗外露形？并且那人逃避之迅速，也出人意料。因为据你告诉我，你马上追出去时，路上已是影迹全无。那人来去太飘忽了，除非那些无稽的神话性小说中的所谓'剑侠'，才能有这样超自然的本领。这怎能不使我十二分惊讶呢？

“后来我因着这碎砖的印证，记得你曾经说过，当你追出来时，听得门上的铅皮响动。你以为那人开了门逃走，所以直追出去。实际上那前门只被那块碎砖击了一下，并没有人出去，你只是中了人家的狡计！因此之故，我就假定那假冒的人当时并没有出门，只是从空地上逃往屋后去的。但那时候屋中除了你和王德魁以外，那男仆杨小弟还没回去，不是只有王德魁的妻子一个人在楼上吗？因这两点，又加上我最初的印象和其他证迹，我就怀疑到伊。”

“唔，说破了的确很合理。你最初的印象是什么？”我不自觉地赞一句，又追问一句。

霍桑自顾自地说下去：“你总也记得，当伊初次来请教我时，伊带着一种恍惚、瑟缩畏惧的神气，但是实际上缺乏充分的理由，像是故意做作，至少是过度夸张。因为伊所疑惧的，在当时还很空洞，用不到如此慌张。伊不知道伊的丈夫的真姓名和职业，又绝不知这一回结怨的事的真相，可见他们夫妻间未必有密切的感情，也可想象到他们俩结合的情况。因此种种，伊最初就给我一种不自然的印象。”

解释停一停，霍桑宁静地吐吸着纸烟。我不再催促，料想他会分析他所说的其他证迹，不致卖关子。一会儿他果然自动地说下去：

“我的另一个线索就是那个血手印。我已经说过，那印像是手套的印。这女人两次来看我都戴着手套，但是第三次——最后一次——来时，伊的手套没有了，我看见伊的右手上戴着两枚金戒指。这不是一个重要的证迹吗？此外我既然假定这回事出于假冒，显见不是外来的人。但有关系的人，何少梅和小弟在实际行动上缺乏可能性，嫌疑便集中在这女人身上。因此我从各种证迹归纳拢来，就确定这凶案的主谋人是伊。”

“那么伊在实际行动上，你也看出了可能性？”

“是。海林说，那天快要断黑时，他看见伊走出前门，转弯向胶州路去。胶州路有伊家的后门，伊不是可以故弄玄虚，出而复进，行凶以后，再从后门出来，赶到我这里来吗？后来我从阴沟里找着了那副麂皮手套，我的推想便完全证实。”

我毫无异议地赞同道：“你的分析很清晰。但是你当初为什么不马上说明，却反而自认失败？”

霍桑丢了烟尾，皱眉道：“我已经说过了啊。我所以卸责，就要保持我的自由，原因就是我还不知道这凶案的动机。但是我料想这女人冒险行凶，一定有着某种深秘的内幕。我不忍使伊做法律的牺牲品，故而暂时沉默，静待它自然的发展。直到三天以前，我探知伊变卖了东西，辞歇了小弟，动身回镇江去；我就悄悄地跟着，又特地带了收音机去。我跟到了伊的家里，才知伊的婆婆已经病故。我当面见了伊，把血手套取出来作证，又指出伊的种种秘密，伊才不再掩饰地供出那段可痛可恨的惨史。”

室中静一静。霍桑又抽出一支白金龙。风进来，搅乱了他的烟纹。我也静默了好一会儿。

我说：“这姓沈的妇人竟有这样的能耐，报仇设计会如此巧妙，委实出我的意料。伊说伊是识字的，也曾读过我记录的探案。那么伊的计谋也许受了探案的影响。你说是不是？”

霍桑点头道：“不错。不过我听你的话的含意，不但我们应当对伊负责，连伊所识的‘字’也有同样的处分。不是吗？因为伊若不识字，又怎能读我们的探案记录呢？其实世间的事不能执一端而论。我们的记录，对于浚发理智，裨益思考，和灌输一般人以侦探常识，又安知没有些贡献呢？譬如科学，在一方面确足以增进人类的文明和福利，同时也有人利用科学，当作残杀同类的工具。可是这岂是科学的罪呢？”

这见解我当然没有异议。略停一停，我又提出一个疑问：

“现在这妇人怎么样了？”

霍桑叹了两口气，缓缓地答道：“论王德魁的为人，一死还不够抵偿。我料他生平蹂躏的妇女，绝不止这姓沈的一个。这一次沈姓妇直接果断报了自己的仇，间接也替一般别的受辱的妇女吐一口怨气。这原是一件痛快的事。至于那些财物，他本是从平民手中掠夺来的，此刻仍还给平民，情理上也很公道。我怎能忍心让伊做法律的牺牲品？”

“不错，我们凭良心判断，不如将伊放掉了。”

“原是啊。但别一方面，也有为难之处。”

“那是什么？”

“因为这件案子，我们既已正式受理，负责的又是我们的朋友汪银林。我若守秘不宣，未免对不起他。故而我昨天从镇江回来后，已经和银林说明情由，如何发落，听他处断。他也觉得左右为难，不能决定。所以这妇人的结局怎么样，我现在还不知道。”

我又静默，心中很难过，可是一时又想不出什么方法，只是低声叹息。

一会儿，我又问道：“那王德魁和那姓董的团长之间究竟有什么怨仇？你可也知道？”

霍桑摇头道：“不知道。这一节我们也许永远不知。但我相信‘恶因恶果’不单是佛家的说法，也有伦理上的根据。我们也用不着深究。”

从这一席谈话以后，我以为这案子就这样不结而结了。不料三天以后，霍桑忽得汪银林的报告。他说他曾亲自到镇江去过，打算亲自听听那妇人的故事，再行决定。谁知他到镇江的时候，那妇人已在前一天投河自尽；伊带回去的财物也已散给了邻近遭灾的人家。这就算是这出惨剧的最后一幕。我每次想起了，还不由得低徊叹息。

两星期后，另有一个消息，是何少梅自动来报告霍桑的。他偶然遇见了一个旧时的伙伴，叫李福，本是董团长手下的士兵。据李福说，他在南京的时候，闻得董团长已经溺死，有人在江口里捞起了他的尸体，但不知道怎样致溺。又据熟识的人说，董团长在这一次战事上所得的“战利品”不少；后来他弃了职务，潜往上海，不知怎样，竟会死在水中；他带走的无数箱笼也没有下落。

霍桑把这个消息转告我以后，我曾约略谈论过。我假定当那董团长带了赃物逃走的时候，王德魁大概是同船而行的。或者王德魁抱着黑吃黑的心思，乘间将董团长推入江中，他就独吞其财。因为他本是董团长的下属，干了这件昧良心的事，故而疑影疑声，竟吓得不能自持。不过我这一种推测是否和事实合符，霍桑既不愿表示意见，我也无从取证，只能成为一个不可解释的疑团。

关于那件血刀案子，因着霍桑企求充分的正确，特地去请教化学专家徐景周教授。化验的结果，果真不是人血，那个被怀疑的少年总算得了昭雪。但是侦查凶手问题，又另起了一番波澜，牵涉到好几个其他的人。这里面变化曲折也很复杂。它既然不属于本案的范围，我只能另行记述了。

反 抗 者

出 走

这一件小小的案子发生在我和霍桑还没有离开苏州以前。那时霍桑连续地破获了“江南燕”和“无头案”，又在故都中解决了“血匕首”的疑案，饮誉归来，他的名字在苏州城中已是妇孺皆知。这一件“反抗者”案的情节虽并不怎样“惊人”，但也相当曲折，而且内中还含着一种婚姻制度因时代演进而起转变的启示。

那年九月中旬的一天早晨，《苏州日报》上登载着一节自杀新闻。发案的地点是城外铁道旅馆。死者叫张秋柏，是个二十五岁的少年，留下一封遗书，说明他因着家庭的压迫，婚姻不自由，便自动地服毒自尽。这新闻给予封建势力还相当强大的苏州社会的冲击委实不能算小，茶坊酒楼中便凭空添上了不少谈论资料，尤其是那些“遗老”之流，十之八九都摇头摆尾地叹息着“世风不古”。

霍桑也和我谈起这回事。他的见解固然和那班遗老们绝端对立，不过他认为张秋柏的勇气不足，既然要反抗违反时代风气的传统制度，却采取这种懦弱的自杀方式，未免“不足为训”。

第二天早晨，我们忽接到南园沈筠章的紧急电话。沈筠章是前清的翰林，写得一手好字，在国学上很有根底。他是个著名的道学先生，我们虽见过一面，平素并无往还，这时他忽来请教我们，不知道因什么缘故。我们赶到沈家，在那书画满壁古色古香的客堂中坐定，经过了几句例有的客套，那位白须飘拂、道貌岸然的沈筠章便连声叹气。

他说："霍先生，包先生，我为了不肖的少章，才不得不烦劳你们。这孩子书读得越多，却越发糊涂了。昨天夜里他竟然不告而出！刚才我已打发人往亲友家和他的本城的同学家里去问过，都说不知去向。试想这样鬼鬼祟祟的举动，我如何能耐？总要请两位设法把这不长进的东西追寻回来，让我切切实实地教训他一番！"

筠章的年龄已在花甲以上，体格似乎本来很虚弱，又加上这么一气，便喘咳连声地有些担受不起。霍桑的态度仍很自然，脸上微微透出一丝笑容。

他作安慰声道："老先生，你别这样气急。少君虽不别而行，但未必就一定有什么不端行为。"

筠章坚决地说："不！霍先生，你大概还不明白我们家庭的情形。读书人家总得有些家教。我是素来主张严格的。孩子做事，必须先禀明了我才能实行。这一次他竟敢越轨行动，显见有什么不可告人的秘密。他从前在家的时候，还算能循规蹈矩，但是这几年他出外求学，难保不结交了几个损友，因此他也许背地里有着什么不端行为。而且他还是带了一千元钞票走的——"

霍桑突然张目道："喔，他还拿着钱走？是谁的钱？"

"钱自然是我的，不过现在由他保管着。"

"唔？"

"这笔钱本来是他的学费。因为他在远东大学的附中毕业时，考得了第一。该校的定章，凡得第一的得免费升入大学，作为奖励；如果以后能够每年保持在前三名，还可继续免费。这件事倒亏他，一直维持到今年大学毕业，所以省下了这项款子。当时我向他说过，既然是学校里好意奖励，我做家长的自然应当赞助，所以就把这笔钱给他自己掌管。哪里知道现在倒反而助他作恶哩！”

“少君的钱平时安置在什么地方？”

“他一向放在他的一只小铁箱里。今天早晨，我查看箱子，已经空了，才知道他是带着钱走的。”

霍桑沉吟了一下，又问道：“他在昨晚上什么时候出去的？”

筠章摇头道：“我不知道，直到今天清早，阿林看见后园的门开着，方才发觉。后来我去查看他的卧室，床上的被褥折叠整齐，光景是昨夜里他没有睡过。”

我插口道：“这样看，大概是上半夜走的。他如果去等火车，至少要挨过五个钟头才得乘上午四点十八分的车到上海去。”

霍桑向我瞟了一眼，缓声说：“你怎么知道他要乘火车？即使他要乘车，又怎么知道他的目的地一定是上海？两点四十三分，不是也有一班往西的火车吗？”

他的话虽未必没有反辩的余地，但这时凭空无据，我也不便再说。

霍桑又向沈筠章道：“少君平日可有什么嗜好——譬如饮酒赌博之类？”

筠章道：“没有。有时候他出去瞧瞧电影，然而至迟不过半夜，总要回家。”

“那么最近家中有没有口角的事？”

“也没有。”他略一沉吟，又期期地道，“不过……不过上星期他因着他的婚事，曾露过几句不满意的话。经我申斥了一番，他也不再提。我想他不至于就因着这件事出走。”

霍桑的眉毛掀一掀，问道：“少君已经订婚了吗？”

筠章点点头：“是的。”他从桌子抽屉里取出一张照片来：“这就是钱美珏小姐去年拍的照片。你瞧，相貌也不错呵。”

那照片上的女子作学生装，白衣玄裙，肌肤并不太白，浓眉大目，妩媚中有一种英武之气，年龄在二十左右。

霍桑瞧了一瞧照片，又问：“这婚事是不是出于老先生的主意？”

沈筠章叹一口气，应道：“正因着如此，他才觉得不满意！”

“少君可曾提出什么不满意的理由来？”

“没有。他只说什么婚姻应当由他自主一类的荒谬话！”

“那么他已经另外有对象吗？”

“我不知道。至少他不曾向我说。”沈老头子连晃几晃头，又来一阵叹息，“唉！现在的时世真是什么都变了，孩子们谈到婚姻，便会说出自由不自由的话来！这桩亲事，还是二十二年前，我和钱家驹亲家指腹约定的。霍先生，你总也听到过吧？钱家驹住在百花巷，是甲辰科的进士，也是书香门第。家驹去年已经故世了。这时我们如果毫无理由，突然退婚，怎么对得住人家的女儿？况且婚期又近，只有三个多月了。我怎么能让这孩子自作主张？”

霍桑忽回头瞧着我，问道：“包朗，这种指腹订婚的制度可算是我国独特的风尚，孩子们还没有离母胎，双方的父母们便代替他们解决终身大事！包朗，你可也赞成？”

我淡淡地答道：“要是我生在三世纪以前，那也许还有考虑的余地！”

这一问一答显然含着强烈的讥讽意味，竟使那老太史捻须咬唇的有些不安。解除这僵局的还是霍桑。

他说："沈老先生，你别见气。我看少君的出走，多半是因为这婚姻问题。"

筠章迟疑了半晌，忽作愠怒声道："如果这样，那真是岂有此理！太放肆！读书所以明理，他越读越不懂理了！"

我耐不住，又说道："沈先生，请恕我荒唐。我以为你所说的理的标准也是有时代性的。父权专制的时代已成过去！父母之命媒妁之言的婚姻方式也将成为历史上的史迹；指腹成婚，更其滑稽！"

"唔？滑稽？"他的语气很诧异。

我仍毫不留情地说："是的，对不起。婚姻关系双方当事人的一生的幸福，思想，旨趣，品性，教育程度，都须顾到——"

"喔，门第倒不要紧？"

"是。那是封建时代的条件。现在已是科学时代，一切都须注意合理化。生活在现今的时代，若使一例用旧的绳墨来衡量，自然会激出意外的事故来了！"

死　耗

当着这位年高德劭的老前辈的面，我说出了这一大串话，即使不算放肆，也近乎顶撞。不过我觉得"当仁不让"，竟有些如骨鲠在喉，不得不吐。但霍桑究竟有权变。

他婉声说："是的，少君已经成年，论法律，他有自主之权。沈老先生，你的确得宽容些。"

筠章气坏了，张着眼向我们交替地呆瞧，答不出话，仿佛他在怀疑，他是否请错了人，请来了两个替他儿子辩护的人！我的目光移开些，恰巧射在桌子上的一张报上。我忽而记起一件事，就起身取了那张报纸，果真是当日的《苏州日报》。我只在封面上略一浏览，便满足了所望。

我说："沈老先生，你不赞成我的话吗？那么请你瞧这一段广告。"

那广告就是本城铁道旅馆登的，大意是说有个姓张名秋柏的少年旅客，因着婚姻不自由的缘故，留下遗书，已服毒自尽，现在正在招家人去认领尸体。沈筠章接过报纸瞧了一会儿，脸上渐渐地泛白，两只手也簌簌地抖个不住。他咳喘了一阵，才颤声说话：

"唉！唉！我……我真想不到，现在年轻人的心思，竟然这么奇怪？……"

当筠章读报时，霍桑望着我微微点了几点头，似乎赞许我这临机应变的举动，恰到好处，而且已产生了效果。等到筠章说完，霍桑忙表示他的慰藉：

"老先生，你不必着急，我料少君还不至于效法这姓张的少年。"

沈筠章忙抬起头来："霍先生，何以见得？"

霍桑答道："这是很明显的。少君如果有决死的意念，他也用不着带这许多钱。假使情势上不逼迫他铤而走险，似乎还不至于发生什么惨剧。可是未来的结果怎么样，此刻也难预料。那要看你老人家如何处置了。"

那道学先生深深地呼了一口气："霍先生，你想他不会如此？……唉，老实说，我一把年纪，只有这个孩子。他……他平日倒还不坏，要是真有个三长两短——"

霍桑忙接口说："老先生，请放心，我保证你，绝不会有不幸的意外，只要你老人家肯通融些。"

沈老头子捻捻白须，皱着眉头，说："可是就是我肯通融，也得当面谈一谈。我不见他的面，又怎么可以和他谈判？"

时机已经成熟，他已有些悔悟了。我便乘机进议。

我说："那倒不难。我有办法。"

他忙道："喔，包先生，什么办法？"

"最简捷的，只需在本城和上海的报纸上登几天广告，应许他的要求，他也许就会回来。"

霍桑也点头道："这法子很好，不妨就试一试。"

筠章想了一想，才缓缓点头道："两位既然这样说，我就去拟一个广告，托上海朋友去代登，本城的报纸，也拣销路广的登几张。"

我们都点头赞成。筠章招呼了一声，便转身走出去。霍桑目送他出了客堂门，向我牵牵嘴角，我也用微笑答复他。

我说："看起来事情很简单。"

霍桑点点头："是。不过很有意思。"

"唔？你指什么？"我觉得他的话很含混。

他放低些声音，说："你发挥了一些婚姻理论，居然把这样一位顽固的太史公说服了。那不是很有意思的吗？"

我摇摇头："我不敢居功。我相信他并不是对于新理论有了认识，才有这个转变。他还是受了旧观念的支配。他看见了张秋柏的实例，才引起了对于嗣续问题的恐惧。"

沈筠章匆匆地回进来，打断了我的话头。他手中捧着一卷宣纸，恭敬地授给我们俩。

他说："两位先生，这里有两副拙书对联奉赠，请不要见笑，算不得酬报，只留个纪念。”

霍桑忙弯弯腰：“唉，那真是求之不得！”他展开了一联，念道：“铁肩担道义……唉，写得好，真有颜鲁公的神髓。谢谢。”

他随手将联卷起来。我也谢了一声。沈筠章又拿出一张信笺来。

他说：“现在我把拟就的广告念给两位听。”接着念道：

> 少章知悉。汝不告而走，予殊诧异，即有难决之事，父子间亦可剖诚商榷。见报即速归家，勿固执自误。筠白

霍桑点头道：“这样很好。事不宜迟，如果立即就寄，明天还来得及登出来。”

筠章答道：“我已经写好了一封快信，寄给我的一个上海朋友，叫他速即代登。”他把广告封好了，走到门口去，喊道：“阿林！……阿林！……”

一个年轻的男仆走进来，应道：“老爷，阿林出去了。”

沈筠章说：“那么这封快信，你就去寄吧。赶紧些！”

仆人应了一声，拿着信奔出去。筠章回身来向我们拱拱手：

“劳两位的驾，很抱歉。”他定一定神，又道：“广告虽然登了，然而内中有没有别情，我想还得请两位侦查一下。”

霍桑应道：“那可以。等少君回来以后，我们跟他谈一谈。要不然，我们也可到他的学校方面去调查。”

外面突然闯进一个人来。那人年纪已在五十开外，穿一身青布袄裤，头发花白，样子似很诚恳。他的手里执着一只白帆布鞋子，额角上汗珠滴滴，呼吸也很急促，状态上异常慌张。

他断断续续地说："老……老爷……不好……不好了！"

我们都不由得愕然。我们都不知这警报的内容。筠章更慌得厉害，好像有先见之明。

他颤声问道："阿……阿林，怎么样？"

阿林止不住眼泪直流，呜咽着说："少……少爷死了！"

"怎么？……怎……怎么？……"

"他……他是投河死的！"

消息太突兀。这和平雅静的客堂立刻给紧张恐怖的空气所充塞。霍桑也沉下了脸，咬着嘴唇，不发一言。他能说什么呢？数分钟前，他还签过保证绝无意外的支票。现在这支票又怎样兑现？他手中拿着的两副对联怎样受得下带回去呢？

筠章直跳起来，紧握着阿林的两臂："你……你的话实在？"

那老仆道："老爷，这……这是什么事，我敢撒谎？这就是少爷的鞋！"他举起了手中的那只白帆布鞋。

老太史并不看鞋，战栗着问："他……现在……他在哪……里？……快……快领我去！"

筠章拖了阿林走出去。我和霍桑相觑了一下，也急急跟随着。出了大门后，穿过一条小巷，便是一片田野。四个人迈着急遽的步子经过了一座乡人的村落，那老仆方才停止。那边有一条石桥，桥旁边围着许多人。桥下是一道相当宽阔的河流，正潺潺地流向城河去。

筠章抢上前去，问道："就是这里吗？少……少章呢？他……他的尸体在哪里？"

阿林还没回答，有个乡下人从旁边代劳：

"一定沉到了河底去，还没有浮起来哩。"

又一个心直口快地说："前几天下了大雨，河水流得多么急，也许要漂到城河里去了。”

筠章的身子摇晃着，老泪纵横地掩面悲泣起来。霍桑恐怕再发生什么意外，走近去扶住他，又吩咐阿林扶老主人回去。筠章还不肯依，仿佛要自己跳到河里去寻觅一般。幸亏有几个见义勇为的乡下人都自动地走过来，才带拖带劝地扶着老人回去。

霍桑和我仍留在发案地点。他先在桥上和河边草丛中察看了一下，便向旁观的几个乡下人细问情由。内中有一个首先发现这事的老年男人说明了他所见的经过。

他说：“我刚才经过这里，看见几个江北人在桥边打捞什么东西似的，走近来一看，他们正在从水面上捞起几张钞票。他们见了我，便一哄而散。自然，当时我很觉诧异，可是看看水面已寻不出钞票，只见水草中间还浮着两三张名片。我不识字，不知道是谁的。后来我又在那边草里找到了一只白帆布鞋子，我更觉得疑心，因此就拿到弄口杂货店里去问金先生。金先生说是沈少爷的名片。那时恰巧阿林老伯伯经过。金先生把他叫住，我又说明了情由。阿林老伯伯一看见我手中的鞋子，便认识是他家少爷的。他又说出了少爷昨夜出走的事。所以金先生就断定他是投河自尽的。阿林老伯伯着了慌，便抢了我手里的鞋子，奔回去告诉他的老主人。”

故事相当简洁而显豁。霍桑和我都全神贯注地倾听着。霍桑经过了短时的思索，做更详细的查考。

他问：“你看见多少钞票？”

乡下人说：“数目我不仔细，大概有好几张，给三个江北人捞去了。”

“有没有别的东西？譬如钱夹之类？”

“没有。我在河滩上看过，没有什么。”

“鞋子你只看见一只？”

“是。我在乱草中找过一会儿，只有一只。”

“那几张名片呢？”

“还在金先生那里。他因为要看店，不能出来。要不要我去拿来？”

“不必，那没有什么关系。你住在哪里？”

“就在那边村子里。”他引手指了一指。

“你可知道有没有人看见沈家小主人投河？”

“我不知道。这里很僻静，过路人也不多。我怕沈少爷是昨日夜里投河的，自然不会有人看见。”

霍桑点点头，不再多问。他谢了那人一声，在河岸上视察了一会儿，便默默地和我回到沈宅去。沈筠章泪流满面地躺在书房中的安乐椅上。阿林悲丧地站着。霍桑一直走到沈筠章的面前。

他道：“沈老先生，你别过于悲伤。令郎的尸体既然没有找到，似乎还算不得完全没希望。”

筠章哽咽地说：“霍先生，我还有什么希望？你想他在黑夜中到荒僻的田野中去，不是自尽，又为什么？”

霍桑说：“我看行迹有些蹊跷，令郎不一定会投河。”

筠章仿佛未听得，自顾自放声大哭。霍桑有些窘，低了头在书室中踱着。我也没法打破这个僵局。沈少章真会投河吗？霍桑对向老人的慰词有把握吗？还是只是无聊的安慰？

筠章又呜咽地说：“自从拙荆过世到现在，家里虽是寂寞，幸喜还有这个孩子。我满望他将来承欢膝下，谁知道空骗我一场！……唉，我自问生平不曾作恶，又何至于如此结局！”他仰起头来，瞧那站在旁边的仆人：“阿林，你在这里做什么？还不去打捞尸体？”

那阿林用手拭着眼泪，应了一声“是”，向书房门外招招手：“三宝，你侍候着老爷，我一个人去够了。”

三宝走到门口。阿林向他递一个眼色，似乎教他防着主人，不要再闹出别的岔子。三宝会意地点点头，便走了进来，阿林才回身走出去。霍桑默思了一下，又走近筠章旁边去，像要和他商量进行的方法。阿林忽然又急忙地回进来，手里拿着一封信。

他说：“老爷，还有什么人寄信给少爷哩。”

他递过了信，又匆匆地出去。筠章接过了信，不拆开，随手丢在桌子上。霍桑用眼角只在信封上瞟了一下，便将信取在手中。

他道：“沈先生，我瞧这封信也许有些关系，信面上只写着‘名内详’三个字，好像带些秘密性质。你能让我拆开来瞧一瞧吗？”

筠章不说话，随便点了点头，兀自抽噎着。霍桑就动手拆信。他念道：

少章先生，我虽和你没有见过面，可是我听说你已在大学里毕业，是一个知识分子，必不愿受人家的侮辱。上星期，我写给你的一封信，报告你的未婚夫人——钱美珏——有不轨举动，动机就在乎此。你已准备采取应付的行动吗？如果不相信，你尽可在傍晚时分到拙政园去侦查一下，真相如何，立即可以明白。

杨月清敬告

他念完了，向沈筠章瞧瞧，又有含意地说："这笔迹很娟秀，像是女子写的。"

筠章呆呆地出神，接着叹了一声：

"哎哟！还有这样的事！少章怎么不告诉我？哎哟！现在怎么办？"他有些悔恨交并，又呜呜咽咽地哭起来。

霍桑皱着眉峰，又婉声安慰他："老先生，你姑且别急，保重身子要紧。现在请你将令亲和少君的同学的地址告诉我。我马上去侦查一下，有消息再来奉告。"

推　索

那天午饭罢后，霍桑忽然一个人出去。他说他要去访问少章的同学，马上就回来。我等了一个多钟头，感到寂寞无聊，决意趁空往沈家去探听一下。

我再度到沈家时，听说沈筠章睡在楼上，连饭都没有吃，我暗想此刻毫无头绪，空言无补，不便去见他。三宝告诉我，阿林正雇好了五只网船，准备分头往内外城河中去捞尸体。

我找到了阿林，跟着他同去。我们在内城河中绕了大半个圈子，仍旧没有捞到。后来在盘门城外的吊桥下面，又发现一张沈少章的名片，好像是从内河中流出去的。从这一点推想，似乎沈少章的尸体也已在夜间流出城去。如果如此，自然不容易捞寻。除此以外，别的没有什么发现。直到夕阳西斜，五只网船都会齐了进城，我才失望地归家。

霍桑还没有回来。我不知道他半天奔波有没有成效。直到垂暮，他才提着一只小皮包，愁眉不展地从外面回来。

我忙问道："霍桑，沈家的案子怎么样？"

霍桑向我瞧瞧，反问道："你也才回来吗？你不是也出去探听的吗？让我先听听你的成绩。"

我就把网船捞尸没有端倪，又在盘门城外发现名片的事说了一遍。

霍桑坐下来，烧着了一支白金龙，沉吟了一下，问道："那么你对于这件案子的意见怎么样？"

我也烧了一支烟，说："我以为沈少章绝不是自尽。"

"何以见得？"

"如果他要自尽，为什么要带了一千元的巨款？况且投河的人断不会再爱惜他的鞋子，脱了鞋子投河，未免反常。并且他又为什么只脱一只鞋子？这都是不合理的，足以证明他不是自尽。"

霍桑微微笑一笑："你的话很有意思。你说的一只鞋子便是案中的关键。要是有一双，早已给人家拾了去，便不会让我们看见。你可还有别的见解？"

我说："我看这少年是被什么人害死的。"

"喔？被害死的？有什么根据？"

"现在有一种不正当的客帮船户，常在晚上出现，往田里去偷些产品。少章也许遇着了这种人。起先他们不过见财起意，企图行劫，但因着少章的抵抗，他们便将他处死，又将尸首拖到船上，载往别处去丢掉灭迹。"

"那鞋子、名片和钞票等物又怎样解释？"

"那一定是在搏斗争抢的当儿落下的。"

"那么那些歹人怎么会见财起意？他们怎么能知道少章身边有这许多钱？"

"也许事前露了风声，或是临时他将钱露了眼，才惹出了这场大祸。"

霍桑忽摇头笑道："包朗，不会，不会。这种见解我不敢赞成。"

我呆一呆，反问道："为什么？你有什么反证？"

霍桑吐出了一口烟，说："试想少章的出走，事前连家里的人都不知道，怎么反而会露风声给外人知道？钞票露眼，更不近情哩。你想一个夜行人，身边藏着轻便的钞票，难道也会被人觉察？再进一步，照你的说法，少章的被劫伤命是偶然的事，但他既然出走，如果没有目的，何以会走到乡间去？这不是都说不通的吗？"

他的驳诘使我感觉到我的耳朵有些热灼。我沉默了一下，也提出反辩。

我说："那么你的意见怎么样？也请你说说看。"

霍桑答道："我还没告诉你我刚才的经历呢。我去访问少章的一个姓赵一个姓郐的同学，又去看过他的姨丈潘芝年。末了我又到拙政园里去扑了一个空——"

我不禁插口道："你可是就从那封密告信上着想，以为这件事是少章的未婚妻主使的？"

霍桑摇摇手："你别打断我的话。那封信固然是一个关键，我当然注意。不过我在拙政园里等了两个钟头，竟完全失望。我们若要明白全案的真相，这一着还不能轻轻放过。你如果有兴，明天傍晚我们不妨再一同去一趟。"

彼此在烟雾缭绕中静默了一下，我又提出质问。

我说："你的访问工作有什么结果？"

霍桑说："我知道少章的品行并不坏。女朋友是有的，不过他是否有恋爱的对象，我还查不出。因为沈老先生太顽固，少章除了看见一张照片以外，连未婚妻的面都不曾见过。这是他的姨丈告诉我的。我相信这一件事，还有意外的后文，你耐心些等着瞧吧。”

一幕活剧

次日傍晚时分，我们俩赶到拙政园去。拙政园是姑苏的名园之一，以疏爽见称。园中的水榭楼阁虽有些年久失修的迹象，但这时候柳条萧疏，秋花殷红，游客却已绝迹，别有一种幽雅清冷的情味。我们沿着荷池，绕行到假山脚下。霍桑忽然停止了脚步，轻轻将我的衣服一拉，又仰着头瞧了一瞧，悄悄地和我耳语：

“瞧，上面四角亭里不是有两个人吗？”

我忙退了一步，探头一看，果然有一男一女。女的穿一件深紫色的短袄，一条玄绸短裙。男的是一件灰色西装，头上还戴着草帽。他们的年纪都在二十左右，正在那里握手谈心。霍桑从衣袋里掏出一张照片来：

“你瞧，这亭中的女子不就是沈少章的未婚妻钱美珏吗？”

我接过照片一瞧，果真就是昨天沈筠章给我们瞧的一张，但不知道怎样竟会到霍桑的手里去。我又仰头瞧瞧亭子中的女子，长方的面庞，浓黑的眉毛，和照片中的完全相肖。

我说：“正是伊。那男的是谁？”

霍桑忙拉拉我的衣袖，似乎怪我说话的声浪太高。他把照片收回了，又抬头望了一望。

他忽又附着我的耳朵说：“他们也许已经瞧见我们了，不过没有瞧清楚。现在我们应得行进。你装作窥探他们的举动的模样，故意使他们觉察了留不住。等到他们出了门，就没有你的事了。我得在暗中侦查，还要仔细地查一查。”

他说完了就向假山背后走去。我也故意蹑足踏着石蹬，走向亭子上去。亭子里的一对情侣还是唧唧哝哝地在密谈，似乎还没有觉察第三者的走近。后来那女子偶然回过头来，见了我偷偷掩掩的举动，顿时粉脸上现出慌张状来。伊移开些身子，伸手将伊的同伴推一推，那个戴草帽的西装少年受了伊的暗示，也小心地回过头来瞧我。我看见那人的身材并不高，面孔白皙，眉清目秀，非常漂亮，“新剧家”式的头发也剪得十分齐整。我不便多看，假意回转头去，站定了装作看池里枯残的荷花，但是我仍时时从眼梢里窥探他们。

局势有些像在相持。在他们眼中，我近乎是个讨厌人。不多一会儿，这局势于我有利了。他们似乎觉得眼中有刺，不敢再留，便立起来出了亭子，向假山下面走去。讨厌人做到底，我仍远远地跟着。他们也不时回头来瞧我。穿过了九曲桥，他们向方厅后面过去。那男的走得很急，那套灰呢西装也像太长，走路有些异样。这不是见了我尾随而感到慌张吗？我还是一步不放松，一直跟出园门。他们坐上车子，一前一后地向西去。

我站定了踌躇。霍桑分派我的职司，到这里不是完毕了吗？我怎么办？还是雇车子回家去？忽然有一辆车子从东面和我擦身而过，险些撞在我的身上。我抬头一看，车子中坐的正是霍桑。

我回到十梓街寓里时，路灯都已亮了。我进入书室，坐定点了一支烟，回想刚才的经过。那杨月清的警告信的确不是虚构的，因此显示了沈少章所以出走，原因就在乎此。霍桑所说的那封信是一个关键，此刻已很明显。但少章果真是自杀吗？

假使是的，他的尸体何以至今还没有被发现？可是果真已流入城外大河里去？或是被人移去埋葬了？

直到晚餐时分，霍桑方始回寓。吃过晚饭之后，我提出这个疑问，结果却又出我所料。

霍桑问我说："你以为那钱美珏果真有什么外遇？"

我诧异道："什么？这还成问题？刚才我们不是明明眼见的吗？"

霍桑笑一笑："不错。不过你的视察力究竟还浅，没有弄清楚。"

"什么？我难道错了？"

"的确。你不觉得那男子的状貌态度有些异样？"

"唔，不错，他走路好像很慌急，而且不自然。"

"对了，实际上这是一幕小小的滑稽戏。那美珏的同伴并不是道地的男子，只是一个剪发的时代女性！"

我还有些疑心参半，不知所答。霍桑吐吸了几口烟，又自顾自说下去：

"我来告诉你。昨天我读了那封告发信，认为信中所讲的事就是少章出走的主要原因。为彻究真相计，我自然不能不调查明白，才不惜走了两趟。方才我见了他们，起初也信以为真；后来我看见那男子的行步的姿势，和彼此间神气，似乎有一种故意做作的状态。直到跟到百花巷钱家，我见他们一同进去，才确信他们俩绝不是一对恋人。我们都误会了！"

我问道："你已经证实了没有？"

霍桑点头道："我已经托故进去，见过那钱美珏了。"

"你真了不得！"

"伊本来拒绝不见，但我叫那看门的把名片再送进去时，我在名片背后写了几个字。这法宝竟如此灵验。”

“喔，你写些什么？”

“我写了‘为少章事，专诚奉访，请赐密谈’十二个字。伊果然上当了。不过初见我面，伊还不肯实说。后来我说明了经过的事实和我的任务和意旨，又应许伊决不破坏伊的计划，伊才说明真相。包朗，你可猜得到这玩意儿有什么作用？”

“谁想得出？看起来至少伊不像是阴谋的主使人了。”

“恰正相反。伊的精神够伟大呢。”

“唔？”

“伊告诉我那个乔装的同伴是伊的女同学，叫汪文瑛。那套西装是文瑛的哥哥的，所以不合身。美珏所以如此做作，目的就要毁坏伊和沈少章的婚约。”

我诧异道：“这真是想不到的。伊也要悔婚？为什么？可是也就因为不赞成指腹订婚的旧风俗？”

霍桑点点头：“是的，这是一个主因。此外伊还风闻少章已有恋人，故而宁愿牺牲伊自己的名誉，不愿结成怨偶。”

“这样说，那封具名杨月清的告发信也是伊自己假造的了。”

“是，还是美珏的亲笔！”

我赞叹道：“这女子真是不凡，有勇气！”

霍桑点头道：“是。伊要反抗旧礼教，要恢复自由，竟用伊自己的名誉做代价。这精神尤其少有。”

我应道：“这钱美珏尽可替一般被压迫的女子吐一口气。……现在只可惜那沈少章还没有结局。他的尸首——”

霍桑忽举一举手，阻止道：“你说少章吗？他实在没有死。我料他不久就会回来。”

我惊喜地说：“当真？你有什么凭证？”

霍桑丢了烟，从椅子上起立，打开小皮包，取出一只白帆布鞋子来。

他说："你瞧，这一只鞋子不是和昨天在岸边发现了给阿林拿回去的一只相同的吗？"

我瞧一瞧，应道："正是。我记得昨天的一只是右足，这一只是左足，恰巧一双。你从哪里得到的？"

霍桑道："我从少章床上的枕头中间寻到的。"

我瞪目地不回答。

霍桑解释道："昨天午后，我实在比你先往沈家里去。那时筠章睡着，我和三宝说通了，向他索取钱美珏的照片。我又亲自到少章的卧室中去察验了一回，就寻得钱美珏的第一封假信的封套和这一只鞋子。因此可见少章出外时，为留迹起见，故意藏了这一只鞋子，把另一只留在岸边，叫人信作他是投河的。其实他一定只伏在近处，暗暗地等消息；等到他的父亲信作他已经死了，了结了与钱家的婚事，他自然会出面。并且今天报上的广告既然依旧登了出来，所以据我料想，不出一两天这件事就可以圆满结束。"

这时我们的女仆阿兰传进一张名刺来。霍桑一接到手，忽而怔了一怔。

他大声道："唉，包朗，我错了！事情的发展比我料想的还迅速！……我来给你介绍。这位是沈筠章先生的少君，少章世兄，远东大学的文学士，旧礼教的反抗者！"

苦肉计

一个穿灰布长衫的少年，美目隆准，相貌很英俊，手里拿着一顶灰色呢帽，站在书室门口，他听得了霍桑的介绍，脸上晕出一阵红色，在电灯光下踯躅不前。

霍桑招招手："少章兄，别拘束，请进来啊。"

那少年才跨进一步，向我们俩深深地行了个鞠躬礼。

他低声说："我已经见过家父了。他老人家不但宽恕了我，还答应成全我的志愿。我真不知道怎样报谢两位先生。"

霍桑笑道："这件事你只需谢谢包先生够了。令尊的旧观念是被包先生打破的，因此他才会同意你的意见。好在钱小姐也早有此意，主动的也许还是伊，是不是？……唉，不是吗？不错，这苦肉计你还不知道哩。好吧，你坐下来，听我说。"

来客坐定以后，听霍桑简括地说明了钱美珏的投假信悔婚的计划，以及我们在拙政园中的经过。他的神色在灯光下显出惊愕和惶惑。

他嗫嚅地说："霍先生，这是真的？"

霍桑答道："我除了采取以毒攻毒的策略以外，对于正经人从来不打诨。我刚才已经和钱小姐见过面。伊是今年夏天在南京女子高等师范毕业的。伊受过时代的洗礼，当然也反对这种陈腐的指腹婚姻。你们俩倒是志同而道合。伊的意志很坚决，但因着伊的父亲的压制，伊先前两度提议都没有如愿。去年伊的父亲故世了，伊的母亲又阻拦伊。直到上月里，令尊把成婚的日期送过去，伊再三思考，才毅然决然地定下了这牺牲计划。伊寄给你一封假信，以便让你把它做一种证据，提出退婚的建议，使家长们不能反对。这态度是够你折服的。"

沈少章点点头，领悟地说："这倒想不到。不过我并不曾把那封杨月清名义的信做证据。这信笺一直藏在我的身上，我在家父面前也绝不曾提起过。我的目的只在取消不合理的婚约，不愿意毁坏人家少女的名誉，因此我才弄出这一番把戏。”

霍桑连连点头说：“好，你也一样有牺牲精神。不是我恭维你，你也够得上钱小姐一般的伟大。你听我说下去。伊寄信之后，等了一个星期，不见你有什么动静，才投寄第二封信，又忍痛地设下那一幕滑稽戏。这戏相当精彩，刚才我和包先生已代替你欣赏过了！”

那少年的头渐渐地低下去，嘴里似乎在微微地叹息。我在静默中估量他的情绪，像在悔恨，又像在赞叹。

少章抬头说：“那第二封信刚才家父已给我看过，我还是信作真的。要不是两位先生查明白，我简直将一辈子蒙在鼓里，误解了钱——”

霍桑嘻一嘻，忙接嘴道：“你不用抱歉。我看钱小姐对你也有同样的误解。伊听说你已经有恋爱的对象——”

“不！并无此事。我所以如此，是反对这种指腹订婚的恶俗！”

“对了，我所料的还没有大错。那么我看最合理的步骤，你在提出退婚建议以前，先和钱美珏小姐会一会面，彼此开诚布公地谈一谈。要是双方都同意退婚，那自然迎刃而解，也好免去一切枝节麻烦。要是不然的话，那也尽可以凭你们俩的自由意志来决定一切。我想双方的家长只有赞成，绝不会来干涉你们。这是我可以给你保证的。”

静默占据了这小小空间若干秒钟。沈少章又沉落了头，在做急遽的思考。霍桑的唇角上现着微笑，向我暗暗地点点头。我也用会心的微笑答复他。这一幕小小的活剧一变再变，很有再来一个转变的高潮的可能。

少年吞吐地说：“不过……不过……”

霍桑问道："不过什么？我们既然开诚布公地谈了这许多，你还有什么顾忌？"

少章说："我……我很愿接受你指示我的步骤，不过要实行也不容易。"

霍桑的眼珠转一转，忙应道："再容易没有！你不是感觉到缺少一个让你们俩会面剖白的居间人吗？哈哈，人是现成的？掉一句文，我不妨毛遂自荐？"

"霍先生，你……你肯……？"

"当然。你们俩都有这样的反抗恶习惯的勇气，态度很光明，我是很佩服的。我轻轻地从中说一句话，又何乐而不为？"

"霍先生，你……你太好！"

"别说！其实即使不用我居间，只要你自己写一封信去，也一样行。因为你这方面的苦肉计，我也早已看破了，刚才也已经给钱小姐说了一个明白。伊虽没有表示，可是我相信伊对于你的态度也是默许的。"

沈少章的主意似乎已有了决定，立起来，又向我们俩行了一个不折不扣的九十度的鞠躬礼。

他说："霍先生，包先生，这件事多多劳神，我真是说不出的惭愧和感激。等这回事结束了，我再登门道谢。再见。"

霍桑笑一笑，也立起来送客。

他说："道谢是多余的。令尊已经赏赐了两副书法对联，尽够留一个纪念。不过我希望你把这种反抗恶俗的精神保持着，拓展到各方面去。这是我们的国家在复兴途程上所急切期待的。"

少章又弯弯腰，说："霍先生，你也许期望得太高，不过你的话我一定牢记着。"

他回身向书室门走去，刚走到门口，霍桑忽又唤住他：

“少章兄，还有一句话。以后，这种把戏你不能随便玩。别的不说，你的布局也太幼稚了。你把名片和钞票散在河边，简直太滑稽。你想无论自尽或被劫，怎么会有这种现象？还有那一只鞋子，你总算是聪敏的，因为如果留下了一双，反而会失却你设证的作用。不过另外一只你没有勇气带到外面去丢掉，却自以为安全地藏在枕头套里面，那也是一个大大的失着！”

那少年红一红脸，低低地不知说了一句什么话，便恢复了孩子态似的扭身逃出去。

沈少章不曾践约来道谢。来道谢的是他的代表——他的父亲沈筠章，时间是在三个月之后。这位老先生进门时就哈哈大笑；说完了经过情形，再做了好几套打拱表演，又双手捧出两个红色的柬帖来；末了还是一阵哈哈大笑。霍桑和我同时受到了感应，就在三个人的笑声中结束了这件小小的案子。

请君入瓮

一个纸卷

那布置华丽、灯光辉耀的宽广的餐室中，充满了酒馨馔味，又加上食客们习惯的高声笑谈——那时候还找不到静谧无哗的餐馆——我已经有些耐不住。我的右手举起了茶杯，送到我的嘴唇边，缓缓地吃了两口，便把杯子放下，从椅子上立起来。我的一手把椅子拉向后些，一手从衣袋中摸出一块白巾，正要抹我的嘴唇，忽而我的眼角里接收一种景象，我仿佛看见我的左侧有一个人正站着偷瞧我的行动。我索性回过头去，向他瞟了一眼，同时我仍若无其事地用手中执着的那块白巾抹嘴唇。

那人忽然走近来了。他的手中也执着一块白巾，一边抹嘴，一边微微点头，似乎在向我打招呼。我不期然而然地也点了点头。那人的一只手忽而伸过来，和我拉椅子的一只手相接触。我正自怀疑，忽觉我的掌心中得到一种东西，像是一个纸卷。奇怪，什么意思？我正待开口问话，忽见那人突地旋转了身子，向楼梯走去。我呆一呆，想要招呼他，却不知道他的姓名，一时也无从启齿。一刹那间那个人早已下了楼梯。

我可能追下去吗？那未免有些冒昧。因为我还不知道那人给我的是什么东西，更不知道他究竟有什么用意。我的记忆告诉我，刚才那个人也穿着一身漂亮的浅色西装，头发很光滑，匆忙间我虽没有瞧清楚他的面貌，但他的状态服式显得他明明是一个上流人。因此我当时只充满了疑讶，还不敢就把他当作歹人看待。我把掌心中的东西拿起来一瞧，是一个小小的白纸卷，约有一寸半长，粗细和纸烟相仿，若使丢在地上，人家必认作半截纸烟。我把那纸卷展开来时，不禁更觉纳罕，内中另有一小方白色缎子，缎子上既无字迹，也不见什么东西裹卷在里面。

唉！怪事！

我想起霍桑来了。这晚上我本约霍桑到摘星楼来晚餐，以便彼此畅谈一会儿。他近来探案很繁忙，也可以借此自劳。这还是前两天约的。不料他临时失约，竟剩我一个人进餐。我在就餐之前，曾打电话到他的寓里去催过。据他的旧仆施桂回答，他有要紧事出去了。他在外面打过电话，声明不能践约，特地留言道歉。我一个人在无聊中草草地吃了夜饭；饭罢以后，喝了两口茶，正要下楼会钞，忽然发生这一件奇怪的事。

假使霍桑同在的话，这疑问当然比较容易解决。现在剩下我一个人，竟有些不知所措。这个人已经走远了，我已来不及追他。这个纸卷又是莫名其妙，一时我正像落进了五里雾中。我仔细一想，这个纸卷既不像出于戏弄，绝不会完全没有意思。

我重新坐下来，同时小心地把眼光向周围溜了一周。我的邻近几桌虽然都有进餐的人，但并没有人特别注意我的行动。我定了定神，将手中的纸卷重新展开来，看见那缎子和纸是互相黏着的。我暗暗自咎，刚才怎么如此粗心？这两种东西既然粘着，分明这缎子的反面一定藏着什么秘密。我轻轻地把缎子和纸拉开了，初看仍不见什么，细细地一瞧，才瞧出来。

缎子的反面画着一个哑铃模样的圆形，下面另有一行小字，写着：

即晚九时，金钟路九十七号，紧急会议。

字迹和哑铃都是用黄颜色写的，在灯光下实在不容易辨别。这像是一种召集会议的通告。但会议是什么性质？那个人又为什么交给我？难道他是什么秘密匪徒，本来认识我是谁，特地弄这把戏，要我自己投进他们的罗网里去吗？……不，这推想不近情理。他们既然知道我是和侦探们有关系的，似乎不致有这种玩火的胆力。因为我接得了这个通告，假使马上通报警探，依着地址去掩捕他们，他们岂不是自取其祸？

我又想起近来上海的社会真是愈变愈坏。侵略者的魔手抓住了我们的心脏。一班虎伥们依赖着外力，利用了巧取豪夺的手法，榨得了大众的汗血，便恣意挥霍，狂赌滥舞，奢靡荒淫，造成了一种糜烂的环境，把无数的人都送进了破产堕落之窟。结果因着生活的艰困，强硬的便铤而走险，剽掠掳劫的匪徒跟着层出不穷，骇人听闻的奇案也尽足突破历来的罪案记录。两星期前，上海光明信托公司的保管库中忽而失去大宗珍宝，价值竟有五十余万之多。那劫窃的方法又是利用电流，非常神奇，听了真使人咋舌。因此那些匪徒，因着社会环境的恶化，他们的组织和技术也日见致密，实在不能轻视。

那么莫非真有什么匪徒要召集会议吗？那个发通告的匪徒可是看见我的状貌相似，一时误认，把我当作他们的同党，那秘密通告才误落在我的手中吗？

我又想起一个印证。我记得那时候我正拿着白布巾抹嘴，那个人也有过同样的动作。抹嘴的动作可会是他们匪徒间的一种暗号，我虽无心，他却便因此错会？……是的，我觉得这见解比较先前所假定的一种更近事实。那么我何不利用这个机会，亲自去探听一下？他们究竟是什么性质的秘党？又有怎样的会议？

经过了简短考虑，我定意尝试一下。时间已是八点三刻。从摘星楼到金钟路须二十多分钟的路程。我若使要去，不能不立刻动身。我为谨慎起见，临行时还打一个电话给霍桑，可惜他仍旧没有回寓。电话中我又不便把这秘密的消息告诉霍桑的仆人施桂，我就定意独自前去。我身上本带着手枪，此去随机应变，料想不会有什么危险。况且金钟路也不算是怎样静僻的所在，万一有变，我总还可以取援。

我坐车子到金钟路时，已是九点十分；下了车，便沿着侧径进行，暗暗地寻那九十七号。这一号在马路的西端，地点比较冷清。我一路行时，不时偷眼瞧察我的前后左右，却绝不见有尾随的人。马路上汽车和黄包车还往来不绝，也不见有什么可疑之处。

这已是十一月的天气，冷汛已交，夜间的西风吹在脸上，很有些力量，仿佛要刺透肌肤。我的手插在大衣袋中，右手执着手枪，食指也扳着机钮，以备万一有什么意外，可以先发制人。我的衣领已竖了起来，铜盆帽的帽檐也压得很低，即使和人对面相语，对方一时也辨不出我的真相。

我走到了九十七号门口，只用眼睛瞥一瞥，依旧继续进行，并不停步；直到走过了六七家门面，瞧见背后并无可疑的人，方才停了脚步。我暂时把手枪放了，从衣袋中摸出一支纸烟，擦火吸燃，乘势回过头去，重新瞧那九十七号屋子。当我走过时，瞧见门口挂着一块牌子，像是什么律师事务所。那一排都是西式的新屋，但有好几家都是黑漆不见灯光，似乎还都空着没有租出。但那九十七号的窗上，楼上楼下都灯光通明，显见屋中有人。

那屋子里果真是什么匪徒的机关吗？我此刻可能径自进去？万一出于误会，或是这个纸卷只是有人故意戏弄我，那岂不要闹出笑话来？可是我既到这里，也决不愿空手回去，多少总得探出些眉目。我再把眼光打一个旋，绝不见有什么监视的人，才重新退回去，故意走得缓些。那九十七号的门口有一扇铁直棱门开着，门外果真挂着“何义林大律师”的铜牌。

我略一踌躇，便放大胆向铁门里闪了进去。门里面有一方草地，种着两三棵棕树，另有一排花架，架上还放着几盆枯残的菊花。我正在踌躇不决，忽听得门外有汽车停止的声音。我有些惊慌，便向那棕树底下暂躲一躲。接着我听得一阵脚步声响，有一个人果真进门来了。

冒险勾当

我隐伏的地位恰在棕树的后面，上面有棕叶掩盖，进来的人若不留心，一定不会瞧见我。不过我避进去时，曾经触动过棕树的叶子，略略发生了些声响，那进来的人会听得吗？约莫半分钟光景，这个人已走过了我隐伏的所在。他走上了阶石，忽而立定了旋转头来，这一着不由使我暗吃一惊。

唉！我实在太粗心哩！

当我进门的时候，我的嘴里衔着那支纸烟，等到避匿的时候，仍想不到丢掉。这时这一星火，岂不要吸引那人的眼光？

还好，那人并没有留意，只旋转来吐了一口痰，接着便做出一种奇怪的举动。

那人穿的也是一身西装，外衣的颜色是深灰，年纪还在三十内外，身材相当高。他从大衣袋中取出一块白巾，又将白巾举起来裹在他的脸上。这动作当然格外引起我的注意。我冒险从棕树背后轻轻地走出来，偻着身子缓缓地走近石阶。我看见那白巾只裹在他的脸的下半部，眼睛仍旧露出。那人裹扎已毕，又从袋中摸出一种纸烟样子的东西，接着便敲开了玻璃的门走进去。

那玻璃门上挂着黄色的帘子，里面人的举动外面当然瞧不清楚。我仍不肯轻轻放过。那人进门之前，先在玻璃上敲了三下。门开之后，他就跨步进去，门立即重新关上。怎么办？我要不要进去？自然。我不顾危险，轻轻地走上阶沿，到了玻璃门前，看见里面的窗帘不曾遮满，还留着一丝空隙。这真是我求之不得的机会。

那个才进门的西装少年，手中执着一方小纸，正在和一个穿黑袍子的大汉谈话；一转瞬间，这少年便走上楼梯去。我才明白，那少年也是一个匪徒，此刻是依约来集会的。他手中拿着的小纸，分明就是那缎子纸卷。这纸卷果然是他们的秘密通告，也是进门的符号。我刚才不是也接到一个同样的纸卷吗？这纸卷还在我的袋里。我何不如法炮制地进去试一试？

叭叭……

又有汽车声音停在门口，分明又有什么人来了。我忙转身跳下阶沿，重新回到棕树后面去。匆忙中我的大衣的衣角，带倒了花架上的一只花盆！花盆落到草地上时，虽没有多大声响，但不免总有几分危险。我的身子虽到了棕树后面蹲住，我的心房仍突突地乱跳。幸而事又凑巧，那进来的人态度非常匆忙，三脚两步地一直上了阶石，头也不曾旋一旋，似乎他已经失了时刻，故而如此着急。这人穿的是长袍马褂，装束也像所谓上流人。他在进玻璃门之前，也照样用白巾裹住了下颌；一进门后，随即是一阵子急促的上楼梯声音。

我的心房的跳动恢复了常度，但眼前的情况引起了我的惶惑。这班匪徒们既然躲在楼上开会，我伏在这里，岂非徒劳无功？我既然抱着探听虚实的目的，怎能不冒一冒险，亲自进去参加？主意定了，我就放胆走出树荫。我经过花架的时候，顺手将花盆取起，归了原位；上了阶沿，照样用白巾裹好口鼻，又把帽檐更压得低些；接着我就上前叩那玻璃门。

笃笃笃！

我在玻璃上敲了三下，门果然应声而开。我故意装作失时匆忙的样子，一边把纸卷展开来，给那开门的大汉瞧一瞧，一边便想跨步上楼。

那黑衣大汉接受了我的纸卷，伸出一手扬一扬，似乎要阻止我。我只得住步，心中暗念，万一他瞧出了破绽，我只有采取先下手为强的策略。那人的体格高出我足有两三寸，躯干很魁伟，并且满脸黑麻，一双乌眼大而突出。论力敌，我也许不能取胜，但我进门的时候，我的右手始终藏在大衣袋中，我的食指和手枪的机括也始终没有分离。

大汉展开了我的纸卷，仔细一瞧，只低声问：

“十一号？”

怎样回答？我不知道。我但依他的口气点点头。他果然把纸卷回给我，也点了点头，又把手一扬，似乎说：“上楼去吧。”

第一重难关打破了！我就急急跨上楼去。那纸卷里面的缎子上谅来还标着号数吧？我当时怎么竟没有瞧见？霍桑常说我精细不足，瞧这一点，我又怎能自辩不粗心呢？

我到了楼上，看见右侧和迎面各有一扇门，却都关着。谈话声音从右侧的门里透出，可知参加会议的人都在里面。我就推门进去吗？不，太危险。刚才那发通告的人虽已误认，但里面的匪徒不止一个，势不致个个都认不出真假。我的脸上虽也裹着白巾，但我的声音状态都不容易假装，并且也不知道怎样装法。

这时候里面的语声有几句很清楚。我决意暂时不进去，就俯下身子，把耳朵贴在门上的钥匙孔上。

一个人说："我们可以散了。可是十一号怎么还不来？"声音很粗壮。

第二个人说："九号，他的通告是你发出的？"

"是，我在摘星楼上亲手交给他的。"这是第三人的声音。

第二人又问："你和他说过话没有？"

第三人答道："没有。"

那第一个语声较粗的人又说："会不会弄错？"

第三人又答道："不会。我本来认识他，他也认识我。当时他又向我发过信号。"

第一人又说："这样很好。不然，关系太大，可不是儿戏的。"

一阵喃喃声，有些模糊不清。接着，又另有一种重浊而低沉的声音说话：

"既然如此，我们不必再等他。今晚十二点钟，准在清安寺观音殿会集。那时候浦东方面的同道都要来。会集后再分配家伙，依照决定的计划动手。"

室中的众人似乎各答应了一声，又是一阵模糊声。

那重浊声又发令似的说："大家得留意！别漏了风声！这件事关系很大，谁也得十二分小心……"

命令像是尾声，我知道他们将要散出来了。我不但没有进去的必要，还得急急地退出才是。否则非但白走一趟，还要错过机会，岂不可惜？

铃铃铃！……铃铃铃！……

我正自迟疑，忽听得楼下一阵铃响。有什么变动吗？就情势而论，无论怎样，我只有退下的一法，再不能容我疑迟不决。那楼梯是转弯的，我走下第一折楼梯时，脚步轻缓而急促，但转了弯之后，不得不从容些。那挂着黄帘的玻璃门已经开了，那个黑麻乌眼的大汉站在门旁，又像送客，又像戒备。我不顾利害，下了楼梯，放步走出去。大汉绝不怀疑，并不留阻我。于是我三脚两步地走出了铁门，马上踏上马路。一阵夜风把我的惊乱的神经吹得宁静了些。我觉得我已经脱离了虎口！

宵　征

我走出金钟路时，掏出表来一看，已是十点钟相近。我先立定了忖度一下。他们既然要在清安寺举行大规模的集会，此刻还是不惊动他们的好。现在我就去通报警署，直接往清安寺去呢？还是先去通知一声霍桑？近几天确有些风声，清安寺中似有什么匪徒混迹在内。刚才他们说今夜在清安寺观音殿上集会，可见那风说当真不是虚传。我觉得那个重浊声音的人像是他们当中的领袖。他说要分配家伙。这是指什么说的？分赃？还是分配了火器，将有什么大举勾当？无论如何他们的性质无疑是犯法的，这定是一件重要案子。我侥幸地在无意中得到这个消息，当然不能放过。假使因此破获什么匪帮，为社会消灭些害毒，那么我虽然冒险，也还值得。不过消灭的方式怎么样，我还不能决定。好在距离约会的时间还有一个多钟头，我还是先去见见霍桑，和他商议一下，再定进行的方策。

我急急赶往爱文路霍桑的寓所。不料事不凑巧，霍桑仍旧没有回寓。他的踪迹所在，连施桂也不知道。我大大地失望，但还是耐着性等他。我足足等了半个多钟头，依然不见他回来，不禁焦灼异常。我应该怎么样进行？如此机会，若使白白地放弃了，当然可惜。我一个人到清安寺去吗？或是报告了警探，带了大队去搜捕？俗语说："双拳敌不过四手。"我一个人去，简直白去送死。为谨慎起见，我只有通报了警署，派几个能干的探伙一同去，那才能相机行事。

我走到电话箱旁，准备打电话到警署里去。可是我用手摸着听筒，突然又有一个念头。

我虽明明听得今夜十二点钟，这班匪徒要在清安寺集会。但他们究竟去不去？万一不成事实，我却郑重其事地惊动了警探，那岂不要惹他们讥笑？这些警探本来对霍桑没有什么好感。如果我有了什么冒失的举动，岂不要连霍桑也要受他们的奚落？因为我记得刚才匪徒们议论的时候，怀疑着十一号怎么不到。但那下面的守门大汉明明看见我上楼的；他瞧了我的纸卷，信作我就是十一号匪徒。如果那班匪徒下楼的时候，向大汉问一问，我的冒充的秘密势必立即被戳破。那时他们既然知道内中出了岔子，第二次约会的地点，也必会临时变更。那么我带了探伙们去扑一个空，岂不要闹成笑话？

这个两难的问题，在我的脑室中打秋千似的起落了不知多少次，霍桑还是杳无消息。我决定了一种计划，我准定再一个人去，先到寺里去探探动静。如果当真有会集的形势，我再退出来，就近打电话，招呼警探们派队捕捉，时间上当然还来得及。于是我把情由向施桂说明了，便动身向清安寺去。

清安寺位置在上海的西部，虽很著名，但因着地点的偏远，一年中除了几次香汛以外，平日并没有人烧香。因此，若使有什么匪徒借此藏身，的确不容易惹人生疑。我从霍桑寓里赶去，到了近寺的地点，已是十二点只少四分。我是乘黄包车去的，那车夫走得特别慢。我不耐，故而未到寺前就下车。一路上我留心观察，除了往来的汽车，行人几乎绝迹。不过这些汽车里面坐的是不是匪徒，我却不容易辨别。等到我望见了寺门，才见路上的那些汽车只从寺外经过，并没有一辆停在寺前。我一步一步地走近寺门，心中默默地估量。匪帮们在这种地点会集，依我刚才所见的情势看，一定是乘汽车来的。但此刻寺前怎么绝不见有汽车？莫非他们的出进不从寺门，另有通道？或是果真不出我所料，这一次约会的地点已经临时变更？

时候恰当午夜，呼呼的寒风像含着利针，吹得人耳朵痛。我的两手幸亏插在大衣袋中，否则也难免僵木。我的身上虽穿得不少，但是那风力似乎还能够透进重衣，直入我的心肺。我连吸了几口冷风，不由得咳起嗽来。

坏事了！我此来的目的原是暗中窥探。假使在紧急的当儿，我禁不住咳起嗽来，那又怎么办？可是我只犹豫一下，我决不退缩，即使咳嗽，我也不能不忍一下子。

寺门外冷清清地绝无动静，寺门也已紧紧地关闭。我怎样子进去？他们是不是另有通路？假使从这前门进去，开门时定有暗号，里面才会接应。这暗号我又不知道。可是仍叩击三下吗？我举起拳头想叩击，又觉得不妥。这举动未免冒昧，不如抄袭旧文，仍在什么隐僻的所在等一下。如果有别的匪徒们到来，我便可确知里面必有会议。那时我先行通报警署，然后再进去捕捉。

我准备找一个避匿所在。我的眼睛开始在暗中活动。寺前很空旷，只有两棵大树矗立在左右。我无意间抬起头来，瞧到那大树上去。

这晚上天空虽密布着阴云，但恰当下弦，还有些朦胧的月光。树枝上叶已脱尽，但树枝的中间像有什么黑色的东西在蠕动。这是什么？可是有人匿伏在树上？我不觉大吃一惊。我的伸在大衣袋里的手正要拔出手枪来准备，不料飕的一声，那黑东西早已从树上跳下来，转瞬间便不见。

原来是一只黑色的野猫，相当大！我一时不察，几乎虚费子弹，而且还会坏事。

是的，那大树的枝杈上的确是一个理想的避匿所在。因为寺前并无掩蔽之处，并且一面要照顾寺门，一面又要留心马路上的车辆行人，除了这树，更找不出第二个地点。

叭叭！……叭叭！……

汽车来了。我只得暂缓爬树，把身子避在树后。不料那汽车经过了通寺的岔路，仍继续前进。我寻思这寺本来有侧门的，莫非匪徒们从侧门里出进？我不如先过去瞧瞧再说。我沿着围墙，向侧门走去，但是侧门前也一样地冷静。我索性绕到后门，也静悄悄不见异象，而且后门上灰尘封满，显见平日是不出进的。我很疑讶。匪徒们的确要到这寺里来集会吗？此刻有没有匪徒在里面？假使我也是小说中的一个什么“侠”，具有所谓飞檐走壁的本领，此刻很愿意跳进去瞧一个明白。可惜我对着这一丈光景高的围墙，除了瞪瞪地发呆以外，更没有别法。

我重又回向寺门前去。当我重新经过侧门的时候，不由得吃一惊。侧门口似乎多了一段黑形，像是一个人蹲伏在那里。这发现固然出我意料，但我仍保持镇静，并不声张，准备避得远些，瞧瞧他有什么动作。

咳咳！

僵！不先不后，恰在这时，我忍不住咳出一声嗽来！

那黑影突地立直了，果真是一个长身大汉。那人不作一声，但反身狂奔，简直比先前那只黑猫还快！追上去？当然已来不及。向黑暗中发枪吧？那无非虚费子弹。我一边悔恨，不经意惊动了那人，一边走到侧门前去，俯身一瞧，才觉是出于误会。侧门前的地上留着一把铁凿，一个麻袋；门的接榫处，也已有些凿坏。刚才那个大汉分明只是一个小窃，并不是我推想中的匪徒！

寺前依旧静悄悄。我心中不免焦急，又因焦急而产生怀疑。瞧这情势，似乎不像会有什么会议了。那么我刚才听错了不成？或是时候还早，匪徒们还没有来？我到的时候十二点还少四分。他们即使打破了我国人传统的恶习，都能谨守时间，也必不会个个都在十二点之前到场。所以除非另生变端，我总可以瞧见一两个人到来，我走到大树背后，擦着一支火柴，瞧瞧时计，已是十二点二十四分。

时候已很晚了，莫非我先前所料想的果真料中？匪徒们发觉了十一号成员已被什么人冒充了，因此便临时变计吗？如果如此，这样子深夜我一个人冻在冷风之中，岂非自讨没趣？

叭叭！……

我又听得远远的汽车声音。也许有人来了吧？我索性爬上树去，准备再耐性些等一会儿。约莫一分钟的光景，我已爬到树杈子上。汽车的声音也越发近了，两条强烈的灯光已射向清安寺来。那汽车一到那通寺门的岔道口，果然停止。我暗暗欢喜，我预想中期待的人果真来了。一刹那间，我看见一个高硕的男人走下汽车，先立定了不动，似在向左右张望，接着便放出轻稳的脚步，走进岔道，缓缓地向寺门过来。

虚费的子弹

那人步行的态度告诉我我所料想的不错。他穿的是浑身黑衣，身材很魁梧。他举步时上身向前微偻，他的头也不住地向左右前后转动。这个人戒备相当严密，我万一被他瞧见，那一定会坏事。我竭力忍制着，脑神经下令咽喉戒严，不许咳出嗽来。我又把袋中的手枪取出，扳住了枪机，枪口瞄着那人进行的方向而缓缓移动。那人走到距离我匿伏的那棵大树约有五六码之远，忽又停了脚步，似在那里瞧察寺门。

僵！我觉得一阵子喉痒，几乎要收回戒严的成命，再忍制不住！同时忽然有一缕电光直向我的身上射过来。

咳咳！

我陡地一震，咳声再忍不住了！心慌之余，我便顺手扳动枪机，向着那光线开一枪。

砰！

枪声还没有停止，继续发生的是一种笑声：

“包朗，别玩把戏哩！这样的天气，你还有能耐在树头上乘凉！”

我惊诧吗？当然。但我听了那熟悉的语声，又不能不相信。

我答道："霍桑，是你？"

霍桑应道："是。你快些下来。小心些，树干上枝杈很多，别钩破了衣裳。"

枝杈离地不算高，我估量并无危险，便即直接跳下来。我走到霍桑面前，拉住了他的手：

"霍桑，你到这里来干什么？"

"这话应得由我问。你来干什么？"

"我来探听匪徒的消息。你是不是和我有同样的目的？"

"不，我是来找你的。"

"那么你可知道我到这里来的目的？"

"那自然。现在别多说，快跟我回去。"

"慢，他们的聚会——"

霍桑接口道："他们早聚会过了！不过地址已经变动哩！"

我诧异道："唉，你都知道了吗？"

"是。"

"他们在哪里聚会呀？"

"在警署里。现在别多说，上了汽车再谈。"

事情的变幻真是匪夷所思！我听了霍桑的话，才知道这件案子分明已被他破获了。他怎么也会注意这案子？这案是什么性质？霍桑又凭什么神技破获得如此容易？种种疑点奔赴我的心头，使我的神经也麻木了。直到我们的汽车开动以后，霍桑吸着了他的纸烟，我才有发问的机会。

我问道："霍桑，这究竟是什么一回事？你可是说有一个匪帮已给你破获了？"

霍桑点头道："是。但是你不能单说给'我'，这案子的破获，你也有相当功劳。"

“什么？莫非这班匪徒就是在金钟路九十七号里捉住的？”

“不是。在信余转运公司里捉住的。”

“我不明白。我完全不知道这一回事。你怎么说我也有功劳？”疑惑迫使我提出疑问。

霍桑吐出一口烟：“这里面原有一重曲折，莫怪你还有些隔膜。我来解说给你听。你最初在摘星楼上经历的一回事情，完全是一出把戏。你却落进了他们的圈套！”

“什么？有这样的事？”我几乎跳起来。

“是的。”他仍淡淡地回答。

“真的？”我顿一顿，感觉颧骨上一阵灼热，“但是我明明看见这班匪徒在金钟路九十七号里——”。

霍桑插口道：“不错，我知道的。这也是他们把戏中的一幕。你当时不是听得他们说，要在清安寺举行大规模的集会吗？但你在清安寺前乘了好一会儿凉，可曾发现什么？”

我觉得我的面颊上的灼热越发厉害，似乎已蔓延到了耳根后面。事情真太糟糕！

我答道：“这样说，我分明受了匪帮的戏弄，完全是失败的！你刚才说我在破案上也有相当功劳，那不是有意讥笑我吗？”

霍桑正色道：“这也不是。我告诉你，事情是这样的。今天傍晚我忽然接得信余转运公司经理夏星伯的电话，请我去商量一个问题。夏星伯和我有些友谊，我就抽空去看他，本打算谈好了再到摘星楼去践约。据星伯告诉我，他的公司奉了烟酒统税局的命，运送五百万现款。这运送的事已漏了些风声。他因此害怕起来，恐有什么意外。他一则因着前两星期光明信托公司的案子有些胆寒，二则他觉得他的公司里的那只保险箱远不及光明公司的那只坚固。万一出了险，他实在担不起这个重任。这款子明天一早就可装运，最怕的，就是在今天夜里有什么变端。但是他又怕一经张扬，弄假成真，故而不敢去请教官家侦探，特地叫我去，给他设法保一夜的险。我起初听了，还以为是他神经过敏，上海的匪党虽多，耳目究竟未必如此周密。但他却坚留着我。我不能脱身，所以不能到摘星楼来叨扰。

“我在信余公司里吃了夜饭，陪着夏星伯闲谈，心中仍还不相信真有匪徒要来盗劫。到了十一点钟过后，我要告别回寓，夏星伯仍拉住我不放。我看见他如此，就准备在公司里过宿，因而打一个电话回寓，叫施桂不必等门。不料据施桂说，你刚才从我寓里出去，并把你经历的事情转告诉我。我一听这话，不觉着急起来。我初意本也想赶来看你，但夏星伯既然不肯放我，事实上不可能。我一再思索，又觉你的经历未免太离奇凑巧，便料想也许果真有什么匪徒要来盗劫这笔巨款，却故意施用一种旧小说上所说的‘调虎离山’计。于是我不动声色，悄悄地通知了汪银林，召集助手，急速戒备起来。等到准备舒齐，我故意离了公司，专等匪徒们入彀。

“原来我后来留心观察，才知道那公司中还有一个匪徒的内线。他们觉得我留在里面，未免碍事，便想出这种把戏，想把我引诱出去。因为我初见夏星伯的时候，曾向他说明，今夜我和你约在摘星楼晚餐。不料这个消息被那内线听得了，便设下狡计，企图利用着你，把我引出去。据他们意料，你若使进了他们的圈套，势必要来找我，我自然也要一同到清安寺去。那时候他们就可以向信余方面安然动手了。

“当时我料到了七八分，便将计就计，效法唐朝来俊臣对付奸臣周兴的‘请君入瓮’的老把戏，使他们自投罗网。我暗暗地向夏星伯说明，表面上只说清安寺有重要的案子，我不得不去，暗地里却埋伏得非常周备。我自己也仍在黑暗中指挥。

“十二点钟过后，这班匪徒果真自己送上门来。我略略费了些力，把他们一网打尽，一共捉住了九个，内中四个人都有火器。我向一个为首姓罗的矮子究问，才知道我的料想居然十中八九。接着我就赶到清安寺来见你。不料你今天请客未成，险些请我吃一粒弹子。幸亏我早有防备，否则不免要闹大笑话了！”

故事太离奇，可是情节符合，又明明是铁一般的现实。匪徒的狡计真厉害，我一直在梦中，霍桑这一席话才使我脱离了梦境。我在一阵忸怩之余，想到了我最后的行动。

我说：“霍桑，这班匪徒真狡猾，谁想得到？刚才我险些伤了你，很抱歉。但那时候我万万想不到是你。”

霍桑答道：“我原不怪你。况且这件事幸亏你把匪帮的狡谋告诉了施桂，我才能及早准备。你的功劳着实不小。否则说不定，竟会失着误事。”他瞧瞧手表：“唉，夜深了。尊夫人谅来已经等得很心焦……唔，这里已是林荫路了。你先下车，早些安睡吧。明天晚上摘星楼的晚餐，应当让我来做东。我想餐费夏星伯一定会送过来。”

别墅之怪

鬼故事

一个初春的下午，我们的旧仆施桂引进一个客人来。那人的年龄已在五十左右，有个“西”字形的脸，扁鼻大眼，身上穿一件淡灰色细回文的华丝罗夹袍，左手无名指上有一只钻戒，装束十二分阔绰，走路时也大模大样，很像商界中的所谓体面人物。经过了例有的通名寒暄以后，我才知道那人姓华名伯荪，是上海采纶工厂的经理。随后他就自陈来意。

他说：“霍先生，兄弟久仰大名，知道先生你是一位多才多能的大侦探。我又读过这位包先生所记录的案件——”

霍桑现出不耐烦的样子，举起了右手：“华先生，不用客套。你有什么事，请爽爽快快地说出来。”

一个软钉子使华伯荪红了一阵脸。他在沙发上动一动身子，才吞吞吐吐地表示。

他说：“兄弟……兄弟求教的意思，就是要借重先生的大才，替我解决一件疑难事情。”

话还是空洞的。霍桑叫他爽快些，他却偏不爽快。他说完了，目光落在霍桑的脸上，似乎要等他答复。霍桑闭着眼睛，慢慢地吸着纸烟，绝对不理会他。

霍桑有一种脾气，一听到人家的缺乏诚意的应酬套语，就会感到不耐烦，何况这个人进来时还有一些“架子”，这也是霍桑的不耐的一个因素。不过我看这人脸上的忧容倒不像是虚伪的。霍桑用这种冷漠的态度对付来客，使对方下不了台，我倒觉得有些过意不去。

我插口道："华先生，请问是什么样的疑难事情？可是被盗？还是走失了什么人？"

华伯苏回脸来瞧我，摇摇手："不是，不是。若使是偷盗或走失，上海的包探们都可以担任侦查，我断不敢来烦劳二位。现在我因为……因为……"

话又吞吐地停顿了。霍桑仍闭目不理。"急惊风碰到慢郎中"，这个人也有些不大识趣！

我又催促道："究竟什么事？请你别绕圈子。"

来客又红一红脸，才说："好。我因为我新造的别墅里面出现了一个鬼，所以特地来请教——"

霍桑突地张开眼睛来，向我问道："包朗，我几时挂过捉鬼的牌子？是不是你替我登了什么巫术大家的广告？"

又是一个钉子！华伯苏的面颊上的红色扩展了地盘，蔓延到耳朵上去。

他期期地说："霍先生，请不要见笑。我原是没法可想，才冒昧来请教。我常常听得人家说，你不但是一个侦探家，也是一个一切疑难的解决者。这一件事实在离奇已极。除了你老人家，再没有人可以求教。所以我盼望你能够成全我！"

语声相当恳切。他的双眼也睁大了。霍桑还没有理睬的表示。他将吸残的烟尾丢掉了，另取一支，重新引火吸着。

我又代替他答道："既然如此，请你把离奇的情形说个明白，敝友也许可以效劳。"

霍桑忽然笑道："嘿嘿！包朗，你的算计真好！你倒想听听不破钞的聊斋鬼话哩！”

华伯荪举起一只手，正色道：“霍先生，这委实是一件奇怪的事实，并非虚伪的鬼话。请你别误会。”

霍桑开始把目光正视来客，点点头：“那么，你姑且说说看，到底奇怪得怎么样？”

华伯荪的眼珠转一转，仿佛得到了某种安慰，便提起精神地说：“我这所别墅造在真茹的乡间，去年九月里动工，足足费了六个月的工夫，到上月月底才落成。我造这所别墅的本意，预备在夏天或别的休息的时候，到那里去静养静养，享几天清福，所以特地选择了一块离村很远的幽僻所在，以便避去烦嚣。不料自从别墅落成之后，不到两个星期，便发生关于鬼怪的谣传。”他又顿一顿，瞧着霍桑，脸上满现着惊骇的神色。霍桑仍轻描淡写地问道：“那谣传是怎样的？”

华伯荪道：“第一次，据那里的乡下人传说，每天黄昏或晚上，常常听得有幽咽的箫声从别墅中传出来。这别墅造好以后，本是关锁着没有人住的，忽然传出箫声，人家自然要诧怪起来。因此有人疑惑，也许有什么妖精鬼怪在里面作怪。”

霍桑的嘴角牵了一牵：“你听了这话可就相信？”

“不，我当初绝对不相信。因为在这个时代，对于鬼怪的迷信早已给打破。我以为那箫声并非出于别墅中，或是从别的地方随风吹来的，以误传误，乡下人就有这种谣言。”

“不错，这见解才合理。以后怎么样呢？”

“谣言不止一次。起先不过乡下人们传说，后来舍弟也特地从乡间到上海来，把消息告诉我——”

霍桑插口道：“你还有弟弟在乡间？”

华伯荪应道：“是。他叫伯阳，住在真茹镇上。”

“镇离你的别墅有多远？”

“约有三里光景。”

霍桑点点头：“你说下去。”

华伯苏继续道：“伯阳来的时候，非常郑重其事。他起初也只听得人家传说，不相信。后来他特地到别墅去查看一次，看见那前后门依旧锁着，没有一点儿异迹。但是他在临走的时候，那一种悲惨幽怨的箫声果然突地刺激他的耳鼓。他觉得这声音确是从别墅里面送出来的。因此他觉得奇怪，不敢怠慢，特地到上海来报告我。我虽是将信将疑，但仍抱着见怪不怪的态度，并不在意。可是过了几时，事情越发奇怪起来。”说着，他的脸色也泛白了。

“怎么样？”霍桑似乎给引起了些兴味。

“墅屋的楼上时时有火光闪烁。有一天傍晚，有一个邮差从别墅门前走过，忽然看见窗口中火焰直冒，仿佛火烧。那邮差狂奔呼救，便惊动了镇上的人，拖着水龙往别墅去救火。可是别墅的门窗依旧紧闭，静悄悄地一无异象。这一来，怪别墅的名声便越发闹开来了。”

来客调整一下呼吸，停一停。霍桑不加批评，仍默默地吸烟。我听到这里，不禁有些诧异。

我又插口道：“这真奇怪了。究竟是怎么一回事？”

华伯苏道：“包先生，这还算不得奇怪，命怪的还在后面。原来因着这样的怪事一再发生，我心中不免有些畏惧，深恐这样子下去，我如果完全不闻不问，万一当真失火起来，那就不是玩的。因此我特地雇了一个叫林尚忠的山东大汉，派他去看守墅屋，一则消灭怪别墅的谣言，二则也可以防免意外。不料那山东人看守了三夜，便逃出来，再也不敢进去。

我问他什么缘故，他也一样说有鬼！”

霍桑拿下了烟，问道：“喔，果真有鬼？他怎样说？”

华伯荪道：“他说他第一天进去，一夜都平安无事。到第二天晚上，他忽然看见光亮的火球从楼窗上落下来。他吓得狂叫，等到仔细一看，火光已完全熄灭。他又上楼去瞧，窗户都紧闭，丝毫不见踪影。他虽然吃了一次虚惊，还没有惧怕的心。直到第三天晚上，他明明白白睡在床上，可是等到早晨醒来，他已经睡到床底下去了！”

召鬼符

客人的声音有些颤动。我也惊异出神。霍桑张着两眼，眼珠旋了几旋，似乎他的好奇心也给激动了。

他问道：“你想那看守人的报告可实在？”

华伯荪道：“怎么会不实在？我叫他去看守，是给他薪金的，而且相当厚。他现在自愿离职，可知绝不会无故说谎。”

霍桑吐吸着纸烟，思索了一下，又问来客：“那个山东人，你是在真茹镇上雇得的，还是从别处雇来的？”

“我从上海雇下去的。”

“当他被雇之前，可曾听过怪别墅的谣言？”

“他本来没有知道，但我想他到得那里，早晚终不免会知道，倒不如预先向他说明白，问问他愿意不愿意去。他竟一口应承，还说他生平绝对不相信鬼，更不怕鬼。哪知他到了别墅，四天工夫便逃回来了。”

“他回来之后，你可曾到别墅中去看过？”

“我昨天去的。据一个乡下人告诉我，他前天经过那里，也曾看见一个火球在空中飞。霍先生，你想奇怪不奇怪？”

“唔，果真很奇怪。昨天你可曾上楼去瞧过？”

“我同舍弟一同上楼去察看过，虽然有什么火球不火球的话，可是屋中的一切器具一点儿没有损伤的迹象。”

“也没有遗失？”

“我也仔细查过，完全没有遗失。”

霍桑点了点头，向我笑一笑：“包朗，这回事比聊斋上的还有趣几倍呢。”

霍桑的语气还是很冷淡，显见来客的惶惑的声音和郑重的神气，还不足使霍桑重视。在这科学思想日渐昌明的时代，鬼怪的故事本已不易使知识分子轻信。不过这回事本身的确太神秘，确有研究的价值。霍桑这样子“等闲视之”，态度也未必得当。

霍桑提出另一个话题：“华先生，你把建造别墅的前后情形说一说。”

华伯荪道：“我已经说过，自从去年九月里开工，直到——”

霍桑止住他道：“我不问你这一层。我要问这别墅的地是谁卖给你的，并且这地是不是空地，或是本来有什么旧屋子的。”

“这本是一个古墓的废基，是真茹镇上一个姓崔的卖给我的。据说这崔姓的祖先曾做过明朝的将军，因此当谣传发生的时候，大家就以为崔将军在那里作怪。”

“别墅造成之后，你可曾在那里住过？”

“没有，只在落成的一天，我同舍弟和敝厂的东翁胡均卿一同去玩过一次。”

霍桑低了一低头，又丢了烟蒂，伸一伸腰。

他问道：“那么你现在打算怎么办？”

华伯荪道："我想这样子下去，绝没有好结果。所以今天专诚来恳求你，请你想一个办法，解决这个难题。"

霍桑慢吞吞地答道："你要办法，有一个在这里，不知道你愿意不愿意听。"

华伯荪忙道："请教，请教。如果可行，哪有不愿听的道理？"

"我的意思，这别墅既然有鬼怪出没的恶名，不如将它卖掉了，落一个干干净净。"

华伯荪忽现出迟疑的颜色。他的嘴张一张，又闭拢了，一时并不回答。

霍桑问道："怎么？你不赞成？"

华伯荪道："霍先生，请原谅。因为这别墅的位置一方面既幽静，没有邻近的喧扰，一方面交通又便利。火车不必说。而且后面有河道，汽船可以直达。等到汽车路修成之后，往来自然更加便利。所以这个地点，我实在非常心爱，不愿意让给人家。"

霍桑点头道："唔，我明白了。这也不能怪你。那么你不妨先把它出租几时，利用那承租的人来替你赶鬼，也未为不可。"

华伯荪仍皱眉道："这一层我也不愿意。因为我费心费力才得把一切家具书画布置好，假使租给人家，未必肯替我爱惜。所以最妥善的法子，还是你费心去看一看，想一个积极的办法，保住我这所别墅。我决不吝惜报酬。"

霍桑立起身来，又向我笑一笑：

"包朗，你是爱听鬼话的。这件事既然还缺少一个结束，我少不得要权且做一回张天师哩。"

第二天三月二十六日早晨，霍桑散步回来，吃过了粥，便改换服装，提了行箧，一个人往真茹去。我本想一同去，但霍桑以为这是一件小事，只需他走一遭就行，不值得两个人同去。

他说："你休息一下吧。傍晚时我准回来，就可以把真相告诉你。"

这诺言没有履行。到了晚上七点钟后，霍桑还不回来。我想他既然失了约，谅必这一件鬼怪案件有些棘手。也许他当初看得太容易，然而事实上恰巧相反，他才失算了。人们做事，一存了轻心，往往会给怠忽的惰性所支配，后果自然不免失败。

经过了两天工夫，到了二十七日晚上，霍桑还不回来，我不禁从盼望变成忧虑。他去了两天，怎么没有一点儿消息？非但失败，也许他还遭逢了什么意外吧？我本想赶到真茹去，又恐他随时会回来，徒劳往返。这计划也没有实行。

直等到二十八日的近午，我才见霍桑踉踉跄跄地提着皮箧回来。他的面色焦黄，眼眶有些黑，状态非常疲乏。我不由得暗暗吃惊。这一次他果真是失败回来吧？霍桑先洗了一个澡，精神好像恢复些。他开始向我解释。

他说："包朗，这一件事真是出乎意料的。以后我再不敢这样子轻忽了。"

我惊问道："你白走一遭，没有得到什么结果？"

霍桑不答，忽从衣袋中摸出一张红纸来授给我："你姑且瞧瞧。"

我接过了展开来一看，是一张广告式的东西，上面写着：

本屋共有西式住房十六间，家具陈设全备，四周有花木环绕，景致幽雅，作为居家或别墅之用，非常相宜。本屋主人现愿将全屋出租或出卖，凡有意购置的人，请到本镇华伯阳君处接洽。

本屋主白

我诧异道："什么意思？难道那位老弟竟然想要盗卖？"

霍桑道："不。这是我的召鬼符。"

"召鬼符？鬼可曾被你召到？"

"不但召到，并且我已把他发放了。"

我大喜道："喔，这样说，你已经成功了。但这鬼究竟是个怎样的鬼？你为什么耽搁了两天？"

霍桑沉下了脸，说："是个魔鬼，说出来也会教你一吓！"

小头目

开玩笑？不是。他的容色很庄重，声音也并不轻浮。

我说："究竟是什么一回事？你快些说明了吧。"

霍桑点头道："是，我知道你急于要听这鬼故事的结局。好，现在你且耐一下子，让我从头说起。这案子开始的时候，虽然有几个疑点，一时不能够解释，但我相信宇宙间的一切现象，都跳不出自然的因果律。无论如何，真正的'鬼怪'始终没有进我的脑海。据情势推测，我假定有什么人想要得到那所别墅，或是对于那别墅的地有某种希求。但是若要出价购买，那人明知华伯荪断断不肯，故而在背后作怪，企图用间接的方法，成遂他们的计划。"

我连连点头道："不错，你的假定很合理。我当初也这样推想。但那幕后作怪的人是哪一个？"

霍桑道："我最初怀疑的，就是那采纶丝厂的主人胡均卿。

因为他曾到过一次，也许因着喜欢那屋子的缘故，出此计策。但我在二十六日早上散步的时候，已经去会过胡均卿，才知我所料的不中，他是没有关系的。第二个人，我就推想到华伯荪的弟弟伯阳。不料我到了乡间，一看见他的面，又觉得自己神经过敏。他是一个很拘谨安分的乡下人，在镇上一家南货店里做经理。他一听得那别墅，便现出害怕的神色，绝对没有想占夺的意思。这两次失败，才使我觉得我自己看这件案子太轻易了，不得不另寻出路。我向伯阳说明了我的真实目的，和他商定了一个计策，就将这一张召鬼符在别墅门前挂起来，等待那恶鬼自己来投网。一面我又悄悄地往别墅中去察看了一会儿。到了晚上我又到那边去伏着守候。”

“你可曾瞧见什么？”

“我先听见吁吁的箫声。”

“喔，真有箫声？”

“是。后来我又瞧见一个火球从楼上直坠下来。”

“奇怪！当真？”

“怎么不真？是我亲耳听见和亲眼瞧见的。”

“喔，你可曾查明它们的来由？”

“当然。但当时我并没有什么举动。直到第二天二十七日午后，果然有一个鬼代表出现了。”

我忙问道：“他是个什么样人？”

霍桑定了目光，答道：“那代表的衣饰非常阔绰，但我预先安排妥当，只教华伯阳和来人接洽，我自己伏在幕后观察。那人说愿意租赁，不要购买。伯阳向他议价的时候，他一口应承，但保人一项，他说没有，情愿当场缴给押租若干，作为保证。我一时猜度不到他租别墅的宗旨，先想或者有人以为这是古墓的废址，抱着什么掘藏的愿望。但掘藏是不能够预先确定的，那人怎么肯先花许多钱，情节似乎不合。所以当他议定出去的时候，我便悄悄地跟在后面，以便查究他的真相。包朗，你想那人是个什么样人，租别墅有什么作用？”

“可是什么私贩，想贩卖黑货白粉一类的勾当？”

“不是。”

“想利用它做私运或私造军火的机关？”

“也不是。”

我摇头道：“我猜不出了。”

霍桑道：“你不记得近来报上好几次记载过，在东北一带有一个五福党出现吗？租别墅的人就是这个匪党。他们看中了这所位置幽密交通便利的别墅，就施行诡计，想要利用它做他们的大本营，以便大伙儿到上海来活动！”

这不是儿戏的消息。我果然很惊奇：

“就是那绑架勒赎的五福党吗？”

“是。”

“你可曾探得他们的真相？”

“他们现在的临时机关，就在离真茹镇不远的一只渔船上。我曾到他们的船上去过，并且见过他们的一个小头目。我知道他们有五个首领，大头领叫毛狮子，眼前都还没有到上海。”

“你可曾把这小头目捕住？”

“捕住了有什么用？他们的秘密是我窃听而得的，他们眼前还没有什么行动。这一回别墅的事虽由他们作弄，但也没有证据，我不能随便拘捕他。我只能用暗示的话，先礼后兵地警告他们，使他们知难而退，至少不敢到上海来活动。”

“有效果没有？”

霍桑迟疑地答道："我不知道。那家伙一听得我的姓名，似乎略略愣了一愣，后来又觉得我的来意是干涉别墅的事，那人便也含糊地担保不再去惊扰作弄。至于他们能不能因着我的警告便解散组织，或打消到上海来活动的计划，我不能说。"

他抽出一支白金龙纸烟，点着了走到窗口去，似在吸受那醉人的暖风。他站立了一下，叹一口气。我也静默无语。

霍桑又庄容说："包朗，你总知道大家的生计既然这样一天困难一天，未来的社会正不知会混乱到怎样地步。在内忧外患夹攻之下，我们不能不努力挣扎呢！"

经过了一度沉默，我提出一个打岔的问题：

"霍桑，那别墅中的吹箫抛火球的疑点，你还没有解释明白哩。"

"这是很容易明白的。他们利用乡下人们的迷信鬼怪的弱点，每当傍晚的时候，就伏在墅屋的后面吹箫；又爬到屋顶上去，把松香末烧着了抛下来，远望就像火球。因为我到别墅去察验的时候，地面石板上还留着许多燃料的余末。"

"还有一点，那看守的山东人睡到床底下去的事，究竟是不是事实？"

"确是事实，我察验过他的卧室的窗，显见有人把玻璃移动过，因此可知当他熟睡时，一定有党徒撬窗进去，也许烧了什么蒙药，使他失去知觉，然后再将他移到床底下去。"

"唔，说破了当真简单得很。可是在真相没有披露以前，真教人疑神疑鬼。"

他从窗口旋转头来："是啊。世间的事大半是这样的。现在你既已得到了鬼话的结果，也得打一个电话给华伯荪，不要教他望穿了眼哩。"

逃　犯

黑形与枪声

说起我的嗜好，也有不少项目：如旅行、文艺、美术、纸烟等，近年来又加上一项，就是瞧电影。这天晚上恰是八月十三。晚餐时一阵子倾盆的雷雨把温度降低了不少，凉风习习已含着些凉意。我的妻子佩芹因着那一阵大雨，伊的瞧那《金缕痕》名片的兴致竟也像温度一般地降低了。我的意志比伊坚定得多，晚膳既毕，仍独自冒着雨前去。这《金缕痕》一片在描写、结构、表演、取景方面，处处都合乎艺术的原则，的确当得起“名片”的评价。所以我虽冒雨而往，还觉得非常值得。

唯美戏院位置在公园路的北端，从戏院到我家里不过一里多路。我出戏院时雨已停，街路经过雨水的冲洗，清洁非常。我瞧瞧手表，恰指十一点二十分钟。安坐了近三个钟头，身体上感到有活动一下的需要，我便定意步行回去。我沿着公园路向南进行，影片中的情节，兀自在脑子中一幕一幕地自动搬演。

那是一出悲剧，描写一个女子在少年时爱上了一个有志而清贫的男子。他们的性情面貌都相称，尽可以成一对美满的佳偶，可惜因着社会地位的差距，那女子受了环境的诱惑和逼迫，终于好梦难成，另外嫁了一个富家儿。在结婚以后，伊的安富尊荣的愿望固然满足了，可是敌不住伊在精神上所受的痛苦。原来那富家儿非但不知道温存体贴，而且颐指气使，纵博狎邪，无所不为，伊的生活便陷入寂寞悲惨的境界。这女子受尽痛苦，便自怨自艾起来，恨不得时光倒流，把先前的错误纠正过来。后来伊的丈夫因着堕落而破产，伊的痛苦又从精神的而扩充到了物质方面；进一步到达了饔飧不继的地步，于是伊更不堪了。这时候那先前的情人已经卓然成名。他的心坎中仍不忘他的旧时的爱人。他听得了那女子的景况，便千方百计探寻伊的踪迹，准备尽量地助伊，使伊重享逸乐。后来他在一家小旅舍中会见了他的爱人，但伊已是愁病交迫，躺在一张破榻上，一息奄奄了。我觉得那片子的最后一幕确是最紧张动人：那男子紧紧抱着他的爱人的头，眼泪汪汪地凝注着他的爱人的憔悴灰白的脸。

他竭力地安慰伊道："玉妹，你受苦了！可是现在你有了新的生命，你尽安心吧。现在我的能力，尽足以使你安享了。你要什么，爱什么，我都办得到。我告诉你，我的奋斗努力和今日的成名，都是为你。所以我的一切所有，甚至我的生命，都在你的指挥之下！玉妹——玉妹——"

话说得非常恳挚而沉痛，可是竟没有多大效力，只使那妇人闭合的双目微微地张了一张，伊的枯萎的嘴唇上，又略略现出一丝笑容，接着伊就在这一笑之中瞑目而死了。

紧抓心弦的剧情占据了我整个的意识，从公园路缓步向南时，竟像忘了我在路上走。不久我便到了和平路的岔路。我的归途必须向东转弯，从和平路经过。当我将到转角的时候，才定一定神，遥遥瞧见一个警士站在路旁的电灯木背后，正和一个少年女子在谈笑。在一瞥之间，我就猜知了他们谈话的性质。

我暗暗地忖度："世界上具有最大力量的是女子！伊能够鼓励一个男子，使他奋发振作，创造新的世界，但同时伊也能使他堕落毁灭，沦入无底的深渊。这个警士若不是有这样一个伴侣来提振他的精神，这样夜深人静，他也许要到墙阴檐角下去叩睡乡的门了吧？"

砰！

一声巨响直刺我的耳鼓，我顿时停止了脚步，又收摄了我的遐想。我急急辨别那声响的来路。这分明是手枪声音。因着雨后夜阑，街上已是车马绝迹，所以我确信我的听觉不会错误。那枪声是从我的前面来的。那时我恰要转弯进和平路去，但还没旋转身子。于是我急急放开脚步，穿过了和平路，到转角上站住。那个谈情的警士已从电杆木的背后闪出来，站在马路的中心，向着街的四向探头探脑地乱望。分明他也已被枪声所惊动，一时却寻不出枪声的来源。

"谁开枪？可是你？"

警士的眼光一射到我的身上，一边高声吆喝着，一边迎着我奔过来。我觉得这个人太冒失了：

"你管的什么事？也许调情调昏哩！"

他显然料不到我会有这样的答话，呆住了向我发怔。这时候我的眼角里忽又接收一种异状。在公园路的西首，距离转角约有四五家门面，有一个黑形闪过，接着这黑形飞也似的向南奔去。

"唉！有个人跑了！快赶上去！"

我说话的时候，用手指指着那人逃的方向。警士倒也知趣，一听得我的紧急的命令，立即表示接受。他向前面望一望，随即举着警棍，拔步追过去。

我的好奇心已被枪声和黑形所激起，精神的紧张也已到了相当高度。那警士虽已担当了追赶的任务，我也不敢怠慢，急急走到那黑形出发的所在。那里是一排两上两下的西式楼房，共有十多家。每家门前都有一方小院，前面围着短墙，附连着两扇盘花的铁门。当我在转角上时，瞧见那人逃出的屋子，距离街角约有四五家门面，但究竟是四家或是五家，因电灯的光力不足，我不很清楚。那些屋子又是同一式样的，辨别更难。我看见那第四家和第五家的楼上楼下的窗上都露着灯光，前面的铁门又同样合着，不能不有些踌躇。第四家的门口，钉着一块黑底白字的铅皮牌子，是“张康明律师”。我走近铁门，顺手推一推，里面闩着。我又走到贴隔壁的第五家的门口，门上也钉着一块铜牌，是“西医吴小帆”。这扇铁门却虚掩着。我推了开来，向里面一窥，小院中停着一辆下篷的包车，却阒静没人。

经过一度简捷的考虑，我便轻轻走进去，跨上了石阶。这屋子有两室并列，南首的一室中的灯光比较亮一些，但都静悄悄的没有声响。

怎么办？喊一声吗？不。我走上了阳台，凑近那两扇法国式的玻璃长窗，因为有灯光从窗帘的隙缝中透出来。我把头凑到窗缝，向里面一瞧，不由得震了一震。

我的经历

这南边一间分明是一个医生的诊室，向外有一只药橱，右手的靠壁处排着一张圆桌和两把椅子，桌椅对面有一张书桌，桌面上有几张杂乱的报纸。书桌后面的近外角处，有一个书架，架上排满了许多西式的书籍和一叠一叠的杂志报纸。靠着长窗的两边，有两个安乐椅的客座，右侧里就是通隔室的门口。就在这个门口，有一个穿白色长衫的男子侧身横在地上，头部向着书桌，两足却横在门口。旁边另有一个穿西装而卸去短褂的男子，正俯着身子，在瞧视那躺卧的人。当我的眼睛瞧到这诊室的时候，那西装的男子正突地立直了身子。也许是我上阶时漏出了些声响，因此惊动了他吧？或是他自己心虚，才有这种举动？他立直了以后，回头来向长窗上瞧一瞧。我急急把身子蹲下了，不使他瞧见。幸亏他还没有疑心到窗外有人偷窥，故而并不曾开窗出来。我又凑近窗帘缝，看见这穿西装白衬衫的男子转到书桌后面去。他站一站，像在用耳朵倾听；接着他从灰色法兰绒裤袋中摸出一支黑钢的手枪，轻轻地开了抽屉，将手枪放入屉中；又摸出钥匙来锁抽屉。我瞧他的神情慌乱，行动有些诡秘，一望而知他已干下了一件恐怖的罪案。因为我的眼光再度接触那个躺卧在地上的男子时，又发现那件白绸长衫的胸口上还留着一大摊鲜红的血渍！

这发现是意外的，我又不禁犹豫起来。我能直接走进去干涉他吗？还是再悄悄地窥探他一会儿？这疑问立即自然地解决。一阵急促而重浊的皮鞋声响自远而近，转瞬间先前那个警士已气息咻咻地奔进铁门，一直走上石阶。静境既已打破，我的暗中窥察的计划已不可能，我便索性公然地和警士招呼。

我说："怎么？没有追着那个人？"

警士道："我发脚时果然瞧见一个黑形，可是一直追到吉庆路，还不见那家伙的影踪。"

"那么我们走进去。这屋子里面已经发生了一件杀人案哩！"

我和警士做简短问答的时候，陡听得屋子里发生一种混乱的声响，似乎有人因急遽地奔走，撞翻了一把椅子。那警士一听得，便首先向那北首一室的门走去。门上虽装着电铃，他并不按铃，直接推门进去。我急急跟在后面。这一室像是一间病人的候诊室，中央有一张方桌，迎面有一部楼梯，一边排着几把长椅；长椅的对面就是通南首诊室的门，也就是那穿血长衫的人横躺的所在。门开着，我的脚刚跨进了一步，猛听得玻璃窗响动的声音。我抬起头来，果见那两扇长窗已开，那个穿白衬衫灰法兰绒裤的少年，正从窗里逃出去。我迎前一步，把手臂一张，拦住了他的去路。

"你想逃走？"

我问一句。少年站住了，闭紧了嘴不答。那警士偻着身子，在横倒的人的额角上摸一摸，摇摇头。我才知道事情是件命案。警士跨过来，走到了长窗面前。那少年便被我们二人夹在中间。

警士高声问道："这地上的人是你打死的吗？"

少年仍默然。他的一双黑白分明的眼睛满现着惊怖之色。他的脸形是长方的，下颌阔大，鼻子隆直，颧骨略见高耸，但面颊上的血色，因着精神的异态，这时已完全褪尽。若使下一句简赅的批评，他的面容可当得"英俊不凡"的评语。

我的观察在时间上不过占了两三秒钟。在这两三秒钟中间，那少年只是呆呆地向我瞧瞧，又瞧瞧那穿黄制服的高个子的警士，好像正深思出神的样子。我从他的呆木的状态上推测，他的神经已经失了常度。

警士又耐不住地问道："怎么不说话？你杀了人，还假装痴呆？"

少年又突地旋过头去，在警士的脸上凶狠狠地瞅了一眼，忽而顿一顿足，又举起右手的拳头来挥动。

乒乓！……

别慌，不是枪声，是那少年的拳头挥击在玻璃上，击碎了长窗上的一块玻璃。他摸一摸右手的手背，第一次开口：

“完了！……完了！”

他说完了，从警士的身旁擦过，回到书桌后面的一只螺旋椅前，坐下来。我和那不曾请教过姓名的警士也跟到书桌近边。

警士指着地上的人，又问道：“这个人死了，到底是你打死的不是？”

少年略抬一抬头，眼睛谛视在空中，点了点头。

警士又问：“你叫什么名字？”

少年仍不答，好像不听得。

我接口道：“我想他就是这屋子的主人——吴小帆医生。”

少年还是不接口，反应是向我瞅一眼。我走前一步，把手中的雨衣放在窗边的安乐椅上。我俯着身子向那地板上的人瞧一瞧，先伸手抚摸他的鼻管，他的气息果已停止。他的面容黑苍而瘦损，两目仍张开一半，灰白没光的眸子似在瞧我，看了十分可怕。他的嘴唇也没有闭拢，洁白而排列不很整齐的牙齿镶在失色的龈肉中，更觉得丑狞怕人。我估量他的年龄在三十内外，但像是个饱经艰苦的人物。我正要察验他胸口的伤处，忽给警士的高喉咙所阻住：

“喂，你别乱动！”

这也不能怪他。他不知道我是谁，为忠于他的职守，自然不容许任何人触动尸体。我并不答辩，点点头，站起来。他走到电话机前，打了一个电话到警署去，又回过来瞧着那呆坐在书桌后面的少年，连续发问：

“枪在哪里呀？说啊！枪在哪里呀？”

他的问句仍没有效果，因为这时候有一个打岔。我听得外室中有足步声响。我的目光立即移向候诊室的门。

门口站着一个年在二十四五的少妇。伊的身上穿一件淡紫色软绸颀衫，肌肉似很白嫩丰腴；蛋圆形的脸，盖着一头乌发，发髻已经剪去，鬓边卷成两个小圆球；两条淡黑的细眉，一双敏活的俏眼，配着一张红润的小嘴；伊的双耳上垂挂着一副月环形镶细钻石的耳环，在闪闪地发光，更足以助衬伊的美貌。不过这时候伊的脸上薄薄地笼罩着一层惊恐的神气。伊的嘴唇也有些颤动。伊一边用一块白巾揉着伊的眼睛，一边颤声发问：

“小帆！……什么事……什么事呀？”

书桌后面的少年抬一抬头，沉默还是照旧。那少妇像要走进诊室里来的样子，忽而目光一落，看见了门口里面横着的那个尸体：

“哎哟！……怎么——？”

伊倒退一步，忙用手撑住了门框，模样仿佛要晕过去。这时候若不是另有一个角色登场，我自然义不容辞地要上前去扶持伊。那另一个角色是个年龄在六十岁以上的女仆，正从楼梯后面的室中踉跄地走出来。伊看见那少妇骇叫后的倒退，便抢前一步，从伊的背后把伊抱住。

伊嚷着道：“少奶，少奶！什么事？……别怕！”

我走到她们俩的近前，向着那女仆说：“你把你的女主人扶到楼上去，定定神，回头再说。”

少妇挣扎地站直了，连连摇着头，表示不接受我的话。

伊说："不，不！我要瞧一瞧。小帆，这究竟是什么事？这个躺在地上的是——？"

吴小帆已经站起来，绕出书桌，要走向候诊室的门口来。

他高呼道："娟英，别惊慌。一件小事。我打死了一个人！"

"你……你打死了谁？"

女人隔着门口答应着，伊的眼光又一度接触尸体。小帆也瞥一瞥地板，仍简单地作答：

"你也认识他。他就是沈瑞卿。"

沈瑞卿三个字似乎有一种力，又使那女子震了一震，显示出这件事情的背后包含着某种复杂的因素。那高个子警士也跟过来。他的手中执着一把六七寸长的白亮的短刀。他继续向吴小帆要求：

"喂，你既然自己承认杀了人，为什么不肯把凶器交出来？"他把手中的刀扬一扬："这把刀我是从死者的身底下取得的。刀上光洁没有血，分明不曾用过。我听得枪声，知道你是用手枪打死他的。你的手枪究竟藏在什么地方？"

这问句是多余的，我可以解决。刚才我明明瞧见他的手枪藏在他的书桌抽屉里。我还没有开口，吴小帆忽然点点头，现出一种坚决的神气。他从裤袋里摸出一串钥匙，顺手给警士。

他说："手枪在抽屉里。你自己去拿吧。"

警士接了钥匙去开抽屉。吴小帆走到那女人的身旁，伸手抚摸伊的肩膀。模样像是夫妻。

他温慰道："娟英，你定心些。我为什么打他，你总也明白。但这件事很简单，你不用慌得，现在我总得到警察局去一趟，但是我相信我不久就可以回来。"

“小帆，你……你……”女人的声音近乎哭。

小帆又拍拍伊的肩：“我说过了，没有事。现在车夫杨三送药到柳荫路病人家去了，马上就回来。等他回来以后，你叫他到隔壁去请张康民过来。你把这件事告诉张律师。他一定可以给我们处理。”

女子也紧紧地握住了小帆的手，颤声道：“好，我马上去请张先生来。你慢些走。”伊旋转了身子，像要走出去，又站住了：“小帆，这一点你得弄清楚。他……他当真是你打死的？”

吴小帆忽垂着目光，缓缓地答道：“是。我已经准备了好几天。他既然要来寻我，我自然也不能不用同样的手段对付他。……娟英，你知道他是一个犯罪人。我为自卫打死了他，也绝不致抵他的命。”

夫妇俩的话没有终止，外面又是一大阵脚声，走进了三四个警士。最先走进门的一个穿着巡长制服。他先看看尸首，又向我们几个人瞧一瞧，他发现了诊室中的警士。

他问道：“王南福，你电话中说的凶手是哪一个？”

王南福恰巧已经拣出了书桌抽屉中的手枪，很高兴地走过来，向吴医生指一指。

他说道：“曹巡长，他就是杀人的凶手。现在我们把他带到署里去吧。”

“好。这是凶器？”巡长接过那支手枪去察看。

王警士点点头，又旋转来瞧我：“先生，你是个重要的证人，不能不烦劳你陪我们走一趟。我还没有请教过尊姓大名呢。”

我点点头，随手摸出一张名片来给他。

疑 点

这件案子的发生差不多是我目睹的。行凶的吴小帆又自己承认过，在势不致再有什么疑问。这是一件偶然事件，不是什么疑案，我自从和霍桑合作以来，经历的奇案在百数以上，却从没有像这一案那么迅速了结。可是事实的转变竟出乎所料。我的最初的观念是错误的。这件事还是一件疑案，它的内幕并不像我所料想的这样简单。

我到了警署里以后，署长许楚石看了我的名片，很客气地和我招呼。他也是素来知道我的。我把经过的情形从头至尾说了一遍。许署长自然绝对信任，把我的话当作一种重要的证据。他又向吴小帆问供。小帆重新缄默起来。许署长问他因什么缘故打死沈瑞卿，他和沈瑞卿有什么怨仇。小帆默默地不答。他的双目仍现着呆定的状态，他有时紧皱着双眉，有时自己摇摇头，显示出一种迷惘懊恼的模样。

我说："许署长，我想他刚才干过了那件凶案，他的神经上所受的刺激一定非常厉害。此刻他的精神上显着异态，你要希望得到详细的口供，还不如等明天再问。"

许楚石很赞成我的建议，其实除了赞成我的话以外，一时也没有别的办法。吴小帆是一个自由职业者，不比无产阶级的民众，一到警探先生们的手里，不开口就可以随随便便用手法威逼。这时吴小帆既然闭口不说，他的精神上也明明现着异象，暂时延搁自然是没有办法中的一法。

下一天八月十四日的清晨，这事情转变了，我的老友霍桑忽然打电话给我，叫我到他的寓里去谈谈。我起初还以为有什么别的案子，约我去相助，不料上夜里的这件血案，竟也和霍桑发生了关系。

他先向我说："包朗，昨夜里你不是发现一件杀人案吗？这案子非常奇怪，内中的情节并不像你所见到的这样简单。"

我反问他道："你怎么也知道了这件事？"

霍桑道："昨夜里那被捕的吴小帆已从南署里移解到了总厅。殷玉臣厅长因着发现了几个疑点，不能解决，汪银林恰巧在请假中，所以连夜来请我去商议过一次。我不但已经见过小帆，并且见过他的妻子谭娟英，他们的女仆夏妈和包车夫杨三。这三个人昨夜里都给传到总厅里去过。所以我对于这案子的情形也许比你所知道的更详细些。"

"那好极。我正要查一个明白。可是吴小帆已有了口供？"

"是的。"霍桑应了一声，擦火烧纸烟，一边吐吸着，一边把两腿伸直，仰靠着藤椅的椅背，"不过他所供的，和你所已经知道的恰正相反。"

"喔？"

"他说沈瑞卿不是他打死的！"

这果真出我的意料。我瞧瞧霍桑的声音态度，绝对不像是开玩笑。

我顿了一顿，说："奇怪！他昨夜里明明已经承认过，现在怎么翻供了？"

"这就是一个待决的疑问。他不承认打死沈瑞卿的话如果实在，那么，他当时为什么承认，势必另有内幕。"

"你对于这个疑问有什么见解？"

"我在搜集各方面的佐证以前，还不能得到具体的答案。"

"你所希求的佐证是什么？"

"据昨夜到场检验的曹伯威巡长说，枪弹从胸口打入，从背部穿出，但是四处检寻，枪弹却没有着落。这是一个重大的疑点。南区署长许楚石也曾在那诊室和隔壁候诊室的地板上寻过一回，同样没有找到。不过许署长在分隔两室的墙壁上，发现一个新鲜的斫痕。他还把那诊室和候诊室绘了一个图。我也瞧见过。这斫痕恰近通候诊室的门口，在里面的一边，离地板约有二英尺，很像是枪弹所造成的。”

“那枪弹会不会从这斫口中陷进墙壁里去？”

霍桑吐出了一口烟，摇摇头：

“不会。那斫痕还浅，墙砖有十英寸厚，都是实砌的。许楚石曾仔细察验过，绝没有陷进去或穿过的可能。据曹巡长的见解，死者进了诊室以后，大概立在书桌面前。吴小帆开枪打了沈瑞卿的胸口，子弹穿背而出，射在壁上，就留下了一个痕迹。可是枪弹从壁上落下或反弹开来，势必仍留在室中，不料竟找不到。这一点最奇怪。”

“你想曹巡长的见解有没有成立的可能性？”

“据我看，这见解不能成立。因为壁上的斫痕离地板只有二英尺。假使沈瑞卿果真是立着中枪的，枪弹穿背而过，着在壁上，那么壁上斫痕的高度至少应有死者高度的五分之三。换一句说，那斫痕须得离地板四英尺左右，方才符合。因为枪弹的发射，在短距离间，当然是直线进行的；何况死者又没有安坐或蹲下的可能。这推想显然有些破绽。”

“那么你想吴小帆的翻供可会是说谎抵赖？”

“我还不能说。他的否认很坚决。”

“你已经接受他的话？”

“肯定的接受当然还谈不到，但至少也不应忽视。”

“他怎么样说？他既然不承认，可曾说是谁打死那沈瑞卿的？”

“没有。他没有别的话，单说他不曾开枪打死沈瑞卿，对于别的问题，他还是缄口不说。”

我寻思了一下，忖度地自言自语：“这真奇怪！假使小帆的话是实在的，莫非沈瑞卿进去的时候，先已中了枪——？”

霍桑忽举起了他的纸烟：“不。这是不可能的。许署长和曹巡长都说，那伤痕恰在左胸的近心房处，一中枪势必立即丧命。他绝不会如你所料，中了枪再能从外面走进去。”

辩证很合理，我当然不能坚持。经过了一度思索，我又记起一件事。

我说：“霍桑，还有一件事。我记得当我和那警士王南福听得了枪声，在街角会集的时候，曾瞧见一个人形从那屋子里奔出来。当时王南福可惜没有把他追着。现在想起来，这个人很有行凶的可能。”

霍桑答道：“不错，这个人的确重要，不过仍不能解释不见枪弹的疑问。因为即使那逃走的人开枪打死了沈瑞卿以后，立即逃出，那枪弹也应当留在屋子里。”

是的，枪弹的不见，不但缺乏佐证，还留下一个不可思议的疑窦，因为凶手行凶以后，势不会如此从容周密，把枪弹都捡拾了去。我想到这里，又想起了一种补充的资料。

我又说：“我记得我站在长窗外面偷窥的时候，看见吴小帆正俯着身子，站在尸体旁边。在这当儿，他也许偶然瞧见了那落在地板上的枪弹，为消灭证据起见，他便顺手将弹子拾起来纳在袋里。你想这一点有没有可能性？”

霍桑不即回答，注视着他手中的纸烟上缕缕的烟雾，似在澄思考虑。一会儿，他才点点头：

“唔，很可能——这见解很重要。不过吴小帆在警局里时，身上给搜索过，不见有什么枪弹。”

“他不会乘间丢掉吗？譬如他在被移解的途中，尽有把枪弹抛弃的机会的啊。”

“唔，是的。”

我很欢喜：“如此，我们的推理也许已进一步了。你可曾把搜得的手枪检验过？”

霍桑点点头：“验过了。那手枪是最新式口径的，卡列门牌子，共有九颗子弹，放去了一颗，还剩八颗。这枪已不是新购的，但察验那枪管，那失去的一颗子弹明明是新近放射的。”

“假使我们能够找到那粒枪弹，跟枪比对一下，是否相配，这疑问不是立即可以解决了吗？”

“是。这本是一条最简捷的直线路。可惜的是这重要的枪弹偏偏不见，不由你打如意算盘！”他顿一顿，又沉吟地说，“我看这件事只能迂回些从别方面进行。”

“喔，哪一方面？”

“我相信吴小帆和死者之间一定有某种特殊关系。现在小帆虽不肯说，他的妻子谭娟英大概总也知情。”

“对。他的妻子怎样说？”

“伊因着刺激太深，精神上也失了常态。伊只说昨夜发案时伊已经先睡，睡梦中仿佛听得开枪声音，但没有完全醒。后来伊被高呼声和破窗声所惊觉，才起身下楼。我问起伊的丈夫和死者的关系，伊也说不知道。不过我相信伊说的不是实话。”

“那么你得想法子叫伊说实话才行。”

“是。我问过吴家里的两个仆人。那女仆夏妈说，小帆出诊回来时，是伊开门的，开门后夏妈便睡。隔了一会儿，夏妈先听得门铃响，接着又听得枪声。伊因着害怕，不敢出来，直到伊的女主人下了楼，伊方才走出来。还有那车夫杨三，说是送药出去的，完全不知道这一回事。”

我又想起了另一个人，又向霍桑建议。

我说：“我听吴小帆嘱咐过他的妻子，叫伊请隔壁的张康民律师来料理。好像这张律师跟他们非常熟悉，也许也会知道这件事的内幕。”

霍桑吸了几口烟，应道：“是，谭娟英也提起过这张康民。昨夜里我已经打电话去找他，但是他还没有回家。刚才我又打了一次电话，约张康民到这里来谈话。我知道你是发现这案子的第一个人，一定很注意这案子的进展，所以特地请你来。”他瞧瞧壁炉檐上的瓷钟：“八点半了。他怎么还不来？”他忽而丢了烟尾，侧着耳朵向窗外：“包朗，你不听得门外的停车声音吗？大概就是他吧？”

供　词

张康民律师可算是一个俊美的少年。他的年龄不会超过二十八，颀长的身材，白皙的脸，一双敏锐的眼睛，配着两条浓眉，说得上奕奕有神。他有一个高鼻梁的鼻子和方阔的下颌，也足以表示他的多智善断。他在修饰上似乎也不含糊。他的浓厚的美发从左边分开，光油油地高耸在额上，用发膏涂抹得十分光泽。他身上穿一套淡灰色薄花呢西装，紧窄的短褂，宽阔的脚管，裤袋口还缀着一个金圆的表坠，处处都顾得合式入时。来客和我们招呼以后坐定，先向霍桑道歉，说昨夜里他因着一个朋友的婚宴，闹了一整夜，到天明方才回寓。

他说："刚才我已经见过吴夫人。伊因着昨夜里受惊太厉害，又因小帆兄还不曾被释放回家，所以伊的精神至今还没有恢复常态。伊委托我办理这一件事。伊还告诉我伊已经拍电报报告伊的父亲谭泽林。霍先生，你也许也认识这位谭先生吧？"

霍桑的眼珠转了几转，摇摇头。

我接口道："可是江苏省政府的委员谭泽林？"

张康民忙应道："正是，包先生。你总也听得过他老人家的政声很好，交际也非常广。伊的哥哥叫谭纪新，也是这里警备司令部的——"

霍桑忽剪住他说："张律师，这件事情似乎和谭先生的政声交际没有关系，更不必劳动警备司令。我想免得破费张律师的宝贵光阴，我们不如把谈话的范围收缩些。"

张康民的眼睛眨几眨，似乎有些不好意思，他点点头，装出些笑容：

"不错，不错。我们应得从本题上谈。霍先生，你有什么见教？"

"你说你已经受了吴夫人的委托，请问伊所委托的是哪一点？"

"伊说那沈瑞卿不是小帆打死的，叫我设法给他查明白。我听说小帆兄自己也不承认。所以我的任务就在证实吴小帆的无罪。不过我们当律师的，真像你们当侦探的一样，着重的是物证和事实。现在我还没有和小帆兄会过面，故而还不便发表什么具体的意见。"

"如此，我们眼前的谈话没有延长下去的可能，是不是？"

张康民抚弄着他的金圆表坠，注视着霍桑，不即答话。

我又从旁插口道："我记得昨夜里吴小帆被捕以前，就嘱咐他的夫人，把这件事委托张先生。我听他的口气，好像说你对于这件事情事前已经有接洽。张先生，是不是？”

张康民显然不防我有这样的问句。他呆了一呆，侧过脸来向我瞧瞧，又低下头去。他摸出一只银质的纸烟匣来，抽出一支烟，慢慢地烧着，分明借此掩护他的窘态。

霍桑也乘机说：“我觉得吴小帆夫妇和那被害的沈瑞卿之间，不但是彼此素识，势必还有特殊的关系。张律师事前既有接洽，想必也明白这个关系。现在就请你说一说，也许可以得些参考资料。”

张康民吐出了一缕烟，抬起头来，缓缓点了一点。

他答道：“他们间的关系，我果然略知一二。论情，在得到他们的许可以前，我不便擅自发表。不过现在为侦查案情起见，也不妨权宜些。霍先生，包先生，你们两位必须应许我严守秘密，我才能发表。”

霍桑应道：“这个当然可以。我的职业正也和你的相同。守秘密原是我们应尽的义务。”

张康民又点点头，表示满意。他连续地吸了一会儿烟，开始讲述我所急欲知道的故事。

他说：“我和小帆夫妇已经做了一年多邻居，但我知道他们和沈瑞卿间的秘史，还是一星期前的事。那天是星期一的晚上，吴夫人忽而到我的寓里来见我。伊告诉我小帆有一件困难的事，要求我帮助。我问伊这困难事情的性质。

“伊说：‘小帆有一个仇人，彼此结下了不可解释的怨仇。这几天小帆似乎防那仇人的暗算，特地把三个月前他所购买的一把手枪藏在身上。我有些怕，怕他会闹出乱子来，可是又没有劝阻的方法，所以特地来恳求你臂助他一下。’

“我和小帆的感情平日本来很好，每逢大家空闲的时候，常常互相来往谈话，仿佛是自己人一般。不过关于小帆的仇人的事，他始终没有提起过。当时我因着他的夫人的请求，便答应了伊，准备给他们尽些力。我把小帆请过来，悄悄地问他，这里面究竟有怎样的纠纷。他起先还不肯说，后来他忽然奔回家去取了一张《申报》来，指着一节新闻给我瞧。

“他向我说：‘这一节第三监狱罪犯越狱的新闻，你可曾注意过？你瞧，这是上星期六晚间的事，一共逃出了九个犯人，内中有一个名叫沈瑞卿的就是我的仇人。’

“我问道：‘这姓沈的和你有什么样的怨仇？你怎么知道他一定会来暗算你？’

“小帆说：‘当三个月前，有一个期满释放出来的犯人叫成玉棠，特地送一个口信给我。这人和沈瑞卿同狱的。他通告我的举动完全出于好意。他说沈瑞卿曾在监狱中提起我们的怨嫌。他曾切齿地宣誓，他一旦自由了，必要向我报仇。我得了这个消息，便买了一把手枪，随时警戒起来。现在他果真从狱中逃出来了，我料定他一定要来寻我。’

“我自然要问小帆，他所以和沈瑞卿结怨，究竟因的是什么。小帆却守秘不肯说，只说等事情过去了，再告诉我。我不便强制他宣布，便安慰了他几句。我料想姓沈的既然是个越狱的逃犯，他自身还没有安全，未必就敢来报复。不料他昨夜里果然来了；更想不到的，又造成了这样的结果。这件事从表面上看，小帆兄固然处于嫌疑的地位，但他既然不承认行凶，吴夫人也坚决地说小帆不曾杀人，这里面势必另有情由。我认为我们要解决这个疑点，第一步先得和小帆兄仔细地谈一谈。”

这少年律师的一番话，虽然在案情的历史方面，给出了一个轮廓，但在实际的疑问上仍没有多大助益。霍桑和张康民的意见相同，打算再去见一见吴小帆，和他细细地谈一回，然后再着手进行。五分钟后，我们就同着张康民一块儿到警局里去。

吴小帆穿的还是那条灰色法兰绒裤，上身加了一件同质料的短褂，不过并不怎样熨帖。他的精神状态，和我在上夜里瞧见的情形，完全不同了。他的那双黑白分明的眼睛已是活泼有神，颧骨上也微现血色，分明他的反常的精神已恢复了常态。我记得上夜里他的脸上仿佛蒙上了一层翳，兀自呆木木地不肯发话。这时候他已截然变换。当时张康民和拘留室的值班接洽了一下，把吴小帆领进了一间小室，先向他说明来意。小帆不待我们发问，竟先自向霍桑滔滔不绝地声辩起来。

他说："好，好，你是大侦探霍桑先生？我闻名好久了。你是一个新时代的侦探，当然有科学头脑。你的见解论断也当然要有根据。我相信你绝不会像其他的侦探们一般，不顾事实、不重证据地强入人罪，是不是？霍先生，我没有罪，我当真没有打死沈瑞卿。不过沈瑞卿怎样死的，我也不能够证明。这一点就要费你的心。"

说话像恭维，又像演说。霍桑不回答，但站定了向他端详，似在观察对方的精神状态，他的话是否可以相信。我觉得他这几句话，和我上夜里所见闻的事实相反，就乘机插问一句。

我说："你在昨夜发案的当儿，不是向那警士承认过的吗？"

他旋转眼光来，很注意地向我瞧一瞧，点点头。

他答道："不错。……包先生，我认得你。昨夜里你也在场。我告诉你。当时我所以承认行凶，实在是因为受了这凶案的刺激，脑筋昏瞀了，我自己也不知道有没有开枪。我本来有开枪打他的意思——嗯，霍先生，你得弄清楚——这是自卫。他要谋害我，我自然不能不反抗。当时我看见他倒地而死，室中又没有别的人，我便误认他是我打死的。其实不是。不，他不是我打死的。我实在没有开过枪。”

除了语声近乎激越以外，说话的理路很清晰，不像是一个精神反常的人所能说得出的。我不再开口。张康民向霍桑瞧着，似乎在等他的批判。霍桑微微点了点头。

他说：“那么现在你的脑子可是已经完全清醒了？”

吴小帆答道：“是，我已经完全清醒。因此，我才察觉昨夜的错误。我还有证据！”

霍桑问道：“什么证据？”

那少年医生的两眼忽然间张得很大，现出一种自信的神气。

他答道：“就是我的那支手枪！”

“唔？”

“我听说我的手枪已经有人检验过，枪膛中只少了一粒子弹。我听得了这一个消息，方才把我的错乱的理智唤醒过来，发觉了我的错误。”

话还有些费解。张康民似乎也和我有同样的感觉。他耐不住地从旁插口。

他说：“小帆兄，既然如此，你说得明白些。手枪中既然少了一粒子弹——”

霍桑忽挥挥手阻止他：“张律师，等一等。我想他还没有说完。别打岔。”

吴小帆果真继续说：“康民兄，你还不懂？你可是疑惑我的话？那很容易证明。霍先生，你们只需把打死沈瑞卿的那粒弹子，和我的枪膛中的子弹比对一下是否相同，那么我的说话的虚实立刻可以明白了。”

我觉得这句话似乎含有某种策略。他着重在那一粒致命的枪弹，这枪弹却正没有着落，我们当然无法取证。这里面的关键岂不有些可疑？莫非不出我的料想，那粒子弹当真是他在行凶后收拾了藏去的，事后又将它丢掉了；此刻他明知我们没法取证，故而向我们弄狡狯吗？我向霍桑有含意地投射一眼。霍桑微微点了点头，似表示他已领会我的意思。

他婉声说：“吴医生，你的话确实是合理论的。可惜的是那粒子弹竟找不着，所以你的说话也受了连带的影响，一时还不能够证明。”

霍桑说时，他的眼睛盯在小帆的脸上，在瞧他的容色有没有变异。我看见小帆的脸上只有诧异，并无可疑的异态。

他反问道：“什么？你们没有捡得那粒枪弹？”

霍桑摇摇头：“没有。曹巡长说，他在你的诊室中找过，找不到。”

小帆迟疑地说：“也许还陷在瑞卿那厮的胸膛中吧？”

霍桑说：“不会，这是不可能的。伤口已前后洞穿，枪弹绝不会再留在里面。”

张律师插口说：“这样说，枪弹的不见倒成了一个大疑问。不过我知道手枪中失去的一弹，一定不是为了打沈瑞卿而用掉的。”

他显然在提示他的朋友，找一条解脱的路。

吴小帆迅速地应道：“当然不是。”

“那很好。现在你只要说明白了这短少的一弹的下落，你就可以把你所蒙的嫌疑洗刷掉。”律师侧过脸来，“霍先生，你说是不是？”

霍桑点头道："是，不过说明还不够，必须能够证明才行。"

张康民很高兴："小帆兄，你听得吗？这失去的一弹，你真能说明白吗？"

吴小帆的黑白分明的眼珠转一转："那当然可以。上星期日的晚上，我把手枪取出来拂拭一下，又在枪机括上加些油；不料一不小心，触动了机括，便放出了一弹。"

霍桑问道："在什么地方？"

"在我的诊室里。"

"没有闯祸吗？"

"没有，只射破了些墙壁。"

"射破了什么地方的墙壁？"

"就在我的诊室门口旁边的壁上。因为那时候我正靠在书桌上抹拭手枪，枪弹从桌面上掠过，就射在门旁边的墙上。"

一个疑点似乎有了着落，那起先认为不可解释的斫痕，现在已有了解释。霍桑对曹伯威巡长的见解的反对也得到了依据。不过大前提还在这供语是真确的。霍桑分明也注重这一点，略停一停，他又冷冷地发问：

"那么这偶然误放的一粒弹子在哪里呀？"

"这个……这个……"吴小帆忽现出迟疑的样子，他的目光也垂落了。

霍桑又催逼着："说啊。这个什么？"

自信的眼光又从那少年的眼睛中溜走了。他的嘴哆开了，呆木代替了数分钟前的滔滔宏论。霍桑仍冷静地瞧着他。那律师也蹙着眉峰在着急。小室中的空气骤然加增了紧张。

重要消息

难堪的静默延长到半分钟。静默中我的脑思又活跃起来。吴小帆在说谎吗？如此，这一点自然不能回答，枪弹自然也拿不出。不过假使沈瑞卿实在是他打死的，那一粒行凶的子弹，又像我所料的他已在事后拾起了，藏在什么地方，那么，此刻他可会李代桃僵地就把这颗子弹取出来充数吗？

张康民开始打破这静境："霍先生，请问你的意思，究竟要知道这误射一回事的虚实，还是必要知道这一粒子弹的下落？"

霍桑回头去向他瞧瞧，婉声道："张律师，你当然也知道物证的重要。我刚才说过，单单说明还不够，还得有实际的证明。假使我能够瞧瞧这一粒子弹，也就可以知道误射的事的虚实。这一点原是二而一，一而二。"

张康民犹豫地说："我以为分开来说也一样。"

"你有什么高见？"

"从法律的观点说，物证固然重要，可是人证也一样有效。"

"喔，有人证？"

"是。这子弹的下落，我虽不能说明，但这误射的一回事，我能够证明。"

"那么枪弹误射的时候，你是在诊室中眼见的？"

"不。我刚才已经告诉你，吴夫人首先来和我商量。伊就因着这一粒子弹的误放，才觉得小帆兄正怀着心事。所以误射的事是吴夫人告诉我的，当然不是虚构。"

吴小帆忽也恢复了他的口才，接口道："唉，不错！这件事娟英和夏妈都可以作证。枪声响了以后，她们俩都赶进诊室里来。”

霍桑又瞧着他，问道：“那么这一粒枪弹呢？”

“枪弹我当时拾起来的，但随手丢在废纸篓中。”

“丢在废纸篓中？现在还找得到吗？”

“这个自然办不到了，事情已经隔了六七天。不过你要是不相信，尽可以问娟英和夏妈。”

证人提出了两个，这件事好像是实在的了。不过小帆所处的地位实在太可疑，单凭这一点，似乎还不足以洗刷他的嫌疑。因为他误射手枪的事已在一星期前，他在误射以后，重新把子弹装满，不是也有可能性吗？但霍桑并不从这一点上进逼，他的问句已另换一个方向。

他向吴小帆道：“就算如此，你对于这沈瑞卿一定有某种宿怨，并且你本来有把他打死的意念。这两点你都承认，是不是？”

吴小帆答道：“是，我都承认，不过说法应加修正，我只有自卫的准备，并不是预谋行凶。昨夜里他来势汹汹，我当然不能不有抵抗的准备，但事实上我没有开枪打他。”

霍桑用手摸着下颌，连连点了几点头。我不知道他是否表示接受小帆的说话，或是另有作用。张康民很高兴，显然相信霍桑已经接受了他的委托人的辩证。霍桑又向吴小帆点点头，继续他的查问。

他说：“现在你把昨夜的经过情形详细些说一说。”

吴小帆沉吟了一会儿，点头道：“那也好。昨夜里我因着公园后面二十九号王姓家的急症，在十点半时，跟着一个来请出诊的仆人一块儿去，足足费了一个钟头光景，我方才回寓。那姓王的女主人患的是中风病，年纪已在六十左右，病势相当凶。当时我虽给伊打了一针，伊的神志略略恢复，但我的药包里没有带内服药，所以我回寓以后，拣出了十粒丸药，重新叫我的包车夫杨三送去。因此之故，我的寓所的前门没有闩，我也在诊室中吸烟休息，准备等杨三回来以后再上楼去睡。

“那时我的娟英已经睡了。我一个人一边吸烟，一边拿几张报纸细细浏览，看有没有捕获逃犯的新闻。因为自从上星期日沈瑞卿越狱的新闻披露以后，我便特别注意，每天总要在各种报纸上搜寻两三遍，希望有什么关于逃犯的消息。我知道这个沈瑞卿阴毒异常，睚眦必报。他和人结下了怨仇，便绝没有宽恕和解的可能。他既然在监中宣誓要向我报仇，我自然不能不小心戒备。那时我在报纸上搜寻了一会儿，除了我早已瞧见的《上海日报》上的那一节逃犯没有下落的简短新闻以外，更没有别的发现。于是我把报纸撇在书桌上，让身子仰靠着椅背，吸着纸烟，正想舒舒我的脑筋。不料烟雾缭绕中陡然现出一个人面，不由使我大吃一惊。

“我突然坐直了身子，用足目力，向前面一瞧。唉！不是幻想，也不是我进了梦境，确确实实地有一个穿白衣的人面。并且这个人面不是别人，正是我的仇人沈瑞卿！”

故事停一停。讲故事的人的黑眸子中像射出些怒火。我们三个人都静悄悄地站着，没有一个人打岔。一会儿吴医生又说下去：

“那时他还站在诊室的门口，左手按在门框上，右手弯在他的背后，冷木木地不发一言，像是一个石像。但他的凶光逼人的眼睛、紧闭的嘴唇和铁青色的脸，比什么都觉可怖！

“我一看见他这副神气，时间又是夜深人静的当儿，他悄悄地掩了进来，他有什么企图，原已不消问得。但当时我仍竭力镇静，开口向他招呼。

“我高声问道：‘瑞卿！你来干什么？’

“他仍冷冰冰地不答，只把他的那双凶焰灼灼的眼睛盯在我的脸上。我像受了催眠似的精神上突然起了异感，仿佛有一种不可名状的恐怖笼罩了我的全身，几乎不能自持。我觉得他的脚步已在缓缓地移动，分明向书桌走近来！他的上身略略偻着，右手仍曲在他的背后，显出一种准备突然猛扑的姿势。惶急中，我似乎受了本能的冲动，急忙立起身来；同时我把我的右手插入裤袋，摸出了那支戒备的手枪。

“正在这紧急的关头，忽似有门铃声响。我的仇人也有些吃惊。他旋转了他的上身，向前门的方面瞧一瞧，接着便把身子蹲下些，突然举起右手，要向我扑过来。我的眼角里觉得白光一闪，才知他的手中正拿着一把刀。他的确想要谋害我了！时机很急迫，我为自卫起见，当然也不能不利用我的手枪。可是我的手枪刚举了起来，忽然砰的一响，我怔住了。接着的是一声惨呼，他已经跌倒在地板上了！”

静默再度控制这小室。大家都听得很出神。这件凶案我亲身经历了一半，此刻吴小帆所讲的，就是我不曾眼见的另一半，所以它使我特别动神。我急于要听他的下文，以便印证我眼见的事实。小帆并不使我失望，他不需要催促，自动地接下去：

“那时我的脑子完全昏乱了。我的眼睛向地板上瞧时，鲜红的血液已染满了他的白绸长衫的前襟，分明他已经中了枪。但是诊室中仍是静悄悄的没有别的人。我便自认为那一声枪响，一定是我在惊惶中扳动了枪机，无意间打中了他。我一想到这个，自知已经犯法，一时竟呆坐着没有办法。隔了一会儿，我定一定神，把手枪放进了裤袋，振作精神立起来，走到他倒地的所在。我先俯着身子，叫他一声，他不答应；我又在他的肩上拍一下，他也不动；我索性伸手在他的鼻子上按摩一下，他已断了鼻息。我更慌张了，越觉得没有办法。那时候我忽觉得玻璃长窗外面，似乎有人在窥视。我立直了身子一瞧，又不看见人，又以为是自己心虚。接着我先把手枪锁在抽屉中，正要打算怎样才能移尸灭迹，忽听得阳台上有谈话声音。我才知道我的事情已经破露了，就开了长窗，想到阳台上去瞧个明白。不料我一开窗后，便看见这位包先生和一个警士已经从候诊室里走进来。以后的情形，你们都已知道，我不必多说。不过当时我的神智确已失了常态，当那警士向我问话的时候，我还自以为确曾开枪，所以竟自认行凶。后来我被带到了这里，我的脑子略略安宁些。我又听说枪膛中只缺少一粒弹子，才觉得我当时并没有开枪，沈瑞卿不是我打死的。霍先生，你现在总已明白，我先前的承认是出于一种意识上的幻觉，实际上我并不曾犯罪。”

故事很清晰，从表面上看，也入情入理，找不出什么破绽。那么它究竟实在吗？我承认我的智力还看不透。霍桑虽始终专注地倾听，但他的脸上并无表示。他取出记事册来，把他说话的要点记了几笔。

他道：“我看你的改变供词，实际的根据就在你的手枪中只缺少一粒子弹。你说那子弹是误发的，但是那粒子弹又没着落，这根据也就不能成立。退一步说，就算误射是实在的，可是你在事后也尽可以补充枪膛中的缺弹——”

吴小帆抢着说：“没有！我不曾补充，也不曾打死他。”他的语气很坚决。

霍桑略停一停，又问道："那么你想沈瑞卿是被什么人打死的？"

吴小帆迟疑道："我不知道。这一点就是我要请教你的。"他低了头想一想："我想那时候的门铃声响，似乎有研究的价值。"

"唔，你对于这一点有什么见解？"

"当时我全神注意着我的敌人，本不防还有铃声。但铃声一响，我心中也很欢迎，希望有什么人进来可以解除我的危难。可是铃响以后，沈瑞卿立即倒地，外面却始终不见人进来。现在想起来，那个按门铃的人很像就是开枪打死沈瑞卿的凶手。从时间上推测，他按铃以后，就推门进来，发了一枪，又急急地退出，事实上确也可能。"

这话并不是虚构。我记得发案时，我和警士俩确曾看见一个人从屋中奔逃出外。这个人也许就是按门铃的人。

霍桑又问道："你可知道这个按铃的人是谁？"

吴小帆道："我不知道，我没有看见。"

"你可想象得出是个什么人？"

"不，我也想不出是谁。我起先还以为是我的车夫杨三。其实不是。因为从王姓家里到我的寓所，步行至少须十分钟。我记得杨三拿了药丸出去，不过十多分钟光景，就发生这幕惨剧，计算路程，杨三那时候必定才到王家，一定来不及回来。"

霍桑摇头道："当然不是杨三。他知道门没有闩，你又在等他，何必按门铃？你再想想，可会有别的熟识的人？"

吴小帆皱紧了双眉，摇头道："熟识的朋友当然有，可是谁会在夜里来看我，我也想不出。"

霍桑忽自言自语道："那人既然曾按铃，至少总曾在门外站过，足印倒是一种要证，可惜当时没有人注意到。”他向我瞅一眼，又回头问吴小帆：“你自从知道了沈瑞卿越狱的消息以后，可曾雇用过什么保镖？”

吴小帆道：“没有。这件事我在朋友面前都不曾提起过。起初我还瞒着娟英，后来因为手枪走了火，惊动了伊，才不得不和伊说明。”

霍桑的问句又引动了旁边的张康民。他说：“霍先生，你可是怀疑小帆兄在暗中埋伏着什么人，才造成这件凶案？”

霍桑的嘴角牵一牵，现出一丝微笑：“有意的埋伏虽然没有，但朋友们偶然的帮助不是不可能的。譬如有什么好的邻居，发觉了他的朋友正遭着危难，便抱着任侠的意念，暗中解救。不过事后他恐怕被累，没有勇气自首。张律师，你想这推想在事实上也可能吗？”

话中有刺，语声也冷峭。莫非霍桑已疑心到张康民身上去？

张康民急急地辩道：“不会。我看你这见解太偏于幻想。”

“喔，何以见得？”

“小帆兄说过，这件事他是严格守着秘密的。即使有什么朋友，恰巧经过他的寓所门前，瞧见有一个人走进去，但那朋友怎么能知道这进去的人要向小帆寻仇？或是在紧张的当儿，有一个朋友造访，先按一按门铃，走进去；他发现了小帆正和那人对峙着，他即使好意相助，至多上前去排解劝阻，也绝不致直接行动，开枪打人。再进一步，譬如我昨夜里不曾出去应酬——我是在林荫路胡翼九律师家里吃喜酒，这回事当然是可以证实的——偶然瞧见了那姓沈的走进去；我是知道他们的纠葛的，明知会发生冲突，但我即使不懂法律，只需略有些理智，当然也要采取合法的手段；就情势而论，我在那时，一定是上前去排解，至多向那姓沈的警告几句，怎么会贸贸然实施这样的非法举动呢？”

霍桑又微微一笑，忽似答非答地说：“人固然是有理智的动物，不过有时候因着感情的驱使，理智也往往有屈服的可能。”

我觉得霍桑的话“言中有物”，好像他当真已怀疑这张律师。可是他的神情并不严肃，嘴唇上的笑容也没收敛。那么他是故意逗弄他一会儿吗？

霍桑改了口气，又说：“张律师，我瞧你的神气，似乎你对于这一点有某种意见，你何不就发表出来？”

张康民应道：“不错！我对于这开枪的人果真有一个见解。也许那沈瑞卿另有一个仇人，暗中跟随着他，企图乘机报复。昨夜里那人跟了沈瑞卿到小帆兄的寓里，乘此机会，就从暗中行凶，发泄他的宿仇。这不是也有可能性的吗？”

霍桑沉吟了一下，说：“那人既要报仇，又碰见了他，机会一定不肯放过，何必等到沈瑞卿进了小帆的寓所以后，方才下手？这岂不是多担一重风险？”

张康民道：“我说过的，那人是要乘机报仇。在人家的寓所里下手，一方面看似有危险，但另一方面，他的责任可以卸却了。这是和乘机的图谋符合的。”

霍桑又发出一句有力的反驳：“假定你的推想是合乎事实的，那么那人尽可以悄悄地推开了门，乘沈瑞卿不防备，突然间发枪，又何必按动门铃，引起惊慌，破坏他的下手的机会？”

张康民的脸上顿时添了些颜色。他期期然道：“这个……这个……也许开枪的和按铃的并非一人……也许……也许另有缘故……”

霍桑又笑一笑，接着道：“好，好。另有缘故的问题正多着呢！我们暂时搁一搁吧。……吴医生，我现在希望你能够再说一段故事。你和沈瑞卿究竟有什么样的怨嫌？并且这结怨的事情是不是只关系你和他两个人，或是还关系别的人？这两点在案情上也有参考的价值，你不能不一并说明。”

这是个重要的要求，我的求知欲很强烈，确想听听这一段秘史。可是霍桑的问句才刚说完，吴小帆还来不及回答，忽而发生了一个岔子。

一个听差走进来，报告殷厅长已经从外面回来，在办公室中等我们，请我们立即去谈话。于是侦查不能不暂时延搁。我们离开了那张律师和吴小帆，跟着听差到厅长的办公室去。殷厅长很兴奋，一见我们，匆匆打了一个招呼，提供一个关于这凶案的重要情报。

他说：“霍先生，我带一个消息给你！刚才法院里已经派法医把尸体检验过了。据说死者的胸背各有一个洞，背洞较小，胸洞较大。小洞是进弹的，大洞是出弹的。可见那枪弹是从背后射进，从胸口穿出的。这一点已和我们昨夜发现的情形不同。我想你一定要觉得重要吧！”

奏　凯

这消息给霍桑造成的反应很大。他向殷厅长问了几句，便定了主意，立即辞出。他起初本要叫吴小帆说明和死者结怨的历史，此刻竟完全放弃了，显见这消息比较重要，所以他就舍轻就重。他告诉殷玉臣要从别一方面进行，便邀我一同退出。

我们跳上了霍桑的汽车，我忙问霍桑对于这新消息的见解。

他说："这发现很重要，也许可以转变这案子的重心。"他皱皱眉："很可惜，昨夜里我来不及到吴小帆家里去看看。"

我问："你想这一着会有怎样的后果？"

"至少这一着显然有利于吴小帆。"

"你可是说沈瑞卿既然是背上进枪，行凶的就不是吴小帆？"

"这是眼前应有的假定。"

"那么开枪的是谁？可是那按门铃的人？"

霍桑摇摇头："不，按铃和开枪是冲突的。"他向我斜睨了一下："包朗，我看这消息有些不利于你。"

我不禁笑道："你还说笑话。"

霍桑忽显出庄重的神气，应道："这何曾是笑话？假使我和你是素不相识的，我为着侦查案情，当然也不能不把你列入嫌疑人名单。"

我本想一笑了事，可是发不出笑声。我向霍桑瞅一眼。他还一本正经地说下去。

霍桑说："当案发的时候，你不是一个人在那长窗外面窥视过一会儿吗？当时如果有人注意到屋中的足印，你的足印当然也在内。据你自己说，你到场的时候，案子已经发生。但若使有一个不知你底细的人，对于你的操行人格素无信任，怎能不怀疑你在事前到场而乘间行凶？"

我勉强笑一笑："霍桑，你这几句笑话，说得太牵强了。我不怕人怀疑，我有反证。"

"唔？"

"你岂不知道我是被枪声引去的？听得枪声的不单是我，另有一个服务公事的王南福给我作证。你怎么能凭空入人罪？"

霍桑把庄重面具揭除了，也不禁纵声大笑。他说："包朗，别发急，我只是借你做一个比喻。但在你到场之前，如果另有一个像你这样行动的人，那就很可疑了。”

“你想有这样一个人？你有没有具体的见解？”

“没有。我只有一个空洞的推想。”

彼此静一静。汽车行进得很迅速。时间将近正午，热度增高些。我略停一停，又提出一个问句：

“霍桑，我们现在往哪里去？”

“往吴小帆家去。”他顿一顿，补充一句，“我应得早一些就去。”

“你去做什么？”

“找一个物证。如果得手，我们就可以确定这案子不是吴小帆干的。”

“这物证是什么？”

“就是那一粒致命的枪弹。”

“你想枪弹还是在吴小帆家里？”

“是。我料想许楚石和曹伯威所以找不到它，原因也许是错了方向。”

我想一想，领悟了他的见解，又继续质疑：

“霍桑，我看你这转变，完全寄托在枪弹从背部打入的一点上。不过这一着还有研究的余地，你不能太依赖。”

霍桑注意地瞧着我：“喔，你有别的新见解？”

我说：“你须注意，据吴小帆自己供述，当门铃响起的时候，沈瑞卿曾旋转身去瞧过一瞧。在这当儿，吴小帆若使乘隙开枪，岂不是也有打中在他的背部的可能？”

霍桑忽而用肘骨在我的手臂上抵一下，笑着道：“包朗，你的推断力委实有进步了。不过你对于罪犯的心理似乎还缺少深切的研究。”

“什么意思？”

“你总知道知识阶级犯罪，和寻常人犯罪，程度上有显著的不同。知识阶级犯罪，对于事前的设计规划，和事后的掩饰逃避，一定比普通人更加周到致密。吴小帆是个自由职业者，当然属于知识阶级。如果他要在犯罪以后饰词隐匿，一定也比别的人得法。譬如他对于他犯罪程序上的要点，哪一点应加证明，哪一点应得隐匿，自然会特别注意。假使像你所说，他是乘那沈瑞卿转身的当儿开枪打他的背部的，那么，即使他想不到利用了这一点卸罪，但他在供述的时候，也势不致如此粗忽愚拙，竟连沈瑞卿转身的动作都不肯遗漏。说得明白些，他如果是在沈瑞卿转身时开枪的，他还肯把沈瑞卿转身的动作也告诉我们吗？”

我的随便发表的意见，不料竟引出了霍桑的一大篇议论。他像防我不佩服似的，还特地借重了学理来证明。

我也含笑答道：“霍桑，你的辩才也确乎有进步了。是的，我说不过你，我认输了。但是你既然确信开枪的不是吴小帆——”

他止住我：“不。我说过了，这仅仅是一个假定，若说确信，还得先找到物证——那粒枪弹。”

“如果枪弹找到了，你的假定确立了，那么你想开枪行凶的究竟是什么人？”

霍桑又迟疑起来：“这个人我还不知道。不过我觉得那个按门铃的人——”

我也禁不住剪住他：“什么？你刚才不是说按铃和开枪的行动在情理上是冲突的吗？”

“是的。不过我不是说按门铃的人就是开枪的人。我只觉得这个人处于重要的地位，也许就是眼见凶案实施的人，可惜你当时不曾把他捉住。并且你不知道保存门口内外的足印，也是一种失着。现在要侦查这个人，一定很费周折。”

我想一想，又说：“你想这个开枪的人可会就是张康民？”

霍桑忽把目光横过来注视着我：“你莫非听了我刚才向张康民所说的话，才有这个见解？其实我不过探探他的口气，这问题还不能随便下什么断语。”

“这个人也是个知识分子，又是知道他们的秘密纠葛的。我看他很有些可疑。”

“是。不过有个前提。第一，须查明张康民和沈瑞卿以前是否相识，和他们中间有无直接纠葛。第二，须知道康民和小帆夫妇间的感情和关系究竟到了怎样的程度。我们必须先查明这两点，对于这个人才有推论的根据。……唉，是公园路了。……这大概就是吴小帆的寓所。停车吧。”

我们下车以后，就直接进小帆家去。那时那两扇漆着绿漆的盘花铁门完全开着，一辆下篷的黑漆包车仍旧停在小院中，阳台上的法国式长窗也依然合着，里面淡棕色的窗帘也和我昨夜里所见情形相同，不过沈瑞卿的尸体早已被移到验尸所去。

我们走到诊室里面，有一个穿白纱斜西装的少年男子走出来招呼。经过了简单介绍，我才知道这人叫谭纪新，就是小帆夫人娟英的哥哥。他的身材高硕而结实，相貌也相当威武。他是陆军学校出身，现在警备司令部里当一个处长。他的家属也住在上海，并且距离小帆的寓所很近。我们坐定之后，他就开始和霍桑谈论案情。

他道：“这件事委实出乎意料。舍妹受惊不小，精神上有些异样，现在我已经将伊接到我的家里去了。家父已经有回电来，叫我到这里来照料。我想死者本来是个逃犯，打死了原没有多大处分，不过论法律的手续，自然也不能不侦查明白。据舍妹说，开枪的一定不是妹夫。霍先生，你可已查明了真凶没有？”

霍桑答道：“还没有。我们正在搜集证据。”

谭纪新道：“那么两位此刻光降，有什么见教？”

霍桑道：“我本要来做一番更仔细的搜寻，希望能够发现那一粒枪弹，因为这枪弹是一个要证。现在既然碰见你，我顺便问一句，你可知道令妹夫和死者之间究竟有什么怨仇？”

谭纪新沉下了头，现出踌躇的样子，似乎不愿作答。略停一停，他才勉强说：“我也不知道底细。我只知道这沈瑞卿也是当西医的。他和舍妹夫同是在大同医专里毕业的。他行医以后，曾干过给女子堕胎的勾当。这犯法行为被人家发觉了，他便给捉到法院去，定了监禁的处分，刑期是五年。他进监才一年九个月。这一次第三监狱发生越狱事件，他也就乘机逃出来。他以为他的非法勾当是被舍妹夫告发的，因此就结下了死仇。他在监里时曾宣誓要报复。但据舍妹夫说，告发的并不是他。这些就是我所知道的事实。”

秘史揭开了一页，至少也透露了些轮廓。霍桑把这一节话约略记了下来，换一个问题。

他说：“谭先生，你可也知道那隔壁的张康民律师和沈瑞卿之间可也有某种关系吗？”

谭纪新摇头道：“我不知道。”他顿一顿，又补一句：“据我所闻，他们似乎是素不相识的。”

霍桑点了点头，立起来谢了一句，便开始在诊室中搜查。谭纪新和我都静默地旁观。

霍桑的搜检方式是很别致的。他先瞧瞧门旁墙壁上的弹痕，又向诊室的四周做一度巡视，随即问我上夜里沈瑞卿倒地的位置和状态。我一一指示了他。他在通候诊室的门口旁边站住，向着书桌的方向瞧过去，好像一个测量员在测地时测取直线。一会儿他走到书桌背后的书架面前，聚精会神地在那一行一行排列的书本上察验。那书架共有三层：上面的两层都紧密地排着许多西式装订的医书；最下一层却堆积了许多报纸。霍桑的眼光集中在中间一层。他仔细察视那排列的书籍。那些西式装订的书本，都是颜色不一的布面和皮面的，书背上都烫着金色或银色的书名。所以假使这些书背上有什么损伤，尽可以一望而知。霍桑找了一会儿，搔搔头，似乎找不到枪弹穿进或擦伤的痕迹。他伸手到书架中层去，因为中间有一本红漆布面的书比较短些，上端留出些隙缝。他把这一本书从架上取下，仔细向书架的内部瞧了一会儿，也没有结果。他就重新将那本红皮书插在原处，抚摸着下颌，呆立着。那袖手旁观的谭纪新仍保守静默，他的脸上表示出关心。我也很同情我的朋友的失望，可是又无从效劳。

接着霍桑的视线移到书架的最下一层去。这一层上堆积着许多杂志和报纸，已没有上两层那么紧密整齐。报纸和杂志的位置也不同。靠里边的一半都是成本的杂志，外边近长窗的一半却堆着许多折叠宽松的日报。霍桑仍先从里边的杂志堆上着手搜寻。他把那杂志一沓沓地移到书桌上面，在桌面上逐本翻动，似乎希望会有子弹从杂志中落下来，结果依旧是失望。于是他的视线依次地转移到报纸上去。那报纸比较凌乱些。他才刚抽取了一叠，在书桌面上翻动了几张，忽听得嗒的一声，顿时引出霍桑的一种情不自禁地欢呼：

“哼！”

我忙走近去，瞧见霍桑的神情完全变异了。他的两目张得很大；额角上的青筋突然暴起；他的呼吸也似乎加了些速度。当他用长而有力的手指，从书桌上拾起那粒子弹来时，也像感受了电气似的微微颤动。他平日常以有定力自豪，可是在这当儿，他的定力竟也偶尔失势，不能镇抚他的受震的神经。

他像一个苦战的兵士奏凯回来一般，作欢呼声道：“包朗！这是一个何等重要的证物啊！现在竟在这报纸里面发现！真是值得庆贺的！”

“是一粒枪弹吗？”谭纪新走近来问一句。

霍桑不答，但点点头。

我默念这一粒子弹的确是案中的要证。但子弹发现了，虽能抉破一部分的疑团，可是凶手是谁，还觉没有着落。霍桑如此快乐，不会有些过度吗？

我问道：“你瞧这粒子弹是多少口径？可和那搜得的手枪合符？”

霍桑似没有听得我的问句，不回答。回答的是谭纪新：

“这是一粒小号弹，大概是 .32 口径。”

我说：“那么这和吴小帆的手枪不相合。我记得那是一支 .45 口径的枪。”

谭纪新高兴地说：“不相合就好。这就足以证明开枪的不是舍妹夫。”

霍桑不理会我和谭纪新的问答，自顾自地把报纸叠放在原位。他随即取了枪弹，站立在发现枪弹的那堆报纸的位置，偻着身子，侧看头，闭着一只眼睛，又测量似的测了一会儿。他忽而仰起身来，向谭纪新挥挥手。

他说："谭先生，你说得不错。现在一个谜团被打破了，别的话回头再谈。包朗，我们忙了一个早晨，应得休息一会儿哩。走吧。"

霍桑的闲情

霍桑所说的休息，我听了很觉突兀。我自从上夜里发现这案子以后，精神上一直没有安宁过。就我的体力方面着想，休息当然是我十二分赞成的。不过这案子刚在发展进行的程序中，而且进行到了最高的尖顶，显然有欲罢不能的趋势。霍桑怎么在这当儿要休息？他每次探案，不得到最后的结果，不肯罢休。此刻他忽然有这句话，莫非这案子也已有了结果了吗？否则案情正在急剧地进展，怎么可以中途停止呢？可是我们到他的爱文路寓所以后，我向他一问，竟又不得要领。

我问道："霍桑，我们当真就休息吗？这案子不必再进行了吗？"

霍桑答道："不，要进行的事情正多着，不过此刻却无从进行，所以我们不能不暂时休息。"

我疑惑地说："怎见得无从进行？譬如你刚才发现的一粒子弹，也须加一番确切的证实。吴小帆那支手枪的口径究竟是不是和这子弹符合——？"

他阻住我："这个已不成问题。刚才谭纪新不是已经证实了吗？他是军人，对于这种东西的经验比我还丰富，他家里所有的手枪一定也不少。所以他只看一看，便说这粒弹子是从一英寸的百分之三十二（.32）口径的手枪里射出来的小号弹。这话当然可信。我也很同意。你也知道吴小帆的手枪是一英寸的百分之四十五（.45）口径的，大小显然不同，故而这一点毋庸再行证实。”

“那么这支.32口径的手枪是什么人的？你又从哪里去取证？”

霍桑低头沉吟了一下，缓缓地说：“这一点我现在还无从入手。”

我说：“凭空里当然无从入手。你对于这小手枪的主人可是一点儿没有头绪？”

霍桑在手表上瞧了一瞧，仍低着头，不答话。

我又道：“现在看起来，那个按门铃的人所处的地位更加重要了。这个人至少可以做个线索。你可有方法找到他？”

霍桑略略抬起些头：“是，这个人的确重要，不过眼前我实在没有法子查明他。”

“那么你几时才可以查明？”

“很难说。也许今天，也许明天，也许一星期或一个月后，也许终究查不出来！”

我觉得霍桑的话带着些哑谜性质。他当真没有把握吗？还是卖关子不肯告诉我？我自然耐不住：

“霍桑，你这话很费解。照你说，假使这个人终于不能查明，那么这案子难道也就终于不能破获了吗？”

“唔，你这句话确有强烈的可能性！”他的头又低下去，眉峰更皱紧了。

我又说：“那么，你难道承认失败了吗？”

他点点头：“是，我怕如此。”

我禁不住动了感情，说：“不！你绝不会如此！你的话必非由衷。霍桑，你何必玩那卖关子的老把戏？”

霍桑忽仰起身子，笑一笑："包朗，你忘怀了，我们回来是休息的，何必动肝火？算了。午膳时分过了好久，我想你的肚子一定也有些饥饿哩。"

扫兴的话已种了些转机的种子。他明知我在这种状态之下绝不能够进食，所以在进午餐以前，他又给我进了一服开胃剂。

他拍拍我的肩，附着我的耳朵，说："包朗，别发脾气。十多年来，我一再劝你养成些忍耐力，不料至今还毫无成效！现在请你再耐一下子。今天夜里我准备去冒一冒险，我还需要你的臂助呢。"

唉，有转机了！霍桑并非失败。他说晚上要去冒险，明明表示他对于这案子的进行，已有一定的方向，此刻大概时机未到，故而还不肯说明。我熟知他的脾气，案情的发展如果没有到成熟的时期，若要勉强他发表，那是万万办不到的。这时候我自然也不愿做无效果的尝试。

进膳时他有说有笑，但所说的只是闲文，并没有半句述及这件案子。我自然也不便开口，只索接受他的劝告，试着练习我的忍耐力。

午膳完毕，已是两点三刻。霍桑和我都假寐片刻，这是我们的饭后休息的老习惯。不料我醒觉的时候，霍桑已经出去了。仆人施桂告诉我，霍桑临走时曾说，他往银河路去投一封信，不久便可以回来。我默念银河路就在公园的西面，不知道他往银河路的哪一家去。我从来不曾听过他在银河路有什么朋友；并且送信的事，他为什么不假手邮局或仆人，却亲自劳驾？因此我料想他此次投信，也许和这案子有关，不过这里面有什么曲折，我无从捉摸。

我又想起他所说的冒险的话。他要冒什么样的险？又怎么确定在今夜？莫非他对于案中的真凶已经有了把握，所以定意今夜里去捕捉吗？并且那凶手又是一个狠鸷可怖的人物，不免要抵抗争殴，故而他才有冒险的话？自然，这些问题不是凭空推想得出的，我也不愿意多费脑力，只能等他回来了再说。可是我面前的烟灰盆中形成了一个小丘，霍桑还不回来。初秋的白昼很短，好容易挨到天黑，我才接到霍桑的一个电话。他约我立刻到民权路中华茶馆里去，还叫我把他的手枪一起带去。这消息自然够令人兴奋，我立即赶去践约。

我到达中华茶馆的二层楼时，正值生意鼎盛的当儿，热闹异常。这是一家上等茶馆，布置成全欧化风格，价格也特别昂贵。但是每夜里华灯初上，总有很多专在女人面前装阔的少年男子们，挟着女友，在精致的小室中把杯谈心。我不知道霍桑怎么违反了他的素性，竟选择这个地点。

他看见我，先笑着说："包朗，你诧异我选择这个地点吗？我就为着你啊。"

我应道："是的，我的确诧异。但是你怎么说为我？"

他仍含着微笑："你不见那一对对的漂亮的伴侣吗？你若使略略运用些观察力，便可以供给你不少小说资料。"

我忙道："不，这是托词。我知道你选择这个地点一定另有作用。"

"哈哈！我瞒不过你了。你知道这地点距离公园很近啊。"他说到公园的字样，语声特别放低。

我立即会意："那么今夜里我们的任务可是就在公园中进行？"

霍桑略略点了点头，但并不接话。

我继续问道："今天下午你在外面干些什么？"

这时候一个穿雪白制服的侍者送上一小瓶白兰地来，随即退出去。霍桑自己拔去了瓶塞，一边斟酒，一边又点了点头，只是不开口。

我又低声问道："你可有什么进展？"

霍桑也低声答道："进展得很快。不过你还得耐一下子。这个地方不便谈这样的话。"他把斟满的酒杯送到我的面前："你喝一杯，提提神。"他忽然凑近我的耳朵："你带来了几支手枪？"

我也低声应道："两支。"

霍桑又点点头，接着便开始饮酒。

我觉得牙痒痒的。从手枪和白兰地酒这两点看来，霍桑先前所说的冒险的话似乎并非危言耸听。但冒险的地点怎么竟在公园里？

霍桑又向我说："包朗，我知道你最喜欢吃咖喱鸡。这鸡腿还算嫩吧？"

老实说，这当儿我的心思实在不在鸡上。不但鸡的嫩不嫩，我没有感觉到，连所吃的是否鸡腿，我也不曾注意。我只随便点点头。霍桑却似乎吃得津津有味，神态上显得非常悠闲。过了一会儿，他忽又把头凑近我的面部：

"包朗，你瞧那刚要走进'寿'字座里去的一男一女。你可知道他们有怎么样的关系？"

我斜着目光瞧了一瞧：那男的穿一身笔挺的淡棕色西装；女的穿一件茄花色薄纱的窄袖西衫，右肩上缀着一朵白绸的大花，那纱衫既薄，丰腴的肌肉和曲线都豁然显露。他们并肩地走着，且走且谈。男的满脸笑容，又低头曲腰地显一种假殷勤的媚态；女的却带一种矫饰的傲态，但眼角眉梢间，又处处流露着荡意。这种状态，我在平日已经看不惯，何况在这个当儿，更没有闲心思去注意。霍桑的兴致偏偏很高。他见我不回答，又继续发表：

“你瞧不出吗？唔，我可瞧出来了。他们今天是第一次相识，并且相识的时间一定还不到三个钟头。嗯，你疑惑我的话？老实告诉你，我知道他们是才刚从卡尔登散场出来的。瞧，那男子手中拿着的报纸外面，不是还裹着一张《荡妇心》的说明吗？”

我不理会。霍桑的话是否出于观察，或是信口而发，我都没有兴趣。我的脑室完全被那将要发展而不知如何结局的案子所盘踞，已没有丝毫余地容纳别的事情。

霍桑又很高兴地说：“他们的来路我已说明白了。他们的去路，你可也猜得出？……嗯，你也不知道？我知道的，大概总不出三东一品——”

我耐不住插口道：“霍桑，你何必瞎费心思？他们这种勾当，怎么值得我们注意？我们今夜的事情既然带着危险性质，那才得先谈一谈——”

霍桑忽挥挥手，笑着答道：“不！我看你的神经太紧张了，才想教你松一松。现在别多说，好好地喝几口酒，吃些东西。我们餐罢以后，就得动身往公园里去。时间已经差不多哩。”

公园中

秋天晚上的公园和夏天时已显然不同。我们进园的时候，恰交八点半相近，游人已很稀少。偶然有几对情话喁喁的男女，大都深藏在树荫底下或假山背后。这些野鸳鸯只求人家不去惊扰他们，他们却绝不会干涉人家的事情，所以对于我们的任务不会有什么妨碍。公园中的灯光不算得怎样明亮，那也有利于我们的工作。我常相信人们若使喜欢在黑暗中行动，他们的步子显然已距离堕落的境界不远。现在我们虽也企图利用黑暗来掩饰我们的行动，不过目的是恰正相反的。

霍桑走到靠池边的一个茅亭面前，站住了向亭的前后左右窥察。亭中空虚无人，中央有一只厚砖的棋桌，四面有四只石凳。亭后一棵柳树，粗大得可三四人合抱，凉风飕飕地吹过，发出些细碎的声响。亭的外面有一条小小的木桥，横跨着池面。池中留着半残的荷叶，有几支还撑着作亭亭之状——这真像一个阀阅旧家，虽因着时势的推移，家况已日趋式微，然而外表上还勉强地摆着空架子。

霍桑低声向我道："包朗，我们两个人不能在一起。你把手枪给我。我在亭子里等候。你可伏在那柳树后面。"

我拿出一把手枪授给他，问道："我们到底有怎样的任务，我所担任的工作是什么性质，你总得说个明白。"

霍桑附着我的耳朵，说："我已经约一个人到这亭中来会谈。我相信这个人有凶手的嫌疑，不过我所依凭的只是推想，物证方面没有一点儿把握。所以跟前这个约会，只是一种虚冒，实际上是很危险的。因为这个人的背后有很大的权势，万一我料错了，后果正难说。"

"喔，你想会有怎样的局面？"

"这个人也许因畏罪的缘故，利用暴力来对付我。所以你伏在树背后，应得随时留意。要是那赴会的人是单身，那我尽可以对付，你用不着露面。假使来的人另有伴侣，你就不能不小心戒备，必要时你得助我一臂。"

我应道："好，我明白。但这个约会的人究竟是谁？现在你总可以说明了啊。"

霍桑唔了一声，似乎有宣布的意思了。不料一个岔子又打破了我的希望。那时木桥那边的花丛中仿佛有人行动，又有些轻微的语声。霍桑立即在我的手臂上轻轻一拍，他的身子一闪，走进茅亭里去。我也不敢停留，加紧一步，避到了那大柳树的背后。

暗淡微朦的电灯和星光中，隐约透露出两个人形，慢慢地走木桥过来。那是一男一女。那男子的一条手臂，穿在女子的腋下，紧紧地挽着，彼此且行且切切地谈话，中间还夹着笑声。当他们经过茅亭的时候，连头都不回，分明不曾瞧见茅亭中的霍桑。

这两个人不像是霍桑所期望的人物，我们只受了一次虚惊。不过我却不便再到茅亭中去，就静悄悄地伏在树后。这个约会的人，霍桑虽没有说明，我猜想很可能就是那个张康民律师。张康民是靠法律生活的，我们若使像霍桑所说，毫无物证，想凭空虚冒，那一定无效，而且这个人也不肯随便罢休。那么霍桑所说的冒险，显然并非夸张。不过转念一想，霍桑要和张律师谈话，又何必约定在这个时候和这个地方？而且张康民是律师，也不致愚蠢地用暴力对付。那又不像是他。这个人是谁？或者另有什么不相干的人吗？霍桑又怎样知道的呢？

环境很幽静。秋虫在草丛中低吟。一阵夜风，吹得我头上的柳叶簌簌地乱飞。水气中挟着大理菊的幽香。这种种都足以引起人们的诗兴。但我们的心思却完全集中在乱丝般的疑问和不可思议的任务上，环境的优美竟也无暇欣赏。

过了十五分钟光景，我不免越发无聊。我探头瞧瞧霍桑，他却很静谧地靠在茅亭的木柱上吸烟。我暗忖与其这样子枯待无聊，还不如重新向他问几句话，也可以解解寂寞。不料我还没从柳树背后走出，忽听得霍桑咳一声干嗽。唔，这干嗽声一定有某种含意。果然，咳嗽声刚终了，接着的是“得得”的皮鞋声响。我的听觉告诉我这细碎而尖锐的声响像是女子的高跟鞋发出的。那么我们不会受第二次虚惊吗？

星光又照见一个女子，从一排樊篱后转出，直向着茅亭来。奇怪！是个单身女子！这女人会有关系吗？

“吴夫人，我在这里。”

这是霍桑的招呼的声音。吴夫人？更使我十二分惊异。我从树背后伸长了头颈，仔细地向亭中瞧。那个赴约的女人已经跨进了茅亭。伊的剪影显示出伊当真是吴小帆的夫人谭娟英。

谭娟英就是凶手？还是今夜伊是代表什么人来的？

自然，我自已不能解答这疑问。在这惊疑不决的当儿，我并没有忘记我的任务。我先向那樊篱边仔细一瞧，不见有第二个人。那樊篱高才及肩，倘使有人走过，逃不了我的视线，不过要是伛偻着身子走，那就应当别论。我又瞧瞧木桥的对面，也静悄悄的没有人影。那么伊真是单独来的，不会携什么伴侣。我的责任减轻了，急急地注意到茅亭中的情况。

霍桑和谭娟英的会面，似乎不曾经过什么寒暄的套语。当我瞧着他们的时候，他们俩已经对立在茅亭的门口，开始做正式的谈判。

霍桑说：“吴夫人，你能到这里来践约，足见你的态度非常光明。现在我们不妨开诚布公。你尽可以照实说明白，绝对不必有什么疑迟顾忌。”

霍桑的话说完了，谭娟英默不作答。静境又恢复。微风送来一声两声枝头的残蝉的唧唧吱吱的吟声，打破些这严冷而紧张的静境。这是幕什么戏？会弄僵吗？霍桑的话很含混。我屏息凝神地等待着下文。

一会儿伊冷冷地答道：“你要我说什么？”

霍桑应道：“你但把你们和这姓沈的已往的关系说明白便行。至于你在昨夜里的行动，我已经略知一二，你说不说倒没有多大关系。”

又是一度静寂——是一种使人难耐的静寂。霍桑的语气已使我有些头绪。这女人上夜里有过行动！那当然是指凶案。但是我知道霍桑是在采取佯攻的策略，实际上他并无把握！这策略会产生效果吗？

静境继续着，但论情势，不能再让它延长下去。霍桑早感觉到，便自己解围。

他又道：“吴夫人，有一点我可以给你保证。你当时的举动实在是出于迫不得已，和寻常的预谋行凶，性质不同。我料想在这已往的一星期中，你因着这件事，一定感到十二分不安；而且不安的程度也许比尊夫还严重些。”

策略转了向，是绥靖，不是袭击。可是它的效果还不见，对方仍不开口。两个人仍对立在茅亭中，局势很尴尬。不过从另一方面看，不开口也就是效果，霍桑的佯攻已找着了对方的弱点了。

霍桑从容地继续说：“吴夫人，我来说一说你昨夜里的经历，好不好？要是有错误，你尽管纠正。据我料想，昨夜里尊夫出诊回来时，你一定还没有睡。你昨夜在警署里告诉我，那时候你已经睡着，实际上是不准确的。我知道这几天你刻刻关心着你的丈夫，绝不能一个人先自安睡。后来你听得了你的丈夫在楼下的呼叫声音，你便疑心到这姓沈的来寻仇；因此你就带着手枪，悄悄地走下楼来。我知道这寻仇的事，你早有准备，所以手枪也早预备好。你走到楼梯脚下的时候，就看见那来客果真是你们的仇人，并且这仇人正和你的丈夫相持着，马上会有怕人的争斗，情势非常紧张。正在这时，外面又有人按铃进来。这个人你也许是认识的，因而——"

"不，你错了！我没有瞧见那个人。那按门铃的人好像到底没有进来。"

这是谭娟英在情不自禁地插口。霍桑的策略奏效了！

霍桑的声音增加了紧势，忙着应道："唉，不错！我错了。不过我相信那门铃声音，对于你当时的动作，一定很有影响。不然，你也许还有考虑的余地，不会立即采取急速的行动。当时你觉得情势太紧迫，再不能容你疑迟，你便向着沈某的背部发了一枪。接着，你看见你的动作已有了成效，又怕门外的人走进来，便悄悄地回到楼上去。你的初意，本想解除你丈夫的危难，但结果反使他蒙了杀人的嫌疑，你因此便后悔忧惧起来。可是你没有解救的方法，虽请张律师帮忙，事实上也没把握；你自己又不敢出面自首。所以今天上灯时你一得到我的秘密信，知道我有方法可以解决你的疑难，你就遵守了我的约言，独自到这里来践约。吴夫人，这一节我没有说错吧？我想我给你的这一封信，你还没有给令兄谭纪新处长瞧过吧？"

霍桑的最后一句分明带着询问口气，但伊仍没有回话。不过我听了霍桑接续的语气，可见伊那时一定在动作上有过承认的表示。

霍桑继续道："唉，如此很好！这件事一经令兄干涉，也许会生出意外的枝节，那说不定反而会弄坏——"

谭娟英忽接口道："你既然已经完全知道了这件事，将我骗到这里来做什么？莫非要把我送到官厅里去抵罪？"

"不，吴夫人，我是不受官俸的自由人。抵罪不抵罪，用不到我来执行。不过你如果要我答复这句话，那么有两点必须请你先说明白。"

"哪两点？"

"第一，那手枪的来由，我还不曾确实知道。那是一支.32口径的手枪，是不是？"

静默代替了答复。伊显然是默认了。霍桑又接续发问：

"这枪是你自己的吗？是本来有的，还是特地购买的？或者你是从令兄——？"

"是！我从我哥哥家里拿的。"

"你公然向令兄要的？"

"不，我自己取的。刚才我已经把枪放在原处，他至今还没有知道。"

"嗯，那很好。第二个问题，我刚才已经说过了。我要请你把你们俩和死者间的关系说一个明白。我想沈瑞卿和尊夫的仇恨，你大概也是有些关系的吧？"

一度顺流而下的问答，到这里又像遇到了暗礁，一时又阻滞不通。停顿有一两分钟，娟英仍没有表示。霍桑又不得不继续努力。

他说："吴夫人，你放心。我明明知道你们间的关系是有秘密性质的。我告诉你，我生平经历的秘密事情已经不知有多少。真有关紧的事情，我自然可以尽守秘的责任。所以无论你有怎样的事，尽不妨实说。"

又是一度静默。我不再听得秋蛰和哀蝉，原因是我的神经太紧张，不容我的心思再旁骛。静寂中迸出一声叹息，接着是一段动人的故事。

谭娟英缓缓地说："唉！这件事我实在不愿意提起，可是现在已不得不说了！是的，你说得对，这恶汉所以和小帆结怨，主因也许就在我。四年前，小帆和他同时从大同医学校里毕业。那时候我和他们两个人都已相识，不过我和小帆的感情比较密切些。小帆动身往美国去留学的时候，我们俩虽没有正式的婚约，可是彼此早已心许。沈瑞卿毕业以后，就挂牌行医。最初一年，他的医务并不发达；到第二年，他忽然忙起来。等到小帆留学了三年回来，沈瑞卿已经造了洋房，出入坐汽车，非常阔绰。我原以为他的业务发达，是由于他的医术高明，所以能够在短时间内受人们的信任。谁知道他秘密地干着那犯法的杀人勾当！"

那少妇叹一口气，顿一顿，又自动揭发死者的罪行：

"医生是一种神圣的职业，唯一的目标在救人。可是沈瑞卿是个挂羊头卖狗肉的假医生。他行医的目的是实现个人的发财。他对待病人的态度是因着贫富阶级而不同的——对付有钱的人，趋奉，献媚，诈骗，只要可以弄钱，什么都做得出；对于贫穷的病人，他就敷衍了事，甚至拒绝不理。他因着只想发财，就完全忘掉了医生的天职，所谓医德更谈不到。所以他后来发现了一条发财的捷径，秘密地干着伤天害理的不人道的勾当！他在给妇女们秘密地打胎！"

空气又静一静。凄凉的蝉声又一阵阵地刺激我的耳官。像沈瑞卿这样的医生，我国大都市中未尝没有。这种败类实在是新医学发展的障碍，也是新医学界全体的耻辱。要是这少妇的话不是虚构，沈瑞卿不但死有应得，而且是死有余辜。我的愤慨当时并不曾发表，因为霍桑既保守沉默，我当然也只有让这念头闷在肚子里。

谭娟英又说："瑞卿对于我本来也是有意思的。但是我觉得他是个拜金主义者，行为卑鄙，所以慢慢地疏远他。他知道我和小帆的感情比较密切，便捏造种种虚话向我诉说，又施用种种离间挑拨的手段，希望达到他的目的，后来他又借重了金钱的势力来引诱我。我越觉得他可憎可厌，反而越发和他远离。末后我又发觉了他的不合理的业务和他的堕胎生涯的秘密，便觉这个人不但卑鄙浮滑，还是法律道德上的罪人，因此就决意和他断绝往来。他还不甘心，改变了手段，曾一再恐吓胁迫我。我都不理睬他。有一次在一条小街上他和我狭路相逢，他竟施用暴力，拦住了我，强吻我一次。我自然更加痛恨他。

"我受了这一次耻辱，本想告诉我的父亲。但是我知道我的哥哥——纪新——的性情是很急躁的，又在军队里办事，只怕因此闯出祸来，并且事情宣扬开去，对于我的名誉也有损害，故而终于隐忍着不响。我一等小帆从美国回来以后，我们便立即结婚，借此打断这无赖的妄想。

"瑞卿对于我们的婚事自然是十二分失望和嫉妒的。从此他便和小帆不往来，而且是势不两立。在局外人瞧起来，还以为是同业生妒，其实内幕中有着这样一种秘密。在我们结婚半年以后，小帆的诊务逐渐忙碌起来。沈瑞卿却因着堕胎的秘密终于破露了，受了法律的处分。他入狱以后，不但不悔悟，还以为他的秘密的破露是由于小帆的告发。这是那报信的成玉棠告诉我们的。其实这一点实在是冤枉。因为小帆虽也知道他的非法行为，曾面斥过他的罪恶，但因着我的劝阻，怕弄出意外的事情来，所以他实在不曾告发他。现在他越狱出来，竟敢公然来寻仇。我想起了前情，觉得这个人已经丧失了人性，像是一头害人的疯狗，留在世界上，只有害人，所以我就决心把他打死！”

“是！这个败类医生的确该死！”这是我的直觉的判断，当然也只有锢闭在我的胸臆中。这时候霍桑仍不插口，只有一声同情的叹息。

女人又说：“霍先生，我敢说一句坦白的话。我相信我的举动直接固然因我们间的私情，间接也可以说为社会除去了一头害物。现在你一切都已明白了。你如果觉得我在法律上应当抵罪，我也愿意受。我决不赖。”

故事太动人，我听得出神，几乎忘掉了我自己的任务，很想走近去，发泄几句闷在胸中的感慨和向伊说几句同情话。当然我的愿望不曾成遂，可是也没有落空。霍桑竟像代表我似的安慰伊。

他道：“吴夫人，别发愁。我已经说过了，我是不受公家的拘束的。我的职分在乎维持正义和公道，只要不越出正义和公道的范围，我一切都是自由的。你干这一回事，我觉得也在我所说的范围以内，我当然不愿意违反我的意志。”

“什么意思？”女子的声音有些颤，疑惑中含着惊喜。

霍桑答道：“没有什么。我认为像瑞卿这样的人，从正义的立场上看，是死不足惜的。你的行动在法律上虽还有讨论的余地，可是我不是法官，用不着表示什么意见。吴夫人，别的话再谈。时候已经不早，令兄怕要找你。这里很冷僻，可要我送你回去？”

谭娟英没有接受这建议，低低地像谢了一声，袅娜地回身走了。

这件案子的结束，我很觉满意。因着枪弹的证明，吴小帆因张康民的力辩，终于恢复了自由。他妻子谭娟英的故事，当时不曾给宣露。案中的凶手既然没法证实，便归结到那个不知谁何的按门铃的人，结果就形成一件悬案。

两天后在丹阳截获了两个逃犯，供出第三监狱越狱的事，主谋的实在就是沈瑞卿，所以他的死也是罪有应得。因沈瑞卿已往的唯利是图缺乏医德的行为和他所干的堕胎勾当，舆论方面早就鄙视他，都觉得他死有余辜，所以对于那行凶的人是谁，就也不愿深究。

我在这案子结束以后，曾问过霍桑，他凭了什么根据，才知道开枪的是娟英。霍桑的解释是很简单的。他告诉我起初因着证迹的牵引，绕了一个圈子。后来因着殷厅长提供的验尸结果的报告，枪弹是从背部打入的，这案子才有极大的转变。简单说一句，案中唯一的关键，就在那子弹的搜获。子弹是在书架上的报纸堆里发现的。这报纸堆接近窗口，从那里画一条直线，恰指着候诊室中的楼梯。因此，可见那发枪的人，不是从外面进去的，而是屋子里面的人。我们初步的假定，本着重在那按门铃的人，或者另有一个从外面进去的人。因着这直线的证明，霍桑才觉得那假定的错误。因为外来的人若使开枪，一定在门口就近下手，绝不会走到了扶梯脚边去，方才开枪。他进一步推想屋中的人，那时候只有娟英和女仆夏妈两个。女仆是个老态龙钟的老婆子，又缺乏动机，论情是应当除外的，于是那娟英本身就处于可疑的地位。伊起初既然知道伊丈夫的隐事，又曾想设法解救，可知伊对于沈瑞卿复仇的事情一定也十分关心，而且必早有准备。但当时的情状又恰正相反，伊自己说伊已经睡了。因此霍桑越觉这女人可疑，就布下了罗网，引伊投进来。在这一点上，霍桑曾向我说过几句话。

他说：“包朗，你是这件案子的目击证人，地位非常重要。发案当时的一切景状，你都眼见，我却不过听你转述。你既确信娟英是发案以后才受惊下楼的，我当初竟也听信了，险些被你蒙过。”

“什么？我蒙蔽你？”我自然有些不安。

霍桑笑一笑：“当然，你不是故意的。你别着恼，你也同样有功，至少可以将功抵过。”

“什么意思？你还打哑谜？”

“不，我告诉你。那时候你的观察很周密，转述时又十分忠实，不曾遗漏什么。这就是你的功。”

“喂，你还绕什么圈子？”我感到不耐。

霍桑仍宁静地说：“你向许署长报告的时候，曾描写娟英当时的衣饰容态，还说起那时伊的耳朵上戴一副垂挂的月环形细钻石的耳环。这是一种新式耳环，垂线很长。包朗，想一想，女子的耳朵上戴了这样的环子，临睡时大概总得卸去吧？伊既说已经归睡，被惊扰声所惊醒，才起身下楼。那么你想伊当时的处境，在起身以后，还能够从容整装，戴好了耳环，方才下楼来吗？不，这是反常的。从这一点推想，可知伊那时候实在还不曾睡；伊所说睡梦中仿佛听得枪声而不曾醒觉的话也分明是虚谎。因为伊既然关心丈夫的安危，在势绝不能先自安睡；即使先睡，也断不致如此酣熟，连枪声都不能使伊醒觉。包朗，你说这推想可合理？”

我点点头：“是，很合理。”

“好。这样我们便可以假定伊那时不但没有睡，而且还戒备着。伊一听得伊丈夫高呼的声音，势必立即拿了枪赶下楼来。伊一看见他们的仇人，便直接开了一枪，接着仍悄悄地回上楼去，希望卸罪给那个按门铃进来的人。你想对不对？”

“对。”

“这个假定，我也相信很近情，不过缺乏实际的证据，无从对证。我知道伊的父兄是有权位的。我贸贸然去查究，万一他们忘了理智，妄用他们职位的权威，那就说不定会肇出事来。所以我玩一个小把戏，写了一封秘信，亲自到银河路伊哥哥的家里，贿通了一个小使女，约娟英到公园里来谈判。这一回事虽也冒险，但比较起来是间接的。幸亏伊很知趣，单独地来，这件事总算得到了理想的解决。”

这案子的前因后果大体都已解释，只存一个最后的疑点，就是那个按门铃的人究竟是谁？这个人当时的动作和来意怎么样？霍桑对于这个疑点也曾费过一会儿工夫，可是没有成效。在十四日那天的下午，他曾到公园后面二十九号患中风病的王家里去问过，当上夜里吴小帆离了王家以后，曾否再差什么人跟踪到小帆家去。他们的答语是否定的。这不能不使霍桑感到失望。除此以外，霍桑也没有别的线路可以进行。

隔了三个星期，这无从索解的疑团，忽然在无意中被吴小帆自己打破。原来在公园路横路的建设路九十四号有一个李姓的住户，本也是吴小帆的老主顾。那晚上这李姓的主妇忽然感染痧气，所以打发了一个男仆叫寿荣的去请小帆。那仆人在吴医生门上捺了一会儿铃，忽然听得屋子里枪声一响，便吓得丧了魂魄似的奔逃回去。下一天凶案发作了，那李姓主仆怕被拖累，便把这件事隐匿不宣。后来案事结束了，小帆恢复了自由；日子又多了，外间已不注意这件事，那姓李的男主人偶然遇见小帆，私下谈起这事，方才把这个闷葫芦打破。

关于这一着，我也曾向霍桑打趣过一句："霍桑，你在这一点上不能不算是失败。这个人你到底不曾查出来。此番你不能居全功哩。"

霍桑忽一本正经地答道："包朗，你瞧我几时曾向人家讨过功？我所以这样子孜孜不倦，只因顾念着那些在奸吏、土棍、刁绅、恶霸势力下生活的同胞们。他们受种种不平的压迫，有些陷在黑狱中含冤受屈，没处呼援。我既然看不过，怎能不尽一分应尽的天职？我工作的报酬就在工作的本身。功不功完全不在我的意识中。"

一句趣语引出一番严肃的牢骚，那也是出我的意料的。幸亏转篷的仍旧是霍桑自己。

他笑一笑，说："包朗，你说我失败，我虽然没法卸避，不过我也有答辩。"

"唔？"

"我曾到公园路后面王家里去问过，也料到那按铃的人也许关系到医务。事实上这一点不是也在我的推想中吗？"

我不再答辩。一阵笑声结束了这一件曲折迷离的疑案。

乌骨鸡

来历不明的礼物

"咯咯咯！……咯咯！……咯咯咯！"

奇怪！这种声音在爱文路七十七号里面实在是难得听见的。这分明是鸡叫的声音，而且我推测鸡声是从我们的办公室中传出来的。我们何曾养什么鸡？即使暂时养几只备食的鸡，苏妈又何至于这样昏聩，竟把我们的办公室做鸡埘？

我心中这样思忖，我的两足早已跨上了石阶，就顺手推门进去。我们的男仆施桂立刻从楼梯下的小室中走出来。我正要问他，哪里来的咯咯咯的鸡声，他忽趋前一步，先向我招呼：

"包先生，你回来了。好！"

我点点头："霍先生回来了没有？"

施桂道："没有啊。他不是跟你一块儿出去的吗？"

那天午后，霍桑接到了民众工团团长许为公的电话，请他到云南路事务所里去会他。我也进城去看我的画友徐君，所以出门时虽然同行，后来就在电车上分路。这时他既然没有回来，谅必还在许为公那里。我并不和施桂说明，但把我所怀的疑团向他质问：

"施桂，方才我好像听得鸡叫的声音。我们寓所里可是有什么鸡？"

"是。真有一只鸡。"

“哪里来的？”

“一刻钟前有一个人把它送来，我正在等你们回来发落。”

“谁送来的？送给谁？”

施桂忽摇摇头，目瞪瞪地呆瞧着我，咬着嘴唇，一时似乎不知所答。我很疑惑，不等他的答话，立刻伸手推开办公室的门。

一只白毛紫冠的乌骨雄鸡赫然呈现在我的眼前。那鸡相当高大，似乎已在室中跳旋了好一会儿，地板上留下了两堆鸡粪。这时那鸡突然看见我进去，便益发乱转起来，咯咯咯的声音同时也加了高度。我不觉微微着恼。

施桂跟进来，期期地说：“包先生，这……这只鸡的来历确……确是有些古怪。我所以不敢把它关在厨房里，就因为要小心些。”

“喔，来历有些古怪？”我的好奇心给激动了，“那么这只鸡到底怎么样来的？你快说个明白，别吞吞吐吐。”

施桂说：“那送鸡的人先在大门上敲了几下。我走出去开门，看见是个中年男人。他忽轻轻地问我：‘喂，对不起，请问这里是不是侦探先生的住宅？’我回答他是的。他又问：‘那么你的主人在里面吗？’我觉得那人的面貌并不熟悉，神气有些诡秘，他的手中提着一只面粉袋，袋中在簌簌地动，我不知道是什么东西。我回答主人都出去了。他一听，连忙将袋打开来，从袋中提出一只乌骨鸡。他将鸡交给我，说是送给我家主人的。”

我问道：“他没有说送给哪一个？”

施佳道：“没有。他只说送给一位当侦探的先生。我觉得他说话太含糊，问他从哪里来，有没有信函或名片。他回答没有，只说他家的主人姓王。我又问他的主人叫什么名字。他似乎也说不出来，但含糊地说：‘你不必多问。你家主人自然知道。’他说完了，便匆匆走开，模样有些慌张。我虽不知道你们两位有没有这样一位姓王的朋友，可是那人的状态太可疑，不能不说近乎古怪。我不敢怠慢，就把这鸡小心地关在这里，等先生们回来发落。”

“咯咯咯！……咯咯！……咯咯！……”

鸡的神态安定了些。它像在倾听我们的谈话，从中自动地表示它的来历，可惜我不懂禽言。我和施桂的视线在那白鸡身上投射了一下，彼此又面面相觑。

我说：“奇怪！谁会送鸡给我们吃？……施桂，那是个何等样人？”

施桂答道：“他穿一件青布长衫，黑布鞋，白布袜，脸色苍黑，像是一个乡下人。可是我听他的口音，又像是久住在上海的。”

我想一想，又问：“他的话只有这几句？”

“是。”

“此外可还有什么别的可疑之处？”

“嗯……这个……他说话时轻声轻气，又不说明白，说完了就匆匆地走。这些我都觉得古怪。”

“好，你姑且出去，让我想一想再说。”

施桂退出去。我随手把办公室的门关上。我回头瞧那雄鸡，正在侧着头端详我。咯咯声停止了。我缓缓地走近一只沙发，坐下来仔细瞧视。

鸡的身体很大，称起来足有四斤多重，鸡喙和鸡爪都作青黑色，鸡冠是深紫的，羽毛虽是纯白，并没有什么光泽，却有些污暗。我国江苏一带本有优良的鸡种，像海门的九斤黄，并不输于西洋的来克亨，只因养鸡的农民智识太差，没人推广提倡，所以优种鸡有渐渐消失的危险。我虽不曾研究过养鸡，但估量这鸡还没有长足，长足了一定还要更高大，它的种大概也不坏。

这一只鸡如果是平常人家的一种礼物，原也算不得轻微，但据情势而论，我敢说这不像是有什么人好意送给我们的礼物。施桂说那人像是个乡下人，似乎有什么穷苦的人，直接或间接受过我们的恩惠，我们虽不记得他姓王姓张，他却感念不忘，特地送一只鸡来报答我们。这是一种近情理的假定。但他明明说他家主人姓王，他是替主人送来的。我想不出近来曾给哪一个姓王的人干过什么事情。那就和我所假定的推想合不上。况且他既然给主人送礼，怎么又偷偷掩掩？送礼也有固定的规格，八色四色，至少也得两色，怎么单单送一只鸡？而且把鸡装在面粉袋里，也有些不类。此外不但没有主人的信函或名片，连受礼的人的姓名，他都没有弄清楚，只说是一位当侦探的先生。这真是再奇怪没有。

我默默地忖度："我看这鸡的来路一定不是好意。可是有什么作用呢？难道这是偷来的东西，想来栽赃陷害我们？如果如此，那也太滑稽了。因为凭我们在社会上的信用和名誉，绝没有人相信我们会干这种偷鸡的勾当。假使果真有人要诬害我们，那人未免要弄巧成拙。此外还有一个推想，或是有什么怀怨我们的人，特地送一只含毒的鸡，企图害我们。但是这一只鸡分明是鲜健活泼的，绝不至于有毒，并且即使有毒，那人也不能断定我们一定吃它。这一层推想也太空虚了。那么这一只鸡到底有什么作用呢？"

脑细胞消耗了不少，可是我再也猜不透这个哑谜。我立起身来，想吸一支烟。我起身的动作太急促了，不提防惊动了那只怪鸡。它一边在室中乱旋乱舞，一边又张开了嘴，咯咯地骇叫。我一见这状，脑室中又产生一种新奇的推想。因为那鸡叫的时候，鸡嘴张得很大，如果有什么巨价的珍珠宝石，尽可以容纳下去。我记得夏洛克·福尔摩斯的探案中，有一件鹅腹中藏宝的案子。莫非这鸡腹中也会藏着什么宝物？假使如此，那宝物是谁偷的？谁藏进去的？并且鸡腹中既已藏了宝物，为什么又送到我们这里来？这么一想，我的推想又变成了空中楼阁。我们是从事侦探事务的，如果有人偷了东西，巧妙地藏在鸡腹里面，那就断不会再把这藏宝的鸡送到我们的手里来。

四面都是坚固的石壁，我实在找不出出路，决计节约我的脑力，等霍桑回来解决。我从烟匣中取出了一支纸烟，烧着了重新轻轻地归座，预备养神休息。不料我才吸了一口烟，电话室中的铃声突地响动起来。

我料想也许是霍桑从许为公那里打回来的，就急急地去接电话。那鸡再度受惊地乱旋。电话是开封路杨公馆里打来的。杨家是我们的老主顾。两个月前，他家里发生过一件失踪案，是霍桑替他破案的。这时打电话来的就是他家的主人杨少山。经过了简短招呼，他慌忙地问我：

"霍先生在寓里吗？"

"他出去了，但大概即刻就要回来。杨先生有什么事？"

"我有一件要紧事情，要和他商量。"

"什么事？"

"唔，电话中不便说。包先生，对不起。"

"那么我等他一回来，就叫他去看你。"

杨少山是个五十多岁的小官僚，当过几任烟酒局的差使，手中着实有几个钱。上月里大世界举行赛珍会，他得到第三名锦标。此刻他说有要紧事和霍桑商量，性质大概不会平凡。可是霍桑还不回来，我又不便代表他。他为什么耽搁得这样长久？莫非他在许为公那里得到了什么案子？万一他因着闲谈的缘故，回来得太晚，岂不会坐失机会？其实除了杨家的问题，还有这一只奇怪的鸡也得等他回来解决。我坐定了，经过一度思索，我假定霍桑的朋友中间，也许真有什么姓王的人，不如先打个电话问问明白。

我重新缓步走进电话室去，想打个电话给民众工团，催霍桑早些回来。我还没有走到电话箱前，电铃忽又第二次响动。这又是杨少山打来的。他听说霍桑还没回来，很慌急，就请我先去。他的声音非常急迫和惊慌。我只得权且应允了。接着我仍打电话给许为公，预备叫霍桑直接往开封路杨家去。不料许君回言，霍桑已经从他那里动身回来了。我怕杨少山心焦，不再等待，叮嘱施桂，一等霍桑回寓，就叫他往杨家去。我自个儿先走。

玫瑰珠

杨少山家里有一间精致的书室。我们前次去过，看见里面陈设了许多古董和书画，布置非常雅洁。这时已交初夏，杨少山已不在书室里见客，却把后园中的一间小轩当作客室。这小轩我们先前也曾到过，窗明几净，环境也很幽雅。但是那时我一走进去，这小轩已换了面目，一切器物都杂乱无序，显得新近曾经移动过。

杨少山穿着一件白印度绸长衫，肥白的脸上显着无可掩饰的焦急。他一看见我，深深地作了一个揖，就睁着圆黑的眼睛，慌忙地向我说话。

他说："包先生，我家里的一粒火齐珠，你……你想必已经看见过了，是不是？"

我的确听得过，这老头儿有古董癖，收藏确不少。他有一粒玫瑰色的宝珠，非常名贵，但我实在没有赏识过。这时候我并不必和他分辩。

我含糊地应道："唔，这粒珠子现在怎么样？可是——？"

"是，今天早晨忽然失去了！"

他的声音虽低，但有些颤抖，他的黑眼也睁大了。我仍保持我的镇静：

"你别慌。珠子怎么样失去的？"

"唉，很奇怪！包先生，你总也知道这粒珠子是我在两年前买来的，原价只有五千六百块钱，我本来并不怎样看重它。但是上月里它在赛珍会里陈列了一次，竟引起了许多人的赏识，都说它是名贵的东西。本星期一，有一个贩珠宝的掮客，叫严福生，也闻名要来瞧瞧我的珠子。他瞧过之后，说了一句无意识的评语。他说这珠子并不怎样好，他也有一粒，光色比我的一粒还好得多。我不相信他。他就和我约定，今天早晨拿他的珠子来给我瞧。我应许了。今天十点钟光景，他果然带了他的一粒玫瑰珠来。他的珠子虽然比我的一粒大些，可是没有我的那么圆整，并且珠子的一端还有一点细微的白瑕。他却说他的珠子的光彩比我的一粒好得多。我不服气，就重新将我的珠子取出来，准备和他比一比。哎哟！谁知因这一比，竟把我的珠子比掉了！"

杨少山的气息加急些，圆睁着两眼，停顿了不说下去。他狞视着我，好像我就是那个掮客严福生，简直要和我拼命。我仍宁谧地答复他。

我说："杨先生，你这话指什么？可是你的珠子比不过他的？还是——？"

少山忙摇手道："不，不是。我的珠子竟因此失掉了！"

"奇怪！怎么样失去的？"

"当我将两粒珠子放在手掌中比较的时候，忽然听得厨房中大声喊失火。我自然吃惊，仓皇中顺手将珠子向这桌子上一丢，急急奔到这一扇门口。我正要奔出去瞧，小使女菊青走进来报告，说灶前有一小堆木花，不知怎的着了火，下灶的阿二看见了，吃一吓，便叫起来；但火一会儿就扑灭，并没有闯祸。我定心些，就站住了不再出去。严福生也走到我的身旁来听消息，听得没有事，就跟我回到这桌子旁边来。不料桌面上空空，珠子已经不见了！"

"不见了？可是两粒珠子都不见了？"

"是，当时果真两粒珠子都不见，但后来在墙脚下拾得一粒，才知道我在惊慌中顺手一丢，珠子就从桌面上反弹下去。"

"是，这见解很合理。那么那拾得的一粒当然就是严福生自己带来的一粒，是不是？"

"是啊。那时我们俩竭力地找过，可是寻来寻去，只有一粒。包先生，你想岂不太奇怪？"

我静一静，把这事的局势略略思考，才有条理地向他查问。

我问道："那时候这一间小轩中，可是只有你和那珠宝掮客两个人？"

"是。"少山应了一句，又迟疑道，"就情势论，福生果然处于嫌疑的地位。但是这个人有些声价，以前也和我交易过一次。我瞧他的态度，似乎不像会偷窃。”

“你相信他是个正经人？”

“是。并且他已经表明过心迹，所以我不能再疑他。”

“他怎样表明心迹？”

“他看见了这个岔子，觉得非常难过，就自己宣言，自愿把衣裳鞋子脱开来给我检验。他穿一件白熟罗长衫，黑纱马褂，里面也是一套单衣，身上原不容易藏匿。他又将他的一只小皮夹翻开来，叫我搜验。皮夹中只有一百多元钞票，和一只镶翡翠的戒指，实在没有我的珠子。”

我把视线在这小轩中打了一个旋，又提出一个问句：

“那个报信的小使女怎么样？伊可曾走进这小轩中来？”

“没有。菊青只在这一扇门口站过一站，没有走进来。”他又指示这小轩的一扇淡灰漆的木门。

我瞧见轩门外面有一条卵石砌的小径，径旁种着锦葵一类的草花，衬着细长鲜绿的书带草，原来是后园的一部分。我指着那只位置不正的红木小圆桌，继续问话：

“这一张桌子起先就放在中央的？”

“不，起先是靠壁放的，刚才寻珠子，才把它移开来。包先生，你有什么意思？”

“我想这桌子若使是放在中央的，那么，珠子反弹的时候，也许会跳到轩门外面去。但当初桌子既然是靠壁放，似乎跳不到这么远。”

“对，我想不会跳出去。因为我丢珠子时候，不会这样重。况且福生的一粒明明是落在里面的墙脚下的。”

“不错。但你再仔细想一想，除了这小使女以外，事前事后，可还有没有别的人到过这里？”

杨少山低垂了头，沉吟一下，才吞吐地回答：

“我……我确实记得，事前只有我们两个人。”

“那么事后呢？”

“嗯……没有……”

他不说下去，但他的脸上明明告诉我他隐藏着什么秘密。

我又说：“杨先生，你既然要把这一件事请教，就得把当时的经过情形完全说明白才是。”

少山觉得我的语气中有些冷意，忙抬头继续道：“若说事发以后，我的三姨太太也曾到这里来过一次。伊也是因为厨房中惊呼的声音下来的。不过伊进来时我们已经在这里仔细寻过，并且在严福生表明心迹之后。所以伊和这一件事一定没有关系。”

事情夹杂了一个什么姨太太在里面，未免有些复杂了。局势很尴尬，我自问我的能力干不了，还是等霍桑来吧。我摸出表来瞧瞧，我们已经谈了十多分钟，霍桑怎么还不来？

我敷衍一句道：“现在已经四点钟了。你的珠子分明是午前失去的。你为什么不早些通知我们？”

少山道：“这也有缘故。我们搜寻完毕的时候，已近十二点钟。那时我还有一个希望，以为珠子也许漏进了地板洞里去。包先生，你瞧，那边壁角的地板上，不是有一个小洞足以容得下一粒珠子吗？所以当时我并不声张，只吩咐把小轩锁起来。吃过饭后，我差打杂金宝去叫了一个木匠来，把壁角边的地板撬开来寻觅。但是撬开地板之后，仍旧不见珠子。我才没有办法，不得不来烦劳你们。”

“原来如此。那么木匠撬地板的时候，你在旁边监视吗？”

“是。我看得清楚，那木匠绝不能做什么手脚。”

“这样说，真是太奇怪了！珠子往哪里去了呢？”

我的嘴里虽这样说，心中却相信这一件事表面上看似奇怪，内中一定另有黑幕。因为珠子既不能插翼飞去，势必是有人取去的。取珠的人是谁？这疑问似乎又应分有意无意两层。若说无意中取珠的人，那姨太太就有很大的嫌疑。至于有意盗窃，那不但严福生可疑，另外势必还有同谋的人。因为恰在杨少山比珠的时候，厨房中忽然失火骇叫，未免太凑巧。从这疑点上推测，这里面一定另有人通同串窃。但那个通谋的人是谁？不就是发声喊叫的阿二吗？此外还有一个问题，珠子怎样运出去的？我想到这里，我的思路好似推车撞壁，再不能够前进了。我从哪一条路着手？还是静坐着等霍桑来了再说？

咯咯咯！咯咯咯！

我的耳朵中忽然接受一种在不久以前曾经刺激过我的好奇心的声音。这声音一到达我的脑神经，我本能地想起了福尔摩斯的探案，进一步就和我先前留着的推想来一个印合，立即驱使我发出一个突兀的问句。

我问道：“杨先生，你家里养着鸡吗？”

杨少山不提防我问这句话，睁圆了黑眼，呆一呆。

他摇摇头：“没有啊。包先生，你怎么有这问句？”

我道：“我明明听得鸡叫的声音。你为什么瞒我？”

少山眨几下眼，点点头，忽似记起一件事。

他忙赔笑道：“唉，不错。包先生，你可是说那只乌骨鸡？”

“哼！乌骨鸡！”我的心房突然地乱跳，我的声音也显然失了常态。

“包先生，什么意思？”他也不禁诧异起来。

我定定神，恢复了常态，说："没有什么。我听得了鸡叫声音，随便问一句。你说你家有乌骨鸡？"

少山道："是啊。因为上星期六晚上，我的孩子杏宝忽然患惊风症，内人听说乌骨鸡有收惊的功用，收三四次可以见效，所以特地到隔壁黄家去借了一只乌骨鸡来——"

"借了一只乌骨鸡？"

"是。"

"鸡呢？"

"鸡还没有送回去，你既然听得声音，大概还在后园里。"

他昂起了头，向轩门外瞧瞧。我也模仿着，可是瞧不见鸡。

我又问道："你家里只有这一只乌骨鸡？"

"是。"

"没有别的鸡？"

"没有。"

我又顿住了。因为我一听到乌骨鸡的字样，回想我刚才在寓所中时的推想，两两相证，似乎有些合拍，自然不禁暗暗地欢喜。但是杨少山又说他只借一只鸡。我明明听得咯咯咯的鸡声，显见那只借来的鸡还在。那么，我们寓里的一只乌骨鸡当然是另外一只了。这样一想，不但我有些神经过敏，还显得我因着无路可走，才这样子穷思极想。虽然如此，我脑室中的鸡腹藏珠的幻想一时还不肯消灭。

我又问道："杨先生，我还有一个题外的问句。当你们听得失火惊乱的时候，你可曾觉得有鸡走进这里来？"

少山瞠目道："这个……这个我没有注意。"

我低下头去。有意无意间我的眼睛在地板上做一种新的视察。

“唉！”

一种惊呼声不由自主地冲破了我的喉关。

推想的证实

我的骇叫是凭空而发的吗？不。在那小轩的东壁角的一只红木小茶几旁边，我忽然发现一小粒深棕色的鸡粪。鸡粪的颜色和广漆的地板差不了多少，起初我又不曾注意鸡，故而没有看见。现在这粒鸡粪足以显示曾经有鸡进来过。而且鸡粪的左近还有一小段麻线，好似那鸡预先被人缚在壁角里，后来麻线给刀割断了，鸡才走出去。那么我先前的推想到底并不是神经过敏哩！

杨少山忽惶然问我道：“包先生，怎么样？你可是发现了什么？”

“是，我觉得——”我顿住了，一转念间忽又产生了一种新的见解，“杨先生，你说那只乌骨鸡还是上星期借来的？”

“是啊，上星期六夜里。今天是星期三，已经借了四天，不过你怎么提起这只鸡？这些问句到底有什么意思？”

“我有一种推想，说出来觉得有些突兀，不过说不定会有关系。现在你姑且领我去瞧瞧那只鸡再说。”

少山仍莫名其妙地怀着疑团。他呆住了，不肯领我出去。他用诧异的眼光，眼睁睁地瞧着我的面孔，好似把我当作疯人一般。

我解释道：“杨先生，别发呆。话虽然突兀，但事实上这只鸡和你的失掉的珠子也许有关系——”

他剪住我说：“什么？它会和珠子有关系？怎样的关系？

你快说！”

我说：“关系很简单，也很巧。现在有个先决问题。据我推想，你的那只鸡已经被人换过一只了。你听听，它不是还在那里咯咯咯地叫不停吗？你先前的鸡既然在这里养了四天，大概应当驯熟了。你听，这样的叫声分明是一只新鸡。现在别多说，你快领我去瞧瞧。”

少山还是半信半疑地说：“你要瞧鸡并不难，它就在外面园里。”

我们走出小轩门，过了卵石径，在一棵梧桐底下，果然看见一只白羽紫冠的乌骨鸡。那鸡仍不住地在啼叫，并且在园中乱走，显见因着换了一个新的环境，在哪都足以使它惊恐。杨少山走近去。那鸡更加惊恐，扑扑地旋了几个圈子，飞奔往园的那一边去。这现象使我的推想上加上一重保障，不禁暗暗地高兴。我的见解虽突兀，但实际上有它的正确性。

杨少山惊异地呼道：“唉！奇怪！这一只鸡似乎小一些了！”

我忙拉拉他的衣袖，附着他的耳朵警告：“轻声些！我问你，你从黄家借来的那只鸡不是比这一只高一些吗？”

“唔，是。”

“那只鸡足有四斤多吧？”

“嗯，这个……这个我没有称过，总之比这一只大。”

“它的颜色也比不上这一只洁白，是不是？”

“嗯，这个我也说不出。包先生，你怎么知道那只原有的鸡？”

“我们里面去谈。”

我们回进小轩之后，杨少山再忍耐不住。他拉我坐下了，低头向我质问。

他说："包先生，这到底是什么一回事？鸡怎么会和珠子有关系？鸡果然好像给换了一只。但是谁换的？并且为什么换？"

我答道："你还不明白？我告诉你，你的珠子所以寻不到，就因着给什么人藏在鸡腹里面运出去了！"

少山突然跳起来："唉！有这样的事？"

"是，我相信如此。"

"太奇怪！包先生，你说得明白些。我真不懂。"

我就指着那粒鸡粪和半段断绳，把刚才构成的推想向他解释一遍。

杨少山沉吟了一下，答道："包先生，你的推想可以算得突如其来。我真佩服你的聪敏。你怎么会想得到？"

我笑着说："这不是我的聪敏，是碰巧。"

"唉，碰巧？那么你想实在不实在？"

"我相信是可能的。"

"那么那串通窃珠的人是谁？那只给换去的鸡又往哪里去找？"

我想一想，说："第一个问题，我此刻还不能解决，少停等敝友霍桑来了再说。第二个问题，我有几分把握。你如果愿意跟我出去走一遭，也许马上就可以有珠还的希望。"

"真好。跟你往哪里去？"

"往爱文路七十七号敝寓里去。"

少山的肥脸上又现出疑惑状来。他的眼睛中又射出莫名其妙的光彩，再度表演那种眼瞪瞪的呆状。

我说："老实对你说，你的那一只给换去的鸡，就在我们的寓所里。"

"什么？鸡在你们寓所里？"

“是。”

“那就是腹中藏珠子的一只？”

“正是。”

“那么你确信我的火齐珠就在你们的寓所里？”

“确字虽还不敢说，但是这样的巧合实在是难得的。因此，我敢说十分之六我的推想是实在的。”

杨少山抹抹额汗，舒一口气：“太奇怪！那只鸡又怎么会到你们的手里去？”

我摇摇头：“事情的确太突兀，我也还弄不明白。”

他又说：“你们既然得到了我的鸡，为什么不早些告诉我一声啊？”

这一句似乎问得太没有意义。其实他是一个被蒙在鼓中的人，我只能原谅他。我就将得鸡的情形约略地向他说明。

他仍半明半昧地诧异道：“这真是奇怪的事！但那个送鸡的人是谁？他既然利用那只鸡偷了珠子，为什么又把鸡送给你们？”

我答道：“这是两个谜，到眼前为止，我的脑力还不能解释。其实这两点也不必着急解释。我们此刻所急的，就在把你的原珠追回来。”

他兴奋地说：“对！对！包先生，你想我的珠子一定在你们寓所里？一定追得回来？”

我皱眉道：“你别把我当作保险掮客看待啊。我因为事情太凑巧，才构成了这一个推想，实在不实在，走一趟马上可以证明。现在霍桑没有来，我们反正不能干什么事，趁空去一趟，至多耗费你一些汽油。你何必这样子狐疑不决？”

少山才诺诺连声，不再犹豫。他立即吩咐准备汽车，只说要出去散散，在佣仆面前并没有说明往哪里去。这是我授意的。

五分钟后，我们的汽车已向爱文路进驶。汽车进行得很快，我的脑思也一样地奔腾不定。

这一着我如果没有料错，这小小的疑案当然立刻就可以破获。这是值得庆幸的一回事。因为我和霍桑共事以来，有时候虽也谈言微中，好几次看透过案中的窍要，但究竟没有独自成功过一件事。这一次事出意料，造成了我的独力破案的机会，我自然感到高兴。我把这两件事两两印合，相信有七八分可能性。假使果真如愿，霍桑对于我的想象力的进步，当然会有一番赞美。

汽车在主客们相对无言中进驶，不一会儿，就到达我们的寓前。我首先跳下车来，杨少山也紧跟着。我走进铁条门时，忽见前门开着。我站一站，暗忖可是霍桑已经回来了？怎么没有声音？施桂听得我们进门后的步声，从后面走出来招呼。我还没有开口，杨少山已抢着问话：

“鸡在哪里？”

施桂向他瞧一瞧，用手指指着办公室的室门：

“在里面。”

我也问道：“霍先生回来了吗？”

施桂答道：“还没有。但是有一位客人，说有一件要紧的案子要请教，现在还等在里面呢。”

一种不可名状的感觉袭击我，使我站住了犹豫一下。我的听觉失了常度吗？

我不再答话，急急把办公室的门推开，我的视线一射到里面，不由得打一个寒噤。办公室中空空如也！客人呢？连先前的那一只乌骨鸡也没有影踪了！

“鸡呢？……鸡在哪里？”

杨少山催逼着要我答话。施桂也睁大了眼，跟随在门口。

窘吗？自然！我的眼睛注视在地板上，好似要透过了地板瞧鸡，可是只看见地板上多了一堆鸡粪。

“鸡呢？包先生，你说的那只乌骨鸡呢？”杨少山再逼我。

停一停，我才勉强答道：“杨先生，请原谅。我怕这里也发生了窃案哩！”

“什么？窃案？”

“是。侦探们的寓里失窃，原是一件笑话，但这事只能怪我们的仆人失于谨慎。”

施桂嗫嚅地说：“哎哟，鸡……鸡给那客人偷去了吗？”

杨少山抢着道：“包先生，可是我的一只鸡又被人偷去了？”

我的两颊上觉得很热，眼睑上也加了重量，我的头再也抬不起来。可是我仍维持着残剩的定力。

我答道：“正是。可是因这一偷，我们在侦查的途径上并不能算失败，却反而进一步。”

杨少山瞧着我的脸，冷冷地说：“唉！有进步？”

我毅然地仰起目光，正色道：“是。我告诉你。我起先说你家被换的那只鸡，就是我们所得到的那一只不知来历的鸡，原只是一个推想。现在这鸡又被人偷了去，分明这一只鸡的肚子里真的藏着珍珠，那人才冒险来偷。那么我的推想不是因此被证实了吗？”

杨少山领悟地点点头：“唉！不错。我明白了。但是那偷鸡的人又是谁？”他向我瞧瞧，又回头去瞧施桂。

我答道：“这问题容易明白。无论如何，我们已经知道你的珠子实在是被人设计偷去的；而且这偷珠的人并不是外来的陌生人。从这一条路上进行，不但偷鸡的人可以查明，你的珠子也当然可以追回来。”

少山道：“话固然不错，可是你用什么方法去追回来？”

我应道：“方法自然有，你别急躁。”

我旋转去瞧施桂，向他招招手。施桂本站在门口，面色灰白，状态局促不安。他走前一步，自动地解释：

“包先生，这实在是我的过失。那客人进来的时候，神色很慌张，我以为他真的遭到了什么不幸的事，才来请教先生们。我想霍先生即刻就要回来，又看见他走得喘吁吁，才开了办公室门，请他坐一坐等待。谁想得到他是一个偷鸡贼？”

我道：“好，你不必辩了。你告诉我那人是个何等样人。”

施桂道：“他的个子不高，三十多岁，尖下巴，脸色黑苍苍，身上穿一件白罗长衫，玄纱马褂，头上戴巴拿马草帽。我瞧他的打扮，和先前送鸡来的人不同，明明是一个上流人——”

“哼！”

施桂的话还没有完，杨少山忽而哼了一声，接着一言不发，突地旋转身子向外就走。

偷鸡人

事情很突兀。他的走一定有理由，可是留下的是一个囫囵的疑团。我一把将他拉住：

“你往哪里去？”

“我去瞧那个偷鸡贼！”

“你已知道了那个人是谁？”

“是。”

杨少山点点头，又回身要走。我仍捉住他的手腕：

“慢。那个人是谁？你得说明白了再走。”

“严福生！”

“喔，果真是他？现在你往哪里去找他？”

“他住在春申旅馆。我就到那里去瞧他。”

“你别忙。你想他既然干了这样的勾当，难道还会在旅馆里等候你不成？”

少山的圆眼转一转，才站住了不走。我也就松了手。

杨少山说：“不错。他此刻也许会逃匿到别处去了。包先生，你想我们怎样去追他？”

一阵熟悉的脚步声音从石级上传进来，阻住了我的答语。

施桂作惊喜声道：“霍先生回来了！”

霍桑缓步踱进办公室来，他穿的是一套糙米色山东府绸的西装，白皮鞋，嘴里衔着白金龙，右手执着草帽，他的那根嵌银丝的黑漆手杖钩在他的左腕上。

杨少山忙拱拱手，招呼道：“霍先生，我等你好久了！这件事碰了壁，不能不等你来结束了。”

老实说，这句话我不大愿意听。我不是有什么妒忌心，要自夸我的本领超出霍桑，但杨少山的口气简直完全不把我放在眼里，实在有些难堪。

霍桑向杨少山点点头：“杨先生，请坐。”他放了草帽和手杖，回头来瞧我：“包朗，坐啊，这是一件什么事？你不是已经忙了好一会儿了吗？”他慢慢地坐下来。

我也坐下来，答道：“正是。起初我得到了一只不可思议的乌骨鸡，后来又得到这位杨先生的两次电话。我赶得去，听说他失落了一粒玫瑰珠，他家里的一只乌骨鸡也分明给人换掉了。我揣度情势，把这两件事合而为一，就赶回来寻鸡，不料鸡已被一个人偷了去，才知道我的并合的设想虽然成立，却还不能够就此结束。”

施桂又自动补充得鸡和失鸡的经过。杨少山也约略地说明他失珠的情形，霍桑仔细地倾听，略一沉吟，方始表示。

他说：“原来是一件失珠案。杨先生，这是一粒红色巨价的玫瑰珠？”

杨少山应道：“是。巨价虽说不上，可是这东西是我心爱的。”他又拱拱手：“霍先生，你得赶紧给我想个法子。”

霍桑道：“现在你既然知道了那个偷鸡人，当然可以循迹去找。你何必再着急？”

“我怕严福生会逃走，追不到他。”

“你姑且说说看，他是个什么样人。”

“他有个黑苍的脸，尖下巴，身上穿一件白熟罗长衫，元色铁机纱马褂——”

霍桑突然接口道：“他不是身材矮小，头上还戴一顶龙须草草帽吗？”

杨少山一听，不由得怔一怔，哆开了嘴向霍桑呆瞧。我的情绪也够紧张，连施桂也不例外，张大了眼睛在纳罕。

少山急忙道：“霍先生，你也认识他？”

霍桑道：“不是，我只瞧见过他。”

我也插口道：“你在什么时候瞧见他？

霍桑道：“大约在十五分钟以前吧。”

我惊喜道：“这样说，那时候他一定就是从这里出去的。”

霍桑点点头：“对，你的料想真不错。我还看见他的左腋下面挟着一个包。”

少山跳起来，惊呼道：“那包里面一定就是我的一只乌骨鸡了！”

霍桑又点点头，宁静地说：“是，这是当然无疑的。可是你用不着这样兴奋。请坐下来。”

少山一边用白巾抹着胖脸上的汗，一边重新坐下来：“霍先生，你可有方法把他追回来？”

霍桑淡然地答道：“别着急。这个人早已在我们的手中了。”

杨少山所坐的那只沙发上的弹簧仿佛突然间加强了弹力。他才刚接触那椅子，又陡地跳起来。他的两粒乌黑的眼珠几乎突出眶外，嘴也张了一张，仿佛要喊出来，却终于忍住了。我也觉得霍桑的话太突兀。他虽看见过严福生，但当时既然不知道他是一个偷鸡贼，怎么会贸贸然将他拿住？或者这一句话只有安慰作用吧？

霍桑继续道：“杨先生，安心些。我说给你听。我本领着汪银林一同到这里来，你总也知道他是警察总署的侦探长。当我们在仁德路下电车的时候，忽然见一个人从爱文路转弯过来。那人的状态很慌张，腋下还挟着一个包，不由得引起我们的疑心。可是他的打扮像一个上流人，我们又不便就上去盘问。汪银林决意尾随他的踪迹。我们就暂时分手。我一个人步行回来。”

杨少山道：“这样说，你此刻还没有知道严福生在哪里呢。”

霍桑道：“是。不过汪银林一定知道。他本来要和我商量另一件案子，回头一定要到这里来。所以严福生的踪迹，少停我们就可以知道。”

杨少山的神色自然了些。他又摸出白巾来抹汗，虽已有些希望，但仍压不住他内心的焦急。

我乘机道：“我们趁这空儿，不如把案情分析一下，免得坐等心焦。”

少山忙应道：“好，我本来想弄个明白。”

霍桑也说：“那么包朗，你先把你的意见说说看。”

霍桑取出两支白金龙来，他和我彼此擦火烧着。杨少山不吸烟，勉强静坐着听。

我吸了几口烟，说：“照目前的情形论，这案子的内幕大体已经明白。杨先生的玫瑰珠一定是被严福生串通了宅中的某一个人设计偷去的。他们得珠之后，或是分赃不均，或是另有什么别的缘故，彼此发生争执。内中一个人就负气地将那藏珠的鸡送给我们，企图让严福生冒险来取，投进法网里来。因为据那个送鸡给我们的人推想，严福生好容易利用了鸡，偷得了那粒名贵的珠子，忽又平白地给人把鸡送掉了，他自然不甘心，势必会不顾利害，赶到我们这里来。那送鸡的人也一定以为我们是当侦探的，东西到了我们手里，当然不容易取还，不但如此，严福生却反而有落网被捕的危险——”

杨少山忽插口道：“可是事实恰正相反，侦探们家里竟然也失窃了！”

我道：“你别取笑。他有本领来偷，我们也自然有本领把他拿住。你放心，你的珠子绝不至于落空。”

少山道：“但愿如此。但你说的那个通谋的人究竟是谁？”

“大概是你家里的人。”

“唔？我家里的人？男人还是女人？”

我记起了施桂所说的那个送鸡的人的装束，问道：“你宅中的男仆中间可有一个穿青布长衫的？”

少山想一想，摇头道："没有。我家里的男仆都穿短衣。"

霍桑吐出一口烟，婉声道："衣裳是可以改变的，还是说状貌靠得住。"

施桂仍逗留在门口，自动接着说："他说上海口音，脸色苍黑，像是个乡下人。"

少山沉吟道："若说面色苍黑，操上海口音的人，我家里有两个，一个是新来的打杂差的金宝，来了才一个多月；一个是当下灶的丁阿二，已经做两三年。他们的模样都像乡下人。"

我记得那个在失珠时叫喊失火的人就是阿二：

"对了。那通谋的人大概是阿二。这个人不但面貌相合，而且不先不后，在你们瞧珠子时忽然喊失火，一定是预先约定的。"铃铃铃！……铃铃铃！……电话铃响了。霍桑立刻放了烟，立起来，走进电话室去接电话。他让电话室的门开着，谈话声我们都听得见。

他说："你是银林兄？……唉，我先问一句，那个人的踪迹可曾查明白？……唔，他住在北浙江路兴发旅馆十八号？……喔，他是个体面的珠宝商人？哈哈！……好，我等你。回头谈。"

霍桑回进来时，杨少山早已立起来，又连连拱着手。

他道："这样好极了。霍先生，他既然在兴发旅馆，现在就烦劳你走一趟，马上把他拘住了。"

霍桑低头想一想，又仰目瞧瞧我的面。他答道："杨先生，请原谅，我不能去。我还有别的事要等汪银林来商量。这件事包朗兄一定能够胜任，你尽可放心。他的识见和魄力有时候还超出我上呢。"

杨少山忙旋转身来，赔着笑脸，说："那么，包先生，只能再劳驾一次了。对不起，对不起。”

他的拱手的动作连续着，胖白的脸上堆着难看的笑容，活现出一副见风使篷的小官僚的本相。我本来有些不高兴，但霍桑既然给我戴上了一顶炭篓子，杨少山又这样低首下心，我似乎不便推辞。于是五分钟后，我们重新上了汽车，开始向北浙江路行进。

兴发旅馆是一个两层楼的中等客寓。我们走进去时，杨少山抢先一步，走进账房里去，问有没有一位姓严的客人。那司账的已上了些年纪，脑子似乎不很敏捷，他想了一想，方才回答：

“可是一位山东人，叫严仁卿的？他刚才已经动身了。”

我上前接口道：“不是。我们要问一位住在十八号里的客人。”

司账的又迟疑了一会儿，翻一翻账册，才道：“十八号里的？……唔，刚才也有人问起过。可是他并不姓严。他姓姜，做珠宝生意，是一位身材短小——”

我急忙应道：“不错。就是这一位。现在他还在里面吗？”

账房道：“不多一刻，我看见他进来，还没有看见他出去，大概还在楼上。你们自己上去问吧。”

我点点头，回身就退出。杨少山也跟着上楼。到了楼上，我向一个少年茶房问十八号里的姜姓客人。

茶房道：“你们问今天下午才来的那位姜先生吗？他出去了还不到五分钟。”

杨少山呆住了，倒抽一口冷气。我的一团高兴顿时变成沮丧。事情本像可以一举成功，不料还有意外的枝节。

我又问茶房道：“你确实看见他出去的？”

“自然。”茶房引手指一指一扇室门，“那就是十八号，是我替他锁的门。”

人事的变幻真是太不可思议了。机运照顾你时，事情会特别凑巧；可是它溜走了，又会处处碰壁。霍桑虽竭力抬举我，却偏偏事不顺手。此刻要追踪，我又往哪里去寻？

杨少山问道：“包先生，怎么办？”

怎么办？这正是我要提出的问句。我不理他，继续问那小伙子。

我又问：“他出去时可曾对你说什么话？”

茶房摇摇头：“没有。”

“你说他今天午后才来的？”

“是。他进来时三点钟已经敲过。”

“他一个人来的？”

“是。”

“可有别的人来访过他？”

“没有。他进来了不多一刻，就出去，直到半点钟前方才回来；可是一会儿他又匆匆地走了。”

“他在半点钟前回寓时，你可曾见他手里有什么东西？”

那少年忽搔搔头，追想了一下，答道：“唔，有的。我仿佛看见他带来一个白布的包，这个包他方才又带出去了。”

我瞧瞧少山，点点头，暗示这个包中一定就是那只乌骨鸡。少山也会意地点点头。

他懊恼地说：“可惜！我们迟到一步，又错过了机会。现在我们到哪里去找？还是在这里等他？”

我说：“坐着等不是办法。无论如何，我们看看他的房间再说。”我又回头向茶房道：“你把十八号室开了，我们要瞧瞧。”

茶房听了我们的交谈，兀自向我们俩端详，似乎有些怀疑，不肯答应。

我说：“放心。我们都是上等人。你快开。”

杨少山也说：“看一看没有关系。你尽管站在一起瞧好了。”

茶房无奈，就拿钥匙开了房门，跟我们一同进去。我们一踏进去，第一种接触我们的眼光的东西，就是楼板上有几片雪白的鸡毛和几点鲜红的血！

杨少山突然高叫道：“哎哟！他已经把鸡杀掉了！”

我应道：“是，你的东西大概也已到了他的袋里去哩。”

少年茶房好奇似的插口道：“喂，什么鸡？”

少山不理他，眼光向四下乱射：“那只死鸡呢？他为什么还要随身带出去？”

我说：“这个别管他。瞧，床底下有一只锁着的皮包，我们弄开了看一看再说。“

我走近床面前，一边摸出一串百合钥来。那旁边的茶房忽而上前阻止我：

“嗯，先生，这个不行！”

我从衣袋中取出一张名片来给他。他在片子上瞧了一瞧，显然不知道我，仍兀自摇头。

杨少山说：“你别阻挡。包先生是当侦探的。因为这房里的客人偷了东西，我们特地来搜检。有什么事我负责。”

我不再多说，立刻投钥开锁，试到第三个钥匙，皮包已给弄开。里面有一只小铁盒，没有锁。盒盖开了，内中是些翡翠宝石之类。我还希望那赃物就藏在里面，可是仔细检搜，都是寻常廉价的东西，绝不见那粒玫瑰珠。

我说：“那粒珠子一定在他的身边了。”

杨少山又额汗簌簌地着急道："那么危险了！他不会就远走高飞吗？"

我安慰他说："我想不会。瞧这情势，他既然不知道我们急急追踪，又留着这些东西在这里，显见他还要回来，绝不会就此逃走。"

我随手关了盒子，照样锁好皮包，将它推到床下，站直了。杨少山的目光略略减少了些呆滞，又似从绝望中得到了一丝希望。

他应道："不错，不错。这皮包里的东西虽然没有特别贵重的，但也值得几千元。他如果要逃，当然不会丢在这里。现在我们就在这里等他回来吗？"

我摇头说："用不着。这里的事可责成账房。我们应得立刻回到你府上去。"

"回去干什么呀？"

"我不是说这一件事还有一个通谋的人吗？我敢说那个人就是那个喊失火的阿二。现在别耽搁，免得也给他逃走了。"

"如果当真是阿二，他一时绝不会逃。因为发案之后，表面上我并不郑重其事，就是我打电话请你，也是没有人知道的。"

那少年茶房陪我们回到楼下，向那个司账的说明原委。司账的年老颟顸，说话很费力，还是那茶房帮了忙，方才弄清楚。我们应许他们，如果把那人拘留了送警，酬谢五百元。

同　党

我们在回开封路去的汽车途程中，杨少山和我讨论那通谋的人。我以为就是那下灶的阿二。少山却说阿二很老实，不至于干这样的事。好在这问题并不太难解，一到杨家，只消把仆人们叫拢来问一问，立刻就可以水落石出。不上三分钟工夫，汽车已经驶到开封路口，将近到杨家的前门。

“哼！”

少山忽然大呼一声，直跳起来，想从车中跳下去。

我慌忙问道：“喂，什么事？”

他说不出话，只用手指向车窗外面指了一指。我探头一瞧，看见一个戴龙须草草帽和穿白熟罗长衫元色纱马褂的人，正在汽车的前面，匆匆地向前进行，好像也要往杨家去。

“是严福生吗？”我低声问一句。

杨少山惊喜得哆开了嘴，只勉强地点点头。我也很诧异，这严福生偷了珠子，怎么还要到杨家里去？难道我的心力完全是白费的，严福生并不曾偷珠，这回事压根儿弄错了？

汽车已驶到他的背后。杨少山挥挥手，吩咐车夫停车。我一跃下车，抢上一步，伸出右手在那人的肩上拍一拍。他突地回转头来，黑脸上顿时灰白，他的下颌好像也特别尖了些。我不禁大快乐。没有弄错！我第一次独立探案，幸而得手了！

他吞吐地说：“什么……什么事？你……你是谁？”

我带着微笑说：“我叫包朗。方才你光降敝寓，失迎了，抱歉得很。”我瞧在他的脸上，又说：“严先生，你真是太撙节了！一只死鸡还舍不得丢掉？”

原来一个白布的包裹，这时候还挟在他的腋下。杨少山也已走近来，指着他怒声斥骂：

“好啊！我不知道你竟是一个贼！”

严福生一见少山，又怔一怔，张口要答辩，却没有声音吐出来。我暗想虽则人赃俱在，大功垂成，然而若使一起往杨家里去，难免惊走他的同党。

我说："这里不是说话的地方。我们还是到汽车里去。"

严福生被挟在中间，三个人先后回进了汽车。杨少山叫车夫开到冷静的马路去，以便就在车中谈判。我先将严福生挟着的包裹拿过来，打开来一瞧，果然是一只死乌骨鸡，鸡嗉已给破开。我的料想没有错，我高兴极了！

杨少山抢先道："现在你还有什么话？"

严福生的头垂落着，默然不答，分明已承认不讳。

我说："简单些吧。珠子在哪里？快拿出来吧！"

严福生两眼瞪瞪地咬着嘴唇，好似失了魂。静了一会儿，他才抬起头来。

他说："杨先生，真对不起！不过……不过我……我没有珠子。"

杨少山道："嗯！你还想撒谎？"

我说："我想你还是老实说的好，我们还可以让你留些面子。"

严福生道："我说的是实话。这回事主谋的固然是我，可是珠子实在没有到手！"

我说："你想我们会相信？你起先和宅中的人通谋，将珠子藏在鸡腹中运出来；后来你们意见不睦，你的同党光了火，索性将鸡送到我们的寓里，引你入陷阱；你果然胆大，竟敢将那鸡重新偷出来。此刻鸡给你杀死了，死鸡还在你的手里，珠子也当然落在你手。难道你还想吞没？"

严福生道："包先生，你的话一半固然不错，一半还不对。"

"喔，哪一半不对？你说说看。"

"你说我串通骗珠，不错。因为我受一个收藏家的委托，想弄到这一粒精圆的火齐珠。我向来认识杨先生，知道他有这样一粒，再合配没有，但是我探过他的口气，知道他绝不肯出让。我没法，就不能不用计。包先生，你总也听得过，做珠宝古董或书画生意的人，有时候东西弄不到手，常常用计骗的手法，所以这不算是犯法的。而且我打算事成以后，要想法子补报杨先生，决不白白地骗他的珠子。我串通了金宝——"

少山插嘴道："是金宝？"

严福生摇摇手，叫少山不要插口。少山忍住了。严福生就说下去：

"我叫金宝将鸡用绳缚在暗角里，约定在我们瞧珠子的时候，来几声骇叫。金宝干得很得法。那时候我就乘机将珠子塞在鸡嘴里，又割断了绳，让鸡自动走出去。这第一步计划果然完全成功，不料第二步竟中途变卦。因为昨天我和金宝约定了，今天早晨，我私下带给他一只同样的乌骨鸡，以便他将藏珠的鸡悄悄地换出来，送到天保里口清泉楼茶馆里。那时候他将鸡给我，我就把应许的五十块钱给他。"

杨少山又忍不住顿足骂道："该死的奴才！五十块钱就出卖主人！好，回头我少不得和他算账！"

我又摇摇手："杨先生，你姑且耐一下，别打断他的话。"我向严福生点点头："说下去。以后怎么样？"

严福生道："今天午后，我到清泉楼去等他；等了一个多钟头，他竟失约不来。我还以为他没有机会换鸡或将鸡带出来，才失约。但是我回到春申旅馆，知道金宝已经到过我的寓里，还留下一张纸条。这一张就是。"他从白熟罗长衫的袋中摸出一张纸条来给我们瞧。

我接过了，展开那纸来，上面写了两行草书：

> 你的心太狠了！那东西值好几千，你骗我，只答应给我五十元。现在索性大家落空，我已经将鸡送到爱文路七十七号大侦探家里去了。你如果有胆，不妨自己向他们去取。

杨少山也把纸接过去，瞧一瞧："不对，假的！金宝不会写字。"

我道："这也说不定。他可以请街头的测字先生代写。这字迹也很像。"我又回头问福生道："你得了这张纸，就赶往我们寓里去偷鸡，是不是？"

严福生道："不。起先我只是舍不得，又怕金宝说谎，才定意往爱文路去走一趟，想探探虚实，实在还没有偷鸡的意思。我又怕事情再有变化，特地换了一个寓所。后来我到了霍桑先生那里，在门外打了几个转，果然听得有鸡叫的声音。我从窗口里瞧瞧，觉得里面似乎没有人。这一来我的心给引动了。我只觉得珠子就在眼前，马上可以到手，就不顾利害，假托有件事求教，冒险走进去。机会又凑巧，那个仆人让我自个儿坐在办公室里。我等那仆人一走开，就用带到清泉楼去的包袱，包了鸡溜出来。我回到寓中，马上将鸡杀掉，破开鸡嗉一瞧，不料竟没有珠子！我知道一时间珠子绝不会被排泄出来，一定是金宝弄花巧。你想我费心费力，却倒翻在金宝手里，怎么肯甘心？所以我重新到杨先生府上来，正想找金宝理论。要是他不识趣，我也准备和盘托出，向杨先生讨个情。"

这个雅贼的供词结束了，车中暂时静一静。汽车仍在慢慢地进行，我也不知道是什么路。风虽不断地拂过，我觉得有些热。供词给予我的是失望，因为主题中的珠子仍旧落空。我估量严福生的话不像虚伪的。否则他如果杀鸡拿得了珠子，尽可以乘机远飏，为什么再冒险到杨家来？现在主贼虽得，原贼仍旧没有着落，岂非又劳而无功？

杨少山叹口气，打破了静境，说："包先生，你想他的话是不是可靠？"

我答道："我想可靠不可靠，只要叫金宝和他对质一下，就可以知道。"

杨少山同意了，就叫司机开回杨家去。

我把死鸡提起来，给杨少山辨认："你瞧这鸡可就是你从黄家借来的那一只？"

杨少山摇头道："我哪里辨认得出？包先生，什么意思？"

"我恐怕金宝果真弄过什么花巧，这一只鸡是第三只了！"

杨少山似乎还不明白这话的意思，但汽车已经停在杨家门口，他不便再问，首先下车去。我紧靠在福生的身旁，防他逃走。

一件小小的案子，案情却一再波折。现在全局的成败完全系于金宝的身上。金宝可还安然在里面吗？不料我们向看门的一问，才知金宝在两点钟时出去，至今还没回来！

"唉，波折真是太多了！"

这句话一入我的耳朵，我好似突地受了电击。我忙碌了半天，经历了好几次的变化，虽然已经查明了窃珠的人，然而得珠的金宝既已逃走，结果还是白忙。杨少山的目的在于得珠，珠子如果没有追还的希望，我自然免不掉他的轻视。不过事情似乎还没有到山穷水尽的地步，我还不甘心立即承认失败。

我建议让严福生在书室里坐一坐，我们先到金宝的卧室里去搜一搜。杨少山的嘴脸又变了。他在懊丧失望中勉强同意了，领我到后园一角的小屋中去搜索。别的没有什么异迹，但在金宝的床底下发现了一只鸡嗉破开的死乌骨鸡！

我惊喜地说："对了，这才是黄家原有的鸡！"

我用简单的语句向杨少山解释。我先前的推想此刻已完全符合。这案中一共有三只乌骨鸡。这一只金宝床底下发现的鸡，才是从黄家借来的鸡，也就是第一只真正藏珠的鸡。那第二只鸡就是严福生买了私下交给金宝的，这时候它还在杨家的后园里。至于严福生从我们寓里偷出来的那一只鸡，分明是金宝另外买的第三只鸡。揣度金宝的用意，显然他要从中吞没，又怕严福生向他追问，所以杀鸡得珠以后，特地另外买一只鸡，送到我们的寓里去，只说他已经把藏珠的鸡送掉，利用霍桑的虚名，使严福生不敢追究。这样看，金宝送鸡的主旨是要利用我们，自个儿黑吃黑地吞没珠子，比较我先前料想的更深一层。而且他说严福生狠心，实际上他的心比严福生还贪狠狡猾。

杨少山垂头丧气地说："包先生，瞧这情形，严福生的话似乎不是虚造的。此刻金宝走了，我们又往哪里去找？他是杏宝的老奶妈荐来的，没有保人。现在奶妈恰巧回松江去了。我要希望珠还，又到什么地方去寻金宝？"

哪里去找呢？这确是目前唯一的难题。我就承认无能为力吗？还是把这责任推到霍桑肩上去？

我答道："别焦急，我想终有方法。你将你家里的仆役们一齐叫来，让我问一下子。"

这是一个无可如何中的出路。我希望再查出一个间接的同党，也许可以指出金宝的路线。杨少山虽似不愿，却不能不勉强听我的命令。不多一刻，五六个仆人都聚集在客厅上。我逐个地问了几句，才知那黑脸的下灶丁阿二喊失火，果然也是出于曹金宝的授意。阿二拿过金宝五块钱，但对于金宝的踪迹，一口回绝不知道。我又向看门的老头儿问话，金宝确实在几点钟出去。一个中年女仆，忽然抢着自动报告：

“先生，金宝在警察局里啊！”

我呆一呆，定睛向伊一瞧，伊的年纪在四十左右，打扮很齐整，说话时面色端庄，不像什么笑话。

我问道：“你怎么知道的？”

“我瞧见的。”

“什么时候瞧见的？”

“约莫在三点钟过后。”

“在什么地方？”

“新闻路口。”

杨少山忽插嘴道：“胡妈，这不是玩的，别乱说！你今天几时曾到过新闻路去？”

女仆道：“老爷，三姨太叫我去的。三姨太叫我拿一朵珠花的样子，送到新闻路朱少奶家里去。我从朱少奶那边回来时，在路上看见金宝给一个警察押着，一同往警察局去。”

这情报是意外的，我的心头好似立即移去了一块大石。情节虽觉突兀，但垂败中的我又得到了一线希望！

我也问道：“胡妈，你瞧见的可是确实是金宝？不会认错？”

女仆笑道：“怎么会？金宝今天穿了一件青布长衫，虽然是难得的，可是我明明看见他的面孔，不会错。”

青布长衫是施桂说过的，果然也符合了。但是为小心计，我再度向女仆质证：

“那么你可曾招呼他？”

“没有。他没有瞧见我。”

“他因着什么事被警士押去，你可知道？”

“这个我不知道。”

我不再问下去，就遣散了仆人们，回头向杨少山说话：

“现在你可以定心了。金宝既然被押到了警察局里去，珠子也一定在他的身上，当然不会再落空了。”

“虽然，我们还不知道他因为什么事被捕。假使因着他在路上小便等细故违章，那么罚款就能了事，此刻他也许已经不在警局里了。”

我摇摇头，说：“你别只从消极方面想。人是应当有积极希望的，不然我们就无事可为了。现在我们只要再费一刻钟工夫，一同到新闸路警局里去看一看，马上就有分晓。”

杨少山在我的强迫之下应允了。我们就挟着严福生，重新坐上汽车，开到新闸路第四警署里去。

时候已是七点钟相近。夏日虽长，夕阳早已拖西，风开始活动，暮色冥冥地蒙罩着大地。马路上一组组的摩登男女们，穿着诱惑力强烈的服装，并肩挽臂地来往不绝。他们的夜生活将近开始了。这时候我很羡慕他们的自由自在。一种严肃的责任牢固地拘束着我，我心事重重，正苦不能自由。这一件一波三折——不，五折，七折甚至无数折——的案子，什么时候才得完全了结？此去如果仍旧落空，金宝已不在警署，我又怎么处置？我一想到结局的问题，就觉得牙痒痒得非常难熬。原因是事情的变化像波浪般一层层地推移不尽，理智和想象仿佛都失了效，我不敢再预测了。

珠的下落

我们到了警署，知道第四分署的署长叫史可立，恰巧因公出外，我就向一个当值的徐警佐说明情由，把严福生交给了他。我问警佐，可有一个叫曹金宝的被拘进来。警佐毫不犹豫地回说没有。少山又现出失望状来。

我说："他也许会改名。"我就将金宝的衣服状貌说了一遍。

徐警佐忽点头道："穿青布长衫的？黑脸的？唔，我看见有一个。他好像说叫李阿大。"

我忙道："就是这个人。他现在还在吗？"

警佐点点头。

这一点头使我呼出了一口长气。波折终于到了顶点，不再推展开去了！

杨少山也目光灼灼地兴奋起来。徐警佐应允了我的请求，就派一个周番，领我们到后面拘留室去。我的心房还不住地乱跳。不会再弄错吧？

"哎哟！金宝！你……你好！"

杨少山的眼光已经刺进了拘留室的铁栅门，情不自禁地喊起来。周番自顾自退去。我仰起目光，随着杨少山的视线瞧过去，电灯光中果然有一个面色苍黑穿青布长衫的男子，靠栅门站着。他的年纪约二十，脸上满现着惊恐。

少山走前一步："珠子呢？珠子在哪里？快拿出来！"

金宝不答，瞠目呆瞧着。

少山又说："什么？你还不响？老实对你说，我们什么都已明白，严福生也给捉进来了。"

金宝的苍黑的脸上也掩不住因惊惧而泛出来的白色，可是他到底咬紧牙关，不开口。

我婉声说："金宝，快说吧，说明了还可以减轻你的罪。我知道你干这件事是受了严福生的唆使。他存心不良，才引动你的盗心，是不是？"

金宝眨着眼睛，咬着嘴唇，仍不开口。杨少山又不顾忌地斥骂。我阻止他，依旧用软功。

我说："金宝，别不识趣。我是好意开脱你，你不说，完全自害自。其实你干的事，我已经明白了。严福生叫你把那只借来的乌骨鸡，在今天早晨缚在后园中的小轩的壁角里——大概是藏在那只红木小茶几底下。他今天来的时候，带了另外一只乌骨鸡给你，叫你在事后把那只藏珠的鸡换出来，然后悄悄地送到清泉楼去。可是你换出之后，就把鸡杀掉，从鸡嗉中拿出了珠子。你恨福生许你的钱太少，想独吞，所以另外又买了一只鸡，送到我们寓里，防严福生追究。这样一来，珠子就安然到了你的手中，严福生却反而落了空。现在事情都已明白，那珠子你自然再不能够藏匿吞没，还是快快拿出来，减轻些你自己的罪吧。"

金宝一眼不眨地瞧着我，嘴唇几乎给咬破了，神色也越发惨淡。他分明已经知道我是当侦探的，抵赖是徒然了。停了片刻，他才向他的主人勉强开口：

"老爷，我真该死！我所做的事既然都穿破了，我也不想再瞒你。可是我此刻实在没有珠子！"

"什么？没有珠子？你还想赖？"

"老爷，我不敢赖。这位先生说得不错，珠子确曾到过我的手，不过现在已经不在我的身上。"

"在哪里？"

“给……给一个人抢去了！”

“胡说！你还骗人？”

“真的！老爷你不相信，尽管搜。”

那仆人的声音面色都不像说谎。波折还是在推展！杨少山又用失望的眼光盯在我的脸上。我在缺乏信念的情境下，姑且做一种无聊的动作。我和一个看守的警士磋商，请他在金宝身上搜检一下。搜检的结果果真没有珠子。少山又着急起来。

他说：“包先生，事情的变化怎么这样多？现在怎么办？”

我答道：“别着急。我再来问问。”我又用婉和的语调，问道：“金宝，你说珠子是给人抢去的。真的？”

金宝说：“先生，的的确确是真的！”

“什么人抢去的？”

“一个流氓！——一个外国流氓！”

“那人抢珠以后，你可是因此就和他一同到警局里来？”

“不是。珠子被他抢去了，我反而心虚起来，脱身奔逃，忽给一个警察瞧见，就把我拦住了捉进来。那外国流氓反而没有给捉住，一眨眼已经转弯过去了。”

金宝的话当然不容易教人相信。他似乎预备着受罪挨苦，只是不肯把珠子交出来。我虽多方诱问，别的他都不赖，只是说没有珠子。他还承认他因着听得阿二说，前两个月主人的姨甥给歹人骗了去，是霍桑寻回来的；阿二又说，霍桑怎样厉害，怎样使人害怕；他才想出换鸡的计策来。他以为这样一做，严福生既不敢追究，我们得到了鸡，也必以为有什么人感恩送的，不至于出什么岔子。并且他瞧主人的神气并不郑重，也不像要请侦探查究的样子，因此他才敢做这一件勾当。但我的问句一回到珠子，他始终说定是被外国流氓抢去的。

盘问撞了壁，多问无益，并且也不便。我就同杨少山离开警署，打算回去再商量。杨少山仍想追还他的珠子，问我怎样可以捉到那个外国流氓。我含糊地应着。因为珠子被抢的故事是否实在，尚未可知；万一属实，那就有些尴尬。据金宝所说，非常空洞缥缈，无论外国流氓，就是中国流氓，一时也不容易寻啊。

汽车到了杨家，还没停车，那管门的老头儿忽先迎出来。

他说："老爷，有一个姓霍的先生在里面等。"

是霍桑吗？他此刻到这里来，可是特地要帮我一臂？我本想暂时回爱文路去，这时索性跟着少山一同走到小轩里面。那来客果然是霍桑。

霍桑道："包朗，怎么样？成功了没有？我起先料你即刻就可以成功，谁知等了好久，还不见你回来。难道——？"

他说到这里，顿住了，似乎我的面色早把经过的情形告诉了他，他就也不再问下去。

我答道："正是。这件事层层变化，实在出乎意料。此刻还没有结局哩。"我把经过的事情仔细说了一遍。

杨少山也补充说："事情都已明白，偏偏只缺一粒珠子！"

霍桑张大了冷静的双目，瞧瞧我们二人的脸，又把目光垂下去，移注在地板上。他默然不加表示。

少山又作央求声道："霍先生，你想那个外国流氓可容易找？"

霍桑仰起头来，缓缓答道："你只要找那个外国流氓？"

"不，不是。我只要追还珠子。"

"这才对了。但是你的珠子到底值多少？"

"我本来是花了五千六百元买来的，是便宜的；而且这还是两年前的价，现在当然不止这个数目。霍先生，你到底能不能把这东西追回来？”

霍桑向我瞧了一瞧，发出一种没精打采的声音来。

他道：“你要求珠还，尽我们两个人的力，无论如何，我相信总可以成功——”

少山抢口道：“唉！那好极！”

霍桑阻住他：“慢。不过办起来很费手续。我以为你如果舍得这五千六百元的代价，就这样算了吧。”

霍桑虽说能够珠还，却带着敷衍的口气。实际上他对于这个没头没脑的外国流氓，显然也同样没有把握。可是杨少山把握着珠还的希望，还不肯放松。

他道：“霍先生，我不是舍不得钱，是舍不得珠子。这东西真难得见。你若使有法子能够追回，我一定重重酬谢。”

“虽然，珠子的原价只值五千六百元，酬谢的数目当然也不会超过原价。我的意思——”

少山急忙道：“这也不一定。你们只要能把原物追回，酬金的数目即使超出原价，我也愿意。”

情势在步步逼紧，容不得霍桑含混敷衍。我有些替他着急。

霍桑仍瞧着地板，缓缓问道：“那么，你愿意出多少？”他说时又用眼梢向我瞥一瞥。

这有什么用意？他似乎在那里计较酬金的多少啊。这是我的新经验。莫非他对于这失珠果真已有了成竹，特地要敲一下杨少山的竹杠？或是他明知这件事还十二分棘手，不能不多备几个钱，以便设法把原珠买回来，借此保全我们的信誉？

杨少山答道：“无论多少，听你吩咐好了！”

霍桑瞧着我，说：“你想两万够了吗？”

话好像是问我的，可是我哪里知道他的心思？我不接口，只随便点了点头。

杨少山忙应道：“唉！两万并不多，一定遵命。不过你可也能保得住一定珠还？”

少山果然是个阔客，可是他这问句也厉害。霍桑可能做肯定的回答吗？

霍桑看着他自己脚上的白皮鞋，仍淡淡地答道：“你要我保证？嗯，那也可以。不过有两个条件，我不知道你能不能应允？”

“什么条件？”

“第一，你得立刻签一张两万元的支票。”

少山摸摸他的肥颊，呆瞧着不答，似乎有些疑惑。

霍桑问道：“行不行？不然，我们尽可以作罢。”

少山应道：“可以，可以。还有一个条件是什么？”

霍桑道：“从这时候起，须宽限十四个钟头，才能把这原物交还你。”

奇怪！霍桑真能够限时交还吗？他不是已经有把握了吗？但是这件事他完全不曾与闻，可以说茫无头绪。自然，他的才智是过人的，可是他究竟没有千里眼顺风耳，他怎么能轻易应许呢？

少山一口应允了，立即签出一张支票，授给霍桑。霍桑也取出一张名片来，在片背写了几个字，递给他。

他含笑道：“这是我的保证。我们虽信任得过彼此，但慎重些总比较妥善。”他说完了，立起来要告辞。

杨少山也立起来，问道：“霍先生，能不能容我问一句？你对于那个外国流氓可是已有些头绪了？”

霍桑皱着眉毛，说："杨先生，珠子是一件事，外国流氓是另一件事。刚才你说只要追还珠子，我答应的也是这一着。要是你一定还要追究这外国流氓，那我们得另外谈一谈——"

杨少山忙摇手道："不，不，我只要珠子。"

霍桑道："既然如此，你不必多问。你的珠子，明天我交还你好了。至于这中间有没有外国流氓是我的事，你不必费心。明天会。"

霍桑的眼光似乎有独到之处。他已经知道这件案中实在没有什么外国流氓，只是金宝说谎。他大概已经拟成什么方法，一定能叫金宝吐实，然后将珠子追回来。但是我们回到了寓所，我在晚餐席上把这意思问他，他又不以为然。唉，波痕还是在推展！

霍桑摇头说："你误会了。外国流氓是有一个的。"

我惊异道："当真？"

"怎么不真？不过那'外国流氓'的名词是金宝给他胡乱题的。实际上那人并不是流氓，更不是外国人。"

"怪事！你怎么会知道得这么样详细？"

"不但如此。如果你想要知道那人到底是个怎么样的人，我还可以把那人的衣服状貌说给你听。"

我停了筷子，惊问道："这样说，你已经看见过那个人？"

霍桑点点头，从椅子上立起来。

晚饭完毕了，我们回进办公室。霍桑把窗全开了，烧了一支白金龙，坐在窗口的一张藤椅上，手中取一把折扇摇着。我也坐在他对面的椅子上，同样烧了一支烟，又向他究问。

我道："霍桑，难道你果真看见过那个抢珠的人？"

霍桑吐吸了几口烟，答道："我告诉你。那人身长五尺九寸，长方脸，身体很结实；穿一身山东府绸西装，杭纺衬衫，玄色领结；头上一顶草帽，已略略泛一些黄色，还是去年端午节的前一天买的；足上穿一双树胶底白麂皮鞋子，走起来非常轻快。此外还有一个特点，他虽穿西装，头颈上的领子是软的；这就是因为他素来不喜欢戴硬领的缘故——"

我搀言道："喂，你对于这个人既然知道得这样子仔细，何必唠唠叨叨？你为什么不爽快些说明了？"我觉他说得琐琐屑屑，有些不耐烦听。

霍桑仰起身来，用诧异的目光瞧着我："你还要问？那个人你还不知道？"

"我怎么会知道？"

"我不是把那个人的衣服状貌说给你听了吗？"

"穿这样西装的人，同样的不知有多少。别的莫说，就是你今天的打扮也是仿佛相同。"

霍桑嗤的一声笑出来："你猜着了！不过你的话还有几分不切实。你说我的打扮，和我方才所摹状的'仿佛相同'，就欠透彻。其实何止'仿佛'？简直是丝毫没有两样啊！"

我放下纸烟，张大了双目，一时说不出话来。

霍桑拍手笑道："你还诧异吗？那个夺珠子的人——就是金宝所说的外国流氓——就在你的眼前啊！"

我定一定神，正色道："霍桑，你还说笑话？"

霍桑也敛着笑容，答道："包朗，真的。夺珠子的人就是我。要不然，珠子当然也没有着落。那么，我怎么敢轻易和杨少山订约？"

话果然不错。但是内幕中还有这样的曲折，实在是我所意想不到的。

我作惊喜声道："霍桑，你真是个怪人！我怎么想得到这件事是你干的？现在那珠子在你身边吗？"

霍桑摇头道；"不，珠子不在我这里。"

"怎么？珠子不在你身边？那你怎么应付杨少山？"

"我们受了他两万元酬谢，少不得要教他满意的。对不起，你拿一张信笺来，替我写一封口授的信。"

"我问你珠子在哪里，写信做什么？"

"别多说。信就关系珠子，你听我的话写好了。"

我无奈，只得取过信笺，执笔等待。

霍桑朗声念道："少山先生：你接到这一封信后，可赶紧往地方法院去报告案情。侦探长汪银林一定会将你的一粒玫瑰珠原物奉还。承蒙见委，幸而没有辱命。包朗霍桑同启。"他顿一顿，又说："信上的日期，须得写明天早晨九点钟。因为这封信必须到那时候才能让施桂送去。"

我写完了信，问道："这到底是怎么一回事？你既然夺得了珠子，怎么又让他向汪银林去要？我委实还被蒙在鼓中！"

霍桑一面摇着扇子，一面吐吸着烟，显得非常闲适。

他答道："你别慌，我说给你听。我从许为公那里回来的时候，还只三点半左右。我下了电车，走进爱文路，正自缓缓地踱回寓所里来，忽然看见一个人偷偷掩掩地从这屋子里出去。那时我和他的距离虽远，却明明看清楚那人从这门口里出去。我看见他贼头狗脑的模样，知道有些蹊跷，便停止了脚步，立在树背后，等他走近来。他的匆忙的模样越发使我疑心，我便跟在他背后。"

"这个人就是曹金宝？"我趁他停顿吸烟的机会插问一句。

霍桑点头道："是的。我跟他到爱文路路口相近，他似乎已觉察我了，回头一瞧. 便拔步想逃。我再不能客气，便上前把他追住。我向他问话，他一面支吾，一面伸手从衣袋中摸出一张纸团，悄悄地向后面一丢。我幸亏眼快，急忙将纸团拾起来，是一粒红色的珠子，那时我一松手，他已脱身飞奔。我追赶不及，便向一个站岗的警士打了一个招呼。那警士就飞奔上去，果然被他追得。

“我带了珠子，就到泥城桥去看汪银林，向他说明了情况，就把珠子交给他，预备查明以后，交还原主。我觉得那人既从我们寓所中出来，也许有什么岔子，所以邀汪银林一同到这里来瞧瞧。我们走到爱文路路口，又碰见那形迹可疑的严福生。汪银林就跟着他去，我一个人就先回来。”

这番话才抉破了最后的疑障，使我从皮鼓中钻了出来。小戏多锣鼓，我委实想不到这件事的波折会这么多。

我问道：“既然如此，当我领了杨少山到这里来，你和我们会面的时候，你早知道你所得到的玫瑰珠就是杨少山的东西。那时候你为什么不立刻说明白？”

霍桑放下了纸烟，答道：“你还怪我？我所以不马上说明，就为你啊！”

“为我？什么意思？”我怀疑霍桑又在施展诡辩术。

他说：“当时我瞧你的神气，正是一团高兴，分明认为这件事你已经有充分的把握，可以独力破获。所以你一听得杨少山叫我帮同着侦查，你便现出失望状来。因此，我定意成全你的意思，暂时不发表，也可以使你得到一种单独破案的机会。你难道还不能谅解？”

我低沉了头，不答话，心中还在估量这番解释中有没有诡辩的成分。

霍桑又说："包朗，这件事你干得真好。你着着进行，步骤都非常合度。至于最后珠子下落的一着，你意料不到，原也不能怪你。据我看，你的推测比从前着实进步得多了。"

我觉得面颊上有些热炙，答道："你的称赞，我不敢受；你的成全我的好意，我倒不能不道谢呢。"

霍桑道："这也不必要。我所以不早一些说明，除了成全你，另外还有一层作用。"

"唔？"

"你想那时候我如果直截说明了，没有这一回曲折，杨少山岂肯爽快地拿出两万元——？"

我剪住他说："慢！关于这酬报一项，我本来有些奇怪。你从事侦探工作，从来不曾跟人家计较过金钱报酬。这一次你分明要敲杨少山的竹杠，却教我做傀——"

霍桑突然举起了执折扇的右手，正色道："包朗，你误解我哩！你总知道我服务的对象，是在民治制度不曾彻底完善下的一般无拳无勇含冤受屈的大众。杨少山是个小官僚，拥着娇妻美妾，钱的来路也不一定清白，难道我们应得为了他的一件奢侈品白白地奔走？这种人不趁机叫他拿出些钱来，又叫谁出钱？老实说，我正觉得这个数目太小。刚才他很知趣，不要追究别的了，不然，我正打算再挤他些出来呢！"

话说得近乎声色俱厉。我低垂了头，默默地不加答辩。原因是我的确误解了我的朋友。误解是一个知己朋友所不应有的。风习习地从窗口溜进来。电灯光映照霍桑的眼珠，在熠熠地发光。

霍桑又向我道："包朗，你可知道许为公叫我去做什么？他就为了民众工团的经费太支绌，和我商量募捐的方法。所以杨少山给我的那一张两万元的支票，我早已封好了，预备明天差人送过去。”

霍桑最后一句话，在下一天早晨果然得到证实。因为施桂换回来一张民众工团的收条；收条上面写着我们俩的姓名，那经募人的具名不消说就是许为公。

黑地牢

疑真疑假

那时期上海社会可算是“多事之秋”。绑票、暗杀、惊骇离奇的盗劫案、神秘莫测的失踪案等等，可说是“应有尽有，层出不穷”！在这个时期，霍桑的工作自然也特别忙碌。我的日记中记着，在短短的十五天中，他竟接连地破了三件绑票案，一件盗案和两件谋杀案。我在这六件案子里面，竟也参与半数。这还不算，最近霍桑竟单枪匹马地又破了一件江南燕案。

江南燕是什么样人，大概不用我再详细介绍了吧？他是一个神出鬼没的侠盗，又是盗窃学的专家，智能和技巧方面都有过“与众不同”的表演。假使盗窃学上也可以有学位或荣衔，他尽够得上博士的资格。他已和霍桑交手过好几次，所以在霍桑的心目中，也认他是唯一一个劲敌。那时候上海社会正自纷扰不宁，无论官家私家侦探，个个都给闹得焦头烂额，他老人家偏又出来凑热闹。那自然要使上海社会的一般资产阶级谈虎色变，寝食不安了。

他这一次犯的案子，说来也很可惊，就是大华银行的第三号保管库忽而被盗。库中保存的，有前任财政次长刘伯蓉的夫人的一副钻镯，价值二十二万元；还有刘次长负责保管的，民众教育团的基金、有价证券十八万五千，竟然都不翼而飞。被盗的情形很离奇。银行的后门被人烧断了铁闩，看门人也被盗匪捆绑起来，塞住了嘴，不能声张。那保管库本是由美国卡尔登厂制造的，库门的厚度在十英寸以上，原是保证避火避盗的，并且还有两重密码的暗锁，确实不容易打开。案发以后，库门上烧出了铜元大小的一个小洞，库门里面另有一只白粉画的燕子似的飞鸟。因此大家都说这一件惊人的案子一定是江南燕的成绩。因为在这保管库案发生的前三天，报纸上曾宣传过这一位神秘的巨盗已经到了上海。

这消息的来由也很奇怪，据说是一位声名狼藉的某侦探手下的一个小伙计传出来的。有一天，那位探员曾经接到自称江南燕的电话，要向他借两万元盘费。那侦探似乎为着留个交情起见，当夜便恭恭敬敬地如数把两万元送去。这消息在某一张小型报上披露以后，有一位新闻记者特地去见过那位大侦探，问他有没有这一回事。

那探员轻描淡写地答道："你这话问得有趣极了！江南燕竟敢向我要钱？我又向哪个去要呢？我等候他好几年了。他如果胆敢到上海来，那真是我求之不得的。"

否认尽管否认，但是外界的传说，已经闹得满城风雨。后来恰巧又出了这一件大华银行的案子，加上了一次印证。于是江南燕的名字一时间便成了茶坊酒肆中唯一的谈话资料。

可是霍桑经过了勘查以后，却又独创一议。

他曾向大华方面的负责者说："这案子不是江南燕干的，只是什么人假借名义，目的在偷了东西，使人家不敢追究。"

大华当局自然很诧异，要求他提出他的否定的理由。他当时曾指出三种证据：

第一，保管库门上的一个洞是用电流烧化之后，另用钢锥凿成的。不过这个洞，库门内外虽然都有很深的洞口，中间却没有穿通，显见是从两面分凿而成，实际上并不能够开锁。这可见这库门的打开，实在和凿洞没有什么关系。第二，那密码锁上有两个很清楚的指印。这也不消说得，这坚厚的库门既不是凿洞弄开的，当然只有对准了密码打开的一法。但密码锁的构造非常灵巧，不知道的人休想明白；而知道密码的只有经理一个人。假使不是经理监守自盗，势必有什么人偷知了密码，悄悄地开了，做一个内线。第三，那一排的大号保管库共有四号。第一第二号库中存的都是公债票，只有第三号中的钻石最容易变钱。这也是有内线的明证。此外那燕子的形象，霍桑已经见过几次，这一次却画得不成样子，也可以做别的人假冒的一证。

霍桑凭了这个推想，经过了细密的侦查，果然查明了真相。原来有一个经理室中的书记，串通了两个外面的人，合伙儿干这把戏。这书记当场被霍桑捉破，一经询问，便完全吐实。

据那书记说，这事的起意并不是他；他只是受了人家的利用。有一个著名的匪徒，不知怎样探知了刘伯蓉的夫人的钻镯藏在银行里面；又知道那书记在经理室内办事，可以有偷窥密码的机会。因此那匪徒便强迫这书记做一个内线。他的责任，只需把铁箱的暗锁开了，别的都由他们自己动手。书记勉强应允了，当下收了他们一千元的定洋，约定得手以后，彼此平分。可是案发以后，那动手的匪徒拿了钻镯和证券，悄悄地逃跑了。那书记虽也曾说出约定的会晤地点，但警探们按址缉访，扑了一个空，四处侦缉，也不知道匪徒和赃物的下落。

案子虽说是破获了，但是真贼未得，并且推想那个动手的匪徒，敏捷干练，也是一个好手，故而实际上还不能算圆满了结。据霍桑的意见，这一着至少打破了一个疑团，就是这案子既然出于假冒，可见江南燕已到上海的话完全是一种无稽的谣传。

谁知事出意料，隔了两天，竟发生一件奇怪的事情！

这恰当“正是江南好风景”的暖洋洋的三月天气。一阵阵的细雨东风，霎时间把那沉沉深眠的大地唤醒了，像一个梦回的美人倦眼惺忪地张开眼睛来。近郊的野外，柳眉舒绿，桃腮吐红，水田漠漠，碧草芊芊，还有那一群群的蛱蝶流莺，帮助酿成一番春意。不料在这当儿，那一班破坏社会安宁的匪徒，竟也像青草一般地蠢动起来。

我记得江南燕到上海的消息是在三月十四日那天披露的。十六日便发生了大华银行的盗案。这案子在十七日就被霍桑查明，不过真贼和主盗一时还都没有着落。到了十九日的早上，一件怪事突然来临了。

蜜蜂与燕子

十八日那天傍晚，我因报纸上都载着霍桑破获了一件假江南燕案，特地到他的寓所里去，听他讲发案的经过。他留我吃了晚饭，又谈到深夜，就叫我宿在他那里。我从结婚以后，虽已和霍桑分居，但是他的爱文路七十七号寓所中，依旧安置着我的床铺，我也仍不时和他同住。

十九日清早我起身走进楼下办公室时，他已完毕数十年如一日的清晨户外运动回来，正坐在靠窗口的一只藤椅上，在静穆地看报。他只向我含笑点一点头，并不中断他的读报工作。我也默默地坐在他对面的一只沙发上，同样从书桌上取起一张报纸。

窗开着，消释了寒意的微风断续地溜进来。时间还早，远处的市声还很稀疏，室中显得很静谧。壁炉檐上的一只小瓷钟正指着八点零七分。钟的右边有一个装着红木底座的手榴弹壳，那是“活尸”案中的成绩；左边是一只雨过天青的古瓶，插着两三枝浅红的杏花。壁炉外边的壁上挂着一副五言联，“铁肩担道义，妙手著文章”，下款是沈筠章，笔致有颜鲁公气息。读者们的记忆力如果不太坏，也许还记得这位太史公所以和霍桑发生关系，有过一段小小的因缘，我曾写过一篇《反抗者》。

单就这当儿的柔和宁静的空气——物质的和抽象的——看，这像是一个文人的书室，谁也不相信这里是一个专跟巨匪、恶棍、奸蠹、劣绅斗智角力的侦探家的办公室。要是说这地方不久又将掀起一个惊人的轩然巨浪，更是谁也意想不到。

嗡……嗡……嗡……

一只蜜蜂飞进窗口来；接着又是一只，两只——目的地都是古瓶中的杏花。我的注意力给搅散了，目光从报纸上抬起来，看这一小群蜜蜂工作。真不能看轻这小动物。它有着优越的能力——分工、互助、守纪律、耐劳苦，就是这几点，有些号称万物之灵的人面对它也不免惭愧。

我不知不觉地低吟：

不论平地与山尖，无限风光尽被占。采得百花成蜜后，为谁辛苦为谁甜？

“包朗，你真雅兴不浅！你作诗？”

霍桑的听觉真敏锐，我的低低的微吟也逃不过他的耳官。

我笑一笑：“不是作诗，是吟诗。诗是罗隐做的。”

“喔，罗隐？”他放下了报纸，“这名字很生疏。他是唐朝人还是宋朝人？”

“唐朝人，字昭谏，是吴越的新城人，气节高尚，文章多魄力，诗也很好。”

霍桑点点头，不接口。因他的心智集中在科学和有关侦探学的其他学科方面，他对于文学原没有深切的研究，我也用不着为朋友讳饰。不过他并不太机械，对于文学的鉴赏和爱好也不在一般水准之下。

他又说：“包朗，你的记忆力真不坏。你念过的诗都背得出？”

我答道：“那也不。好的诗才容易记，尤其是绝句。这首七绝是我心爱的，所以连作者的小史也牢记着。”

“那么这是一首好诗？”

“自然。”

“唔，好在什么地方？你说说看。”

“你听清楚没有？要不要我再念一遍？”

“不必，我每一句都听清楚。我要听听你的评语。”

我说：“你总知道诗的主要环节是情感。这首诗有寄托，有感慨。所谓寄托感慨也就是情感的流露。你说是不是？”

他垂着目光，沉吟了一下，才说：“你所说的感慨是不是指结末两句？”

“是。‘采得百花成蜜后，为谁辛苦为谁甜？’要是我引用一句成语，就是寄慨遥深。”

霍桑忽皱紧了眉峰，不回答。他抽出一支白金龙，慢慢地擦火点着。

室中暂时静默，嗡嗡声又响起来。我看见他皱眉，心中有些纳闷，好像他对于我的批评不满意。

我问道："霍桑，我也想要听听你的见解。你看这首诗好在哪里？"

他吐了一口烟，突然摇摇头。

他说："我的意思恰正和你相反。我以为只有改两个字，才能称其为好诗！"

这是大胆的批评！我不能不暗暗惊异。因为霍桑对于事物虽常有独特的见解，也能言之成理，但是文学并不在他的研究领域之内，怎么竟也有这突兀的表示？

我问道："什么？你说这首诗不好？"

他爽直地答道："是，不改不算好。"

"要改？你也能够改？"

"当然！"

我愣住了！我不是轻视他，但是霍桑不是诗人，他这话就算不是厚诬古人，也未免近于冒失。

我再问："那么你说应该改哪两个字？"

他应道："简单得很，把两个'谁'，改作两个'人'就行。"

我默默地不答，脑子里暗暗念着："为人辛苦为人甜。"

霍桑又吐出了一长串烟，说："包朗，怎么样？你赞成不赞成？"

我疑滞地答道："我……我看不出它的好处——"

他插口道："你还不懂我的意思？照原句的含意，分明怜悯蜜蜂酿成了蜜，不能自己享受，却给不知何人享受，故而在对蜜蜂表示悼惜的慨叹。它的含义在鼓励自私，跟俗谚所说的'前人种树，后人吃果'的教训恰正相反。这是颓废的观念，在这个新的时代，不但不足为训，简直要不得！现在我给它改一改，而且加以正面积极的解释，就显出这小生命的伟大性。它采花，它酿蜜，为的是人，不是为自己。生存在这个时代的人，谁也应得有这‘为人’的观念，那么民族才得滋长繁荣，人类才得团结睦洽，世界才得安宁和平！包朗，你平心说一句，我改得好不好？”

我怎么样回答他？不，我说不出，因为他的理论是根据时代意识，在逻辑上当然是成立的。不过他拿这个准绳来衡量古人的诗，在我总觉得有些格格不入。

“唉！奇怪……怎么？……”

静穆的空气打破了！我陡地一惊，不知道发生了什么变端，才使霍桑这样子惊惶。他喊了一声，从藤椅中跳起来，丢了烟，把身子靠着书桌，两眼圆睁着，他的头不住地旋来旋去。我一时还莫名其妙，我的眼光也不由得跟着他的视线。

“唉，一只燕子！”我脱口喊一声。

他喘息地应道：“是！你也瞧见了……唉！……唉！飞出去了！……奇怪！……太奇怪！”

我说：“一只燕子有什么奇怪？蜜蜂可以飞进来，燕子怎么就不能飞进来？现在是春天啊。”

霍桑不回答，突地奔到靠马路的窗口，又把身子一侧，避在一边。他露着半面，慢慢地向外面察看。我正想跟到窗口去瞧瞧，霍桑忽向我摇摇手。我只得止步。我觉得他的态度似乎近于过度郑重紧张。

他回身过来，他的脸上带着惊恐的神气。

我问道：“你可曾瞧见什么？”

霍桑微微摇摇头：“没有，一个人影都没有。”

“那么你何必如此慌乱？可就是因着那只燕子吗？我已经

说过，春天是蜂蝶莺燕活跃的季节——”

“不，不！蜜蜂是昆虫，燕子是鸟类，不能一概而论。”

他像在解释动物的分类，显然文不对题。他仍站在窗边，眼光还射在窗外。三只蜜蜂采饱了蜜，仍旧结队地飞出去。霍桑绝不注意蜜蜂，仿佛在呆呆地发怔。

我说：“霍桑，到底什么意思？偶然飞一只鸟进来，也不见得一定是——”

他又阻住我：“不，你总瞧清楚。那不是一种寻常鸟，是一只燕子啊！你知道这件假江南燕的案子还没有结束，不先不后，偏偏在这当儿飞进一只燕子来，未免太凑巧。不，你别轻视！我不相信那燕子是自己飞进来的。”

他说完了立即奔出办公室，绕到窗外的小天井里去。我从窗口中看见他先从短墙上端向马路的左右瞧了一瞧，又到窗槛下面的一方小草地上仔细观察。接着他嘴里低低地呼了一声，急忙偻下身去。

天井里有什么隐匿的人吗？但我也向窗下一瞧，仍是静悄悄地毫无异象。霍桑已站直了身子，从天井里回进来，手中拿着一张棕黄色的包皮纸，约有八寸见方，两边有些皱，还卷成卷筒形状。

他向我说：“包朗，我的话证实了。燕子跟蜜蜂不一样，它不是自动飞进来，而是给裹在这张纸中掷进来的。”

我惊异道：“谁掷进来的？”

霍桑道：“这何须问得？但看那丢掷的手法，便可知这个人是谁！”

他将纸抛在书桌上，态度庄重地坐下来。我没有话回答，但微微点了点头。

紧张的意念开始袭击我。方才我们论诗的暇豫空气完全给吹散了。因为我一想到那个人用纸裹着燕子，丢进了我们的窗口，转瞬间便逃匿无踪，的确可以相信有这种身手的，除了真正的江南燕之外，找不出第二个人！

我又问："那么你想他这种举动有什么意思？"

霍桑默然不答。

"是不是算一种警告？"

霍桑仍低垂着头，交握着手，默默在那里寻思。他隔了好久，才缓缓地答话：

"这话我不能回答。你等着瞧吧。"

这是十九日清早发生的事，离本案的发作还早三天。

霍桑在戒备方面本来已很严密，一到晚上，寓所中便安排着小小的机关，出门时自然也常带武器。自从那只燕子飞进他的办公室以后，他就更加谨慎，而且叫我也随时防备，没事还是少出门为宜。我寻思那只燕子的用意，明明表示大华银行的案子果真是江南燕干的，霍桑的否定已成了问题。现在这案子虽已被查破，但是真贼未得，主谋人特地下一种警告，叫霍桑不必再深究。这是我个人的设想，合不合还难说。但从他方面看来，那飞燕的来由虽奇突，但究竟还不能确实证明放燕的是真江南燕。

本案开端的一天是三月二十二日，时间是清早。我住在自己的家里，一看见送报的把报纸投了进来，急急接过了翻开，先向本埠新闻里寻瞧，希望或者可以发现什么关于江南燕的新消息。不料消息太骇人。

霍桑竟失踪了！

破题儿第一遭

新闻很简短，只说上一天二十一日傍晚，副探长倪金寿特地到霍桑的寓所里去访问，却没有会面。据他的仆人施桂说，霍桑在二十日那天的一清早出门以后，至今还不曾回寓所，并且毫无消息。这自然是非常可怪。因为平日他如果在外面耽搁，总得送一个消息回去。因这一来，外面便纷纷议论，宣传这一位智慧过人的侦探分明已经失踪。

这新闻给我的刺激相当严重。我在惊诧之余，对于这新闻的推测很表同意。因为霍桑如果有什么远地旅行，或是有别的勾当，总要给我一个消息，至少也得打一个电话给我。现在我也毫无所知，可见失踪的假定，确有成为事实的可能。他往哪里去了？可是已遭了江南燕的暗算？或是他已不幸落进了什么恶匪的手中？

我想了一想，就把报纸丢过一旁，先打一个电话问问施桂，但施桂的答话不大清楚。

他说："霍先生是前天清早出去的，临走时并没说明往哪里去。我以为他是照常出去运动的，还预备好了早餐，等他回来。可是他一去就不回来。"

我问道："他可曾带行李走？"

"没有。不过他出门时我没有看见。"

"怎么，他溜走的？"

"唔……唔……那时候我在厨房里。"

"喔。你还有什么话告诉我？"

"上夜他在房里忙了半夜。"

"忙什么？"

“我不知道……唔，昨天我看见有几只箱子都像开动过。”

“你也不知道他开箱子做什么？”

“我不知道。”

“还有别的事吗？”

他顿一顿，才说：“包先生，上一天夜里，我……我好像还听得一两声枪响！”

我吃惊地问道：“喔，你可知道谁开的枪？”

“我……我不知道。”

我觉得施桂的答语有些吞吐，“不知道”也太多，就亲自到爱文路寓所里去走一遭，查一查开箱的原因，和枪声的来由。这几天我的笔墨事务虽有几处预约催得很急，但霍桑既有失踪的消息，而且情节离奇，自然比较重要，我不得不暂时搁一搁笔。我向我的妻子佩芹说明了几句，便匆匆地出门。

这时候已近八点钟光景。西门路上正当菜市上市，摩肩接踵，喧闹异常。当我从人丛中穿过的时候，有一副菜担忽而钩住了我外衣的袋口，幸亏我赶紧立定，没有把我的衣袋钩破。衣袋中我藏着一支手枪，要是落了出来，未免惊动人家。我因着霍桑的叮嘱，出门时也常佩武器，以备万一的意外。历年来我们所破获的案子，内中剧盗巨凶，什么人物都有，难免没有衔恨我们的仇敌。不过我虽和霍桑联手办事，并不居于主要的地位，他们的目光也并不注意在我的身上。故而我在外面走来走去，还没有经历过什么意外危险。

我走出了西门路，向北转弯，到了吉祥路口，才刚停了脚步，想招呼一辆停着的黄包车，忽听得背后有人叫我：

“包先生，哪里去？”

我突地回过头去，瞧瞧是什么人。我看见一个身材结实而短小的男子，穿一件糙米色西装外衣，下面露出的裤脚管却是棕色的。他的头上戴一顶花呢鸭舌帽，帽檐罩住了他的脸的上半部。我仔细一瞧，不认识他。那人却在向我招手。我正站住了等他走近来，忽觉我的右侧里另有一个大汉靠近我的身体。我觉得有些突兀，回转头来，还没有瞧清楚这第二个是什么样人，猛觉那后面招呼我的一个早也快奔几步，靠近身来。我才觉局势不妙，我的右手刚伸进大衣袋去，忽然有一种东西已经抵在我的腰部。我的右手同时被那右边的人拉住了。

“喂，什么意思？”我仍镇静地问一句。

那戴鸭舌帽的人从背后低声说：“包先生，你是个明白人，漂亮些吧！”

右边的人也接口道：“包先生，你打算雇黄包车？我们有汽车等着，落得省几个车钱。”

这个人是不中不西的打扮，不过外衣是黑呢的，铜盆帽也是黑色的。他的黑脸上满是粗麻子，模样很可怕。

嘀嘀嘀一阵喇叭声音带来了一辆轿式黑漆的惠而卡客司车。汽车驶近了，停在我的面前。黑麻子马上打开车门。我的背后腰部的东西仍没有移动。我的手足虽已失了一部分自由，心中仍很了了。

我已经落在绑匪的手中！

往日我曾帮助霍桑破获了好几起绑案，想不到今天竟亲自尝尝这个味儿。我的外衣袋中本藏着手枪，此刻可能冒一冒险，挣脱了匪徒的抓握，把手枪掏出来，和这两个人拼一拼？不，在这情势之下，我若是轻举妄动，除了我的腰胁里穿进一粒枪弹以外，绝没有别的侥幸的希望。权宜之计，我只有暂时屈服，静待局势的变化。否则徒然牺牲，不但算不得勇，霍桑

知道了，也许要说我单凭血气之勇，缺乏深沉的思考，结论是“愚不足惜”。

这意念在我的脑海里经过的时间原只一刹那工夫。主意定了，我毫不抵抗，跟着那两个人走上汽车。我上车时，两个人仍是一后一右很恭敬地拥护着，一步不曾放松。进了车厢之后，我的座位也给夹在他们俩的中间。车轮既动，那两人忽把左右车窗上的黑色窗帘拉下来，隔绝我对于外面的视线。车厢中的光线虽然突地变暗，从隙缝中穿进来的余光，还使我约略可以辨别两个人的状貌。

我的右侧里穿黑呢大衣的一个，身材阔大，他的头部高出我足有三寸以上。他的那顶黑呢铜盆帽子也压覆得很低，脸上除了满面粗麻之外，还有浓黑的短髭。那左面的一个和这麻脸大汉绝对相反，身材小得多。他的脸色是淡黄的，有一副黑眼镜，一张小嘴。他戴的一顶鸭舌小帽的帽檐压得更低，竟和那黑眼镜的框边接触。他的身材似乎比我短些，但非常结实，他的动作也似乎比麻脸汉活泼得多。

当我正向这左右两个人端详的时候，忽觉那左边戴黑眼镜的朋友，突地把手插进了我的外衣袋，将我的手枪取了出来。他的枪管从我的背后移到了左侧，仍旧抵在我的胁部。我当然也来不及抢夺。

黄脸人作冷笑声道：“包先生，对不起，这东西我权且代你保存一会儿。”他把我的枪看一看：“唔，东西是捷克货，不错。”他随手塞到他的那件糙米色外衣袋里去。

语声很冷酷，刺耳难受。但是今天情势不同，我自然不便发作。

我忍着气，问道：“你们有什么目的？把我送到哪里去？”

黄脸的答道："何必心急？你总算当过了好几年的侦探助手，怎么会问出这种话来？我们的目的怎么样，回头你自然会知道。"

这家伙不但身手敏捷，而且口齿伶俐，真是歹徒中的一个人才。我觉得用口舌跟他斗，没有意思，也犯不着，只索静默着。

汽车进行得很快，我虽想从帘缝中窥视经过的路线，可是不清楚。我的右边的大汉开始活动。他的身子牵一牵，像是向他的同伴请示：

"小朱，怎么样？"戴鸭舌帽的黄脸人点一点头："好，老王，动手吧。用不着太客气！"

匪窟中

不客气要动手了！这话刺进我的耳朵，我不觉暗暗地一震。因为语气太含混，我不知道他们要怎样动手。我的右边的那个麻子大汉卷起些衣袖，装出一种"动手"的姿态。

黄脸的又说："喂，老王，慢一慢。现在你但把眼罩拿出来，给包先生戴上了。他也是个有名的侦探，眼光很敏锐。这个窗帘一定遮不住。"

"行。"

大汉应了一声，急忙掏出一块很大的白巾，就动手扎在我的眼睛上。这样"动手"似乎还文雅，但是我已经觉得忍耐不住。我正要举手抵抗，忽觉得那较矮小的一个的枪管，又抵住我的左边的胁部。

他又冷冷地说："包先生，留神些。有损无益的举动还是省省吧。"

我略一考虑，便也忍耐下来，听他们摆布。

黄脸人又冷笑道："包先生，你的嗅觉不是很灵的吗？现在你的眼睛虽给罩住，要辨认路径，你也尽可以利用你的特别敏锐的嗅觉！"

这个人真是太可恶，我一时失势，他竟敢如此戏侮我。要是机会来了，我少不得要给他些颜色瞧瞧。我的手枪虽已被他搜去了，但是我的背心袋中还藏着一把锋利的便用刀。这刀的刀锋有三寸多长，半英寸多阔，连着那鹿角的柄，足有七寸长度，尽可当作一种临时兵器。是的，我并不绝望，只要时机一到，我一定可以动手复仇。

汽车行驶得非常迅速。我的眼睛既给扎住了，凭着耳官的报告，觉得那汽车显然已经脱离了闹市，正向什么僻静的路上进行。

他们究竟要把我送到什么地方去？又有什么目的？我是靠笔墨生活的人，因金钱一层，似乎不像。况且他们明明认识我，又说我是当侦探的。那么推测起来，大概是含着报复的意味。我一时记忆不起，在什么案子上我和他们结下了怨仇。不过他们如果要报仇，随便开一枪也就够了，又何必多此一举，把我绑出去？我推想到这里，心中又暗吃一惊。刚才报纸上不是载着霍桑失踪的消息吗？莫非他也已像我一般地落到了匪徒的手中？或是更不幸的他已经遭了他们的毒手？因为据施桂说，他在霍桑失踪的上一夜，还听得过两声枪响。可见这回事的局势一定严重。我越想越觉不安，可惜我自身失了自由，更没法解决我的疑团。

"包先生，要不要吸一支烟，定定神？"

我的左首里的那个人又向我说话。接着我的嘴唇边果觉有一支烟送到。我也老实不客气地衔着。右边的那个大汉倒也知趣，连忙擦着火柴给我点烟。我吐吸了两口，故意和他们搭讪：

“你倒是爱国的。这是不是白金龙？”

左边的黄脸人忽作惊异声道：“佩服，佩服！你的辨烟味的能力也得考一百分。”

我笑一笑。其实，我受了霍桑的影响，平日吸纸烟，总是吸白金龙。可是这秘密我用不着向他说明。

“我猜你也念过书，受过相当的教育，是不是？”

我又试探一句，因为我觉得这家伙出言吐语夹杂些文句，还有考分的话，才冒险猜一猜。他的答语虽不承认，可是我相信没有猜错。

他说：“不，这一点你要考零分了。教育，谈不上；要是跟你们专家比，更差得远。”

他分明是谦虚。一个匪徒会有这样的修养，也出我的意料。

“小朱，你跟他多嘴做什么？”

这是那麻子大汉的粗嘎声。他像防漏出什么机关，所以不满他的同伴的扯谈。结果那叫小朱的果真静默了。

我的纸烟还没有吸到半支，汽车突地停止了。我知道目的地已到，便振作精神，准备应付。可会有我所期待的机会吗？

车门开了之后，两个人先拿掉我的烟，又把我的左右手牵住；下车以后，他们仍挟持着我进行。起先对着我的胁部的枪口移去了。那叫作老王的大汉的手曾一度贴近我的胸胁，可是他并不摸我的背心袋。我的那把便用刀仍安然无恙。

我仍像盲人一般地前进，经过了六七步沙石的车路，便走上阶沿。当未上阶时，我的耳朵中听得树叶相摩擦的声音。阶级似乎是水泥做的，一共有七级之高。到了上面，右旁的大汉上前按铃。同时我的脚下觉得有一方毡垫铺在门口，似乎这一宅是西式屋子。过了一两分钟光景，才听得里面有开锁声音；接着门开了，我们便跨步进去。里面的地毯很柔软，证明了我所料的不错。我听得那大汉老王向开门的人说了几句，便把我推进一间室中。

这时我真像傀儡一般，任他们推着挽着，绝不抵抗。他们把我推在一只温软的椅子上，分明是一只沙发。

小朱说："老王，把眼罩给他拿下来吧。"

半分钟后，我的眼睛已恢复了自由，我定定神，向四周一瞧，仿佛已换了一个世界。

那是一间宽大的长方形的书室。窗上都落着深蓝色的帘子，光线很幽暗。室中的布置完全西式，椅桌、茶几、沙发、书橱等器物都很精致。我坐的一只沙发，是用一种紫色的大花绒做的。对面另有一只，那个穿糙米色西装大衣和戴鸭舌帽的小朱坐着。在我的右侧排着一只宽大的红木书桌，桌上的墨盂笔架台灯镇纸也排列得非常整齐。凭我的经验观察，这书桌似乎只有装饰的作用，平日绝没有人在这桌上写字或读书，原因是太整齐了。书桌的那端有一个日本织锦的屏风，屏风后面分明另有一间，我瞧不见了。

麻脸大汉给我松开了眼睛上的白巾之后，便向屏风后面走去，只剩那戴黑眼镜的小朱和我面对面地坐着。他仰靠着椅背，两只脚伸得笔直，嘴里衔着一支纸烟，在很暇豫地缓缓吐吸。我瞧他的样子非常闲适，并且外表上也似乎没有警备的神气。

这是我的逃遁的机会吗？就体力而论，我相信我可以敌得过他。不过我的手枪已被他拿去，他的身边有了两支枪，而且他的右手仍插在衣袋里面。不但如此，我对于这个环境，一切都茫然，依旧处在鼓中，我若使就此逃了出去，回去也交不出账。况且据我意料，霍桑的失踪，十之七八，也必因已落进了这班匪徒们的势力圈。现在我既然到了这里，多少应当探一个明白。

我一边思忖，一边悄悄地端详对面的家伙。他的眉毛口鼻都很细小，眼睛给黑眼镜罩住了，看不出它的颜色，脸上的黄色也有些特异，好像是经过化装的。因此他的年龄多少，实在不容易猜度。

麻脸老王又从屏风背后转出来，走到小朱旁边，附耳说了几句。小朱点点头，立起来。

他说："那么，老王，你在这里陪陪包先生。其实他无论怎样厉害，究竟少两个翅膀，他总不能飞出去。"小朱说完了，便也向屏风后面走进去。

我不知道屏风背后究竟有什么玄妙，恨不得一拳把屏风打倒，瞧一个清楚。麻脸汉忽又耀武扬威似的卷起些袖子，取出一把手枪，紧紧地握着，让枪口正对着我。他直挺挺地坐在对面的沙发上。他的两只乌溜溜的眼睛一霎不霎地向我瞧着。我记得这家伙刚才有过企图实施某种方式的"动作"，给那小朱阻住的。他不是想掴我一下吗？现在他这副神气似乎还有谋杀的可能。我瞧了他这种样子，觉得可恨又可笑，不自觉地撇一撇嘴。

"喂，你为什么撇嘴？"他向我挑衅。

我冷然说道："你何必这样子提心吊胆？我正想在这里休息一下，就是你叫我走，我也不高兴走哩。"

"哼！你还想走！"

“我不高兴走就罢，要是要走，谁也阻不住我！”

“呸，你做梦！”

“看吧，做梦的是我，还是你！”我仍不屈地冷笑一声。

老王咕噜道：“别嘴凶！老实告诉你，现在你落到了我们的手，休想再活着出去！”

“你们打算把我怎么样？”

“等我们的头儿把你问过之后，就会给你颜色瞧！”

他的语气中含着恫吓，他说话的声调和凶狠的眼光也同样含着杀机。他果真有行凶的可能。我暗忖这个人蠢头蠢脑，假使我再和他多嘴，他恼羞成怒了，也许会身不由己地在枪机上扳一扳，那我未免要吃眼前亏了。

我采取守势，不再理睬他。我们静默了足有半个钟头，忽然有一声咳嗽从屏风背后送出来。我知道他们的头儿来了。

谈　判

在我的意想之中，他们既然有头儿的称呼，分明是一种有组织的匪党。这匪党的场面如此阔绰，料想他们的首领总是一个犷悍强大的暴徒。不，出我的意料，屏风背后走出来的那个头儿，竟是一个貌不惊人的瘦子。他和跟在他背后的那个戴鸭舌帽的绑我来的小朱，身材上竟仿佛无二。不过那头儿的脸部比较狭长，皮色是苍黑的，不戴帽，头发有些光秃。猜度他的年龄，大约在三十五。他的身上穿着一件暗蓝马裤呢的夹袍，嘴里衔一支雪茄，走路时温文而稳重，很像是一个饱学的学者。要是在交际场中碰见了，谁会瞧得出他是一个作奸犯科的匪徒？不过有一个显明的特征，他的一双深陷的眼睛，炯炯地可怖，表示他不是一个善类。

他走到了我的对面，麻面老王早已让座立起来。我仍端静地坐着。匪首向我点点头，就在对面的椅子上坐下。跟随的小朱和麻汉并肩地坐在另一只睡榻上，手枪都拿在手中。那头儿先把嘴里的雪茄取下来，用手指弹去了些烟灰，才缓缓地把身子靠住椅背，一条右腿也搁上了他的左膝。

这姿态给我一个触动，我不禁想起了我的老友霍桑。读者们总也很熟悉，每逢他听当事人讲述案由的时候，也往往有这种暇豫安谧的状态。可是此刻的情势绝对不同了。霍桑在哪里？他还能如此暇豫安谧吗？我的前途呢？外表上我似乎仍像一个座上客，实际上我明明是吉凶莫测的阶下囚！

那头儿第一句开口，说："包先生，我们久违了！"

他的口音是上海土语，语声沉着而冷峭，一进耳朵，仿佛有一股冷气直透我的脊梁。我并不是畏惧，也不是心理作用，当时实在有这种感觉。他说久违，分明表示我们先前曾相见过。在哪里见过呢？我细瞧他的面貌，绝对想不起。

我也很镇静地答道："你是谁？我不认识你。"

"嘿嘿嘿！"那人忽咯咯地发出一种冷笑，也是狞笑，"唔，那也怪你不得。我们虽然交手过几次，实际上你当真还没有直接和我会过面哩。"

他重新将雪茄放在口中，闭着嘴唇，默默地吐吸。黄脸人和麻子也都默不作声。这静默我有些耐不住。

我问道："你到底是谁？此刻把我送到这里来，有什么意思？"

他的衔雪茄的嘴唇微微牵一牵："你还不知道我？那天我不是已经给过你一个消息？"

“什么消息？”

“唉！不错，那消息我是给你的朋友霍桑先生的，你也许还没有知道。其实你的老朋友也太粗心了。他得了我的信号，也应当通知你一声啊。”

他有信号给过霍桑，莫非就是三天前早晨的那只飞燕？那么这个人难道就是江南燕？我没有看见过江南燕的完全的真面目，但知道他的身材很短小。因为在“猫儿眼”一案中，他曾向我附耳说过话，不过那时他是化装的，我在匆忙中没有留意瞧。现在这个人的身材果真也是短小的，这一点显然已符合。

我问道：“你可就是新近破了大华银行的第三号保管库，盗取——？”

他忽摇摇手，接口阻住我：“够了，够了！何必背履历似的太啰唆呢？”

他果真是破大华银行保管库的家伙。难道他当真就是江南燕？霍桑曾指说那是假冒的，这个人又说他已和我们交手过几次。究竟谁是谁非，我真弄不清。不过无论如何，霍桑的失踪势必和这个人有关系。他此刻究竟怎么样？他会不会已经遭了暗算？或者也像我一般地落进了他们的手？那么我此刻还有一部分的自由，在丧失活动可能以前，非和这个人拼一个死活不可。我想到这里，我的手不期然而然地向背心的袋口摸过去；接着我又急急把手放下，觉得时机还未到，万万不能轻动；况且旁边还有两个人执枪监视着，要动也不能不想些方法。

“喂，你到底是谁？何必还藏头露尾？”我耐不住地再问一句。

匪首婉声说：“什么？你一定要我通姓报名吗？唉，对不起，我是不惯客套的。”

“那么你此刻有什么打算？”

“唔，不错，我这样子请你到这里来，未免有些冒昧。我希望你可以原谅。”

语调很冷涩，措辞倒相当温文。有了这样的修养，却干不法的绑架盗劫勾当，真有些不可思议。

我又问：“你究竟有什么用意，快说。”

匪首和婉地道：“耐性些啊，急什么？你既然劳驾了，我请你来的意思，我自然会告诉你。不过现在我先要问你一句话。你可知道你的朋友霍桑先生怎么样了？”

这句话正是我急切要发问的，现在他问我，什么意思？他问这句话时，他的两粒乌黑的眼珠，从那深陷的眼眶中射出光来，注视在我的脸上。我觉得那眼光中含着凶意。

我答道：“莫非你……你可是——？”我急忙顿住了，觉得这句话未免露出痕迹。

他忙问道：“你怎么不说出来？”

“你这问句有什么意思？”

“你还不明白？据外面传说，霍桑前天已经失踪。这消息你总也知道了吧？”

问句很模棱，我仍难回答。我但微微点了点头。

他又说：“你想这消息可确实？”

他在探我的口气，要查知我的朋友的下落吗？还是他已经把霍桑绑住了，此刻故意拿这话来戏弄我？我猜不出，可是也特别戒备，不让他施展狡计，同时我还想来一个反攻。

我说：“确不确实你自己明白，何必问我？”

“那么你不肯说？”语声中带着威吓。

我摇摇头，作不耐状，含混道：“我不愿意听这种吞吞吐吐的话。你有什么意思，还是爽快些说。”

匪首笑一笑，又把雪茄弹去了些灰烬，继续道：“唔，你倒是一个喜欢爽快的心急人。但是我们处世，有时候除了自己以外，也得想到他人的方面，不能事事称心，那也就不能不委曲些。”

“哼，还是绕圈子！我要听听你把我绑到这里来的用意。”

“也好，你既然这样心急，我不妨就简括些说。我请你来，就要你答复我刚才的话。”

“什么话？”

“就是我对于贵友的失踪消息非常怀疑，请你来解答一下。”

我的心头松一松。他既然说怀疑，显见霍桑的失踪并不是他的直接行动。那么我先前的推测和担忧实在是误会的。

我反问道：“你要我告诉你霍桑失踪的原因吗？”

“是。”

“不行。我也不知道。”

“嘿嘿嘿！你的嘴真紧。也好，我老实说吧。我们的本意不是和你们为难。我们各行其道，尽可以不必相犯。可是贵友太不识趣，一再阻挡我们的工作。这一次他揭破了我们的策略，又不肯就此罢休，还打算彻底地解决。你总也知道，我们也不是容易受人家的干涉的。我们迫不得已，给了他一个信号，下一天他就失踪不见。推想起来，他失踪的目的分明要暗中进行，他的目标一定仍在我们的身上。我们为自身利害计，自然也不能不采取积极行动。”

他顿一顿，又慢慢抽他的雪茄。广室中静一静。两个党羽仍默默地坐在长椅上监视着。我不知道他所说的积极行动有什么含意，大概是一种恐吓。但是我仍镇静不动。

匪首又问道："包先生，你明白了没有？"

我答道："明白了。不过你不能希望我给你解答什么。他怎么样失踪，我不知道。你所估量的目的，我也不能下断语。我简直无能为力。"

"太谦虚了。我想你多少总可以帮些我们的忙。"他的嘴角又牵一牵。

我迟疑道："帮什么忙？可是你叫我给你们向霍桑疏通一下？"

他摇头道："不是。你别见气，疏通的责任，你是担当不了的，况且实际上也不会有效力。我们另外有一个方法，只是不能不劳你些神罢了。"

他忽而把雪茄烟尾丢掉，欠伸一下，身子也坐直起来，仿佛振作些精神，要发表什么重要说话。

诱　饵

局势在逐步开展，像乌云密布在天空，巨飙已在扇动，迅雷、闪电、骤雨，随时会有降落的可能。我也收摄神思，准备听他的说话和应付任何变化。

他咳了一声干嗽，说："包先生，我不妨再老实说几句。我们的组织是非常严密的；消息的灵通尽可开一个通讯社；人才的众多，新和旧都有——新的有专门的科学博士，旧的也有飞檐走壁的好手。我们并不是高估我们的力量，可是那些饭桶侦探实在都不在我们的眼中；只有贵友霍桑，却觉得有些碍我们的手脚。因此我很想和他会一会面，要是能够彼此妥协，那自然最好。否则，也应当想一个解决的方法，才可以各行其道。”

夸张、威胁，兼而有之，主旨显然在谋取妥协。这是我揣度他的含意而得的结果。可是霍桑是什么样人？会和这班人妥协？他是个公私、是非、邪正、善恶界线极端分明的人。他既不会妥协，便是势不两立，怎么可以各行其道？不过我想起了往事，觉得霍桑对于江南燕这人，似乎应当别论。他曾和江南燕交手过几次，结局时虽非妥协，却也有相当的谅解。因为江南燕的活动对象都是些“来路不明”或是“满不在乎”的富翁，行径上似乎带些任侠的旨趣，和霍桑并不是绝对处于对立地位。这个人是不是真的江南燕呢？据我看，他也许是冒名的。理由是江南燕素来不在上海，他却明明是这里的土著。江南燕干事，大半都是单枪匹马，这个人却又夸张他组织的强固，这都是显明的异点。可是他的那只飞燕的信号又使人怀疑他确是江南燕本人。就情势推测，他的组织中的人物谅来当真有几个好手，他方才的夸张也不是完全虚无的。

我顿了一顿，又问：“你打算用什么方法和他解决？”

他摸一摸自己的秃顶，摇摇头：“唔，这个我此刻还不必发表。眼前的先决问题，要把贵友请到这里来了才好。”

“你怎样去请他？”

“对不起，那就要借重你了。”

“你要我去同他到这里来？”

“不是，用不着劳你的大驾。你只要写一个条子，约他到这里来会商一下就行。”

一番唇舌到这里才见了喉咙。我才明白他们把我弄到这里来的真正目的，就想借我做一种诱饵，引霍桑入彀！

我直接答道：“那么你想叫我把霍桑骗来？”

匪首又冷笑一声："包先生，我劝你看开些，不要不识抬举。我明明说请他来，你怎么说骗不骗？"

他的语声又冷起来，含着强烈的威胁意味。我不由得勃然大怒。

"我也劝你不要妄想。我决计不写这一封信！"

"喔，你当真不肯写？"

"谁和你开玩笑？"

"嘿嘿嘿！我看你还是知趣些吧！"

"不知趣又怎么样？"

"那你一定后悔不及！"

"我准备着。你就是把我的手指斩掉，我也不写这封信！"

话撞了壁。迅雷开始隆隆了。

匪首霍地立起身来，把他身上的那件马裤呢夹袍整一整，左手叉在腰部，变了面色，右手的食指指着我：

"你已准备牺牲你的手指吗？唔，有种！可是我们还不让你如此便宜。要是你还不知道我们的厉害，不妨先领你到我们的刑具室里去看一看。拶子、夹棍、电螺旋、老虎凳，新的旧的都齐备，任你挑，皮条编的鞭子是最普通的一种。等到你饱尝了滋味，到底还是要写信，那就不免'敬酒不吃吃罚酒'了。"

这瘦子顿一顿，用眼角向旁边的老王小朱瞟一瞟。我保持着镇定，脑子里在估量这迅雷后的后果。

秃发的又说："包先生，我先礼后兵，现在再给你三分钟时间考虑，假使你固执不肯，那我们也只得不客气了。"

局势在恶化。两个绑我的助手也都挺立着，虽还没有动作，可是只要他们的头儿一吆喝，动作马上有。

我相信匪首的话不像是空言恫吓。我可就此屈服吗？我和霍桑干冒险的事，当然已不止一次，性命当置之度外，何况是什么刑具？可是在这种紧要的关头，我也不能不运用我的理智，郑重地考虑一下。

“一分钟！”

那狭长脸的瘦子看看手表之后，发出一声警报。麻脸老王把手枪扬一扬。小朱倒还安静。我仍维持着外表的宁静，可是脑海中的思绪翻腾汹涌。

我这种牺牲可值得吗？我的牺牲在实际上有什么后果？是否便可以免去霍桑的危险？反过来说，我假使依从了这匪首的要求，霍桑是否也会投进罗网里来？我的经验告诉我，霍桑是一个最细心机警的人。在这种危急的时刻，若说他接到了我的信，便会不加深察，匆匆地赶来，那实在是神经过敏的想象。还有一层，我现在落在匪手，霍桑还没有知道。若使借此通一个消息给他，使他可以设法营救我，那岂非反可以给我利用？

瘦子又厉声说：“两分钟过去了！”

我沉默。谁也不开口。这是暴风雨之前的寂静。

在死寂中我又挨过长长的一分钟。

匪首坚决地说：“三分钟了！”

我还能沉默吗？不！那不是聪敏的应付方法。

我也立起来，应道：“好。你既然有意思和霍桑会会面，那也行。我不妨就给你写一封信。”

匪首见我就范了，又变了面孔，放下了叉腰的手：

“这才好。包先生，你究竟是知趣的。”

“他得了信，来不来，我不能保证。”

“那自然。你知道他此刻在哪里？”

“我说过了，我不知道。”

“真的不知道？”

“今天早晨我才从报纸上得到他失踪的消息。我正想到他的寓里去看看，刚出门口，便被你这两个人挟到这里来。”

匪首向我谛视着，似乎寻思了一下，点点头：

“那么你现在写了信，送到哪里去？”

“只有仍旧送到他的爱文路寓所里去。”

“这样，你想他可以接得到吗？”

“这难说。但除此以外，我也没有方法。”

匪首又低头想一想，他的眼角仍在活动，在偷眼窥察我的神色，似要测度我的说话是否实在。我说的是实话，当然不会有异样的表情。

一会儿，他拿定主意并说：“好，就这么办。来，你坐到这书桌上去。我来口述，你照着我写。”

我走到书桌旁边，坐下来，开始使用这难得经用的书桌。桌面上盖着薄薄一层灰。我也不拂拭。匪首给我取过一张白纸，又把墨盂和笔预备好。我提起了笔，他便口述那封信：

弟已处在险地，急盼兄来调解。见信立随来人同来，一切可保无虑。若兄不至，或有亏待来使之举，则弟有性命之虞。切切。

他口述完毕，我又加上称呼和署名。他取起纸来仔细念一遍，接着又叫我写信封。我写好了，匪首便把信用胶水封好，顺手放在暗蓝呢袍的袋里。

他回头向麻脸大汉嘬嘬嘴："老王，把他送进第九号去。等我的命令再动手。路上小心些。"

"是。"那大汉恭恭敬敬地应了一声，摸一摸他的黑大衣，马上走近我的身旁。那黄脸人也走近匪首旁边去，似乎发表什么意见，不过语声很低，我听不清楚。匪首垂着目光想了一想，瞧着糙米大衣的小朱说话：

"也好。你陪他去，的确更妥当些。"

瘦子伸手到袍子袋里去，摸出一只小皮夹，从皮夹中取出什么来交给小朱。小朱接过了，回转身来，同样走到我的身旁，把枪管对准着我。

他低声喝道："对不起，现在不能不再给你上一上眼罩。你小心，如果动一动，就没有命！"

笼中鸟

我第二次被他们挟上了汽车，又不知向什么地方进行。这时我心中思潮的起伏比车轮的行动还迅速。他们要怎样处治我？那匪首所说的第九号是个什么所在？他取了我这一封信去骗霍桑，霍桑可会当真进他们的圈套？我起先希望他得了消息可以设法营救我，现在这刁恶的匪首又把我移换地点，我的希望岂不落了空？那么我还是束手听他们摆布吗？或是想个方法自己脱身呢？

种种疑问攒刺我的心房，我的血液几乎要沸腾。事情已经急剧地转变，我不能不迅速地有个决策。

我的眼睛被扎住，瞧不出我左右二人的情形怎么样。不过我若使要自救，只有趁这个机会。要是等他们把我送到了另一个地点，匪党一多，我就更不容易动手。怎么办？我冒一冒险，和他们拼一个死活吗？

我自从被绑以后，始终没有抗拒的表示。故而这两个人在防备方面，比起初时疏懈得多。上车时，我的右胁边有枪口抵着，这时那枪管已经撤去了。又有一阵阵的烟臭从我的左首里发出。我从呼吸的粗细上辨别，显见那吸烟的是老王。我又觉得眼睛上裹着的白布，缚得并不算紧，只需我用力一扯，立刻可以脱落。

我开始策划反抗，打算第一步一手把眼睛上的白巾拉下来，一手夺取一支手枪。若是能成功，就开枪把二人打倒，然后再对付那个开汽车的车夫。万一失败了，我们在车中争斗起来，或者因此会惊动外面的警士或路人；只要有人来干涉，那我也可以有自由的希望；即使不幸完全失败，我也很愿意。

主意定了，我的精神更振作。略一犹豫，我的脑海中仿佛发出一声命令：

“动手！”

我的两手立即应声活动——左手用力把眼眶上的白巾一拉，果真应手而下；我的右手早也向右侧的胁部里摸过去，希望抢住那小朱手中的手枪，不料摸一个空。我横目一瞧，那黄脸人的手枪已经藏进了衣袋里去，并不拿在手中了。

“喔，你想逃？别动！再动，我马上开枪！”

黑髭的麻子是拿着手枪的。他的枪口已经抵住我的左胁。我笑一笑，装作屈服地把背靠着车座。这一来我的胁部离开了枪口。麻子也松弛些。我采取的策略是“欲擒故纵”。就在我略略退后的当儿，我的左拳突然抬起来，只用力一抬，拳头就打中老王的右腕。

咯噔！麻子的枪给击落了！

小朱也动手了。他想捉住我的手。我避过了，我的左手急忙从背心袋中取出那把便用刀来。我的右手刚把刀片拉开，麻脸的吼一声，早伸手过来抢夺，我乘势一刀，恰巧刺中他的右手腕。他不禁一声怪叫：

“哎哟！猪猡，你凶！”

正在这时，我的右胁猛觉有一种东西抵住了。那是小朱的手枪。但是我不顾利害，仍举着利刀，准备回过来刺那黄脸汉。不料那大汉的巨掌奋命地握住了我左手的手腕，我手中的刀便失了活动的自由。同时小朱的另一只手向我左手的脉搏上用力一拳，我的刀便不由自主地落在车中。我右胁里的手枪虽没有发射，却始终抵住着。我再也没有抵抗的能力了。

唉！我到底失败了！

“猪猡，你真要找死！”

老王受了我的一刀，怒极了。他又骂了一声，忽把另一只没有伤的左手，紧握着拳头，向我的脸部打过来。小朱忽然伸手架住了，又发声喝住他：

“住手！这是什么地方？你能动手？”

大汉果然缩住了手。我没有吃眼前亏。这一幕小小武戏，也就告一个段落。

当大汉怪叫的时候，汽车曾略略停顿，接着仍继续进行，速度比先前增加些。老王既被喝住，默坐在一旁，取出一方半黑半白的手巾，自己裹扎他的伤腕。小朱重新将手巾给我裹眼睛。那手巾虽被我拉下了，仍套在我的头颈上。这时他的一只手把手巾给我重新拉上面部去，一只手里的手枪也移到我的胸口。我还想趁势夺取手枪，但转念一想，这一着势必九死一生，未免太不值得。我第二次屈服了。

汽车到达了目的地，车厢门开了。两个人各握住了我的一只手，挟着我一同下车。这时比上车时严紧得多。这一次我觉得只有三层阶石，一进门口便觉有一阵药物的臭味。我的眼睛既然失了效用，自然不知道这究竟是什么所在。老王在前面引导，小朱却贴近我的身旁，我的腰部的枪管始终没有移去。转了几个弯，似乎经过了好几间屋子，忽而觉得有向下的阶级。我默数那阶级共有八级，地面似乎是水泥。这里面还有地室呢！果然一到下面，一股潮湿气味刺鼻难耐。又转了两个弯，我就给推进一间小室。

我的眼睛恢复了自由，才瞧见我所处的地方是一间只有六七尺见方的小室，四壁都是水泥造的，只有一个通道，是一扇五尺多高三尺多阔的黑黝黝的门。小室的一角里放着一只板榻，榻上铺着被褥，榻前有一只半桌和两只方凳：像是一间优等囚室。上面有一盏电灯，这时正自亮着，光线不大亮。我计算这当儿谅来还没有过正午十二点钟。这里既在地下，除了这一盏幽暗的电灯以外，真是暗无天日。

我坐定在板榻上。老王向我凶狠狠瞅一眼，先退出去，他到了门外，站住了似在和什么人谈话。小朱仍站在我的面前，瞧着我高声吩咐：

“安静些。要是你轻举妄动，只有自己讨苦吃。你领会吗？”

我默然不答，只冷冷地向他瞧了一眼，他向我笑了一笑，也就退出室去。接着，室门关上了。嘀嗒一响，外面下锁了。我就成了笼中鸟！

我怎样对付他们呢？事实上可有什么办法？我为公众服务，结怨了匪党，此刻落在他们的手中，生死原不在心上。只是我一想到我的妻子佩芹，未免有些不安。伊一定以为我此刻还在霍桑那里，怎知道我已经身处绝境。我可能通一个消息给伊吗？莫说办不到，就算办到了，伊得信以后又将怎么样？我又想起霍桑。他此刻是否已经接到我的信？如果信已投到，他将怎么样应付？据情势推测，这班匪党的组织如此严密，确实厉害。他们又有这样秘密的地牢，若不深悉底细，谁又能够直捣匪穴？我瞧那匪首的头脑确是很冷静的。他既能干那大华银行的案子，可见他所说的他手下人才众多，确也不是虚言。不过他们既然没有把我一枪打死，我自然还有希望。“一息尚存，此志不容稍懈。”这是霍桑的人生观，我也有同样的抱负。

我开始准备用我自己的力量，设法脱出牢笼。我站起来，先用指头在那水泥的壁上轻轻地弹击，都是很坚实的，休想有脱逃的机会。我又走到室门旁边，视察那扇门。门是用铁皮包的，里面是某种坚木，门外有铁闩反锁着，显然也没有法子想。我又用脚踏踏地，地的坚实更甚于壁。只有上面暗黑的承尘，我还没有把握。不过希望也一定很小。怎么办？这是个坚实的地牢，我赤手空拳，有什么法子呢？

砰！

一声枪响从铁皮门外传送进来。我心里一惊，不由得倒退两步。有什么变端来了吧！

冒险行动

“是霍桑来了吧？”那是我那时候的第一种意念。以为霍桑来了，匪徒们阻挡他，也许外面已发生了争斗，因而有枪声。接着我又自觉我神经过敏。霍桑既然不知道我的所在，怎么就会即刻赶到？

我再敛神听听。没有声音。太奇怪！开了枪怎么会静下来？我轻轻地踱到门边，用手推一推那铁皮门，冷得像冰，但是依旧锁着不动。

呱嗒！

我吃一惊，赶紧把身子蹲下去。声音是从门上来的。我抬头一瞧，铁闩上忽然露出一方小洞。有一个人面就在这小洞口中显露出来。那是个监守人。他的面貌我虽瞧不清楚，但那种凶恶粗丑的状态一望而知不是善类。

他向我狞笑着说："喂，你忙什么？想逃走？嘿嘿嘿！"

笑声中充满冷气，使我的皮肤上生粟。我不理他。他说下去：

"知趣些吧。无论如何，你逃不掉。就算你走了出来，你也休想活命。我劝你安逸些睡一会儿，倒是最实惠的。"

又是一声呱嗒。那人把铁门上的方洞重新关拢了。我站直了，看见铁门上另有一个小孔，才知道我在里面的举动，外面都瞧得见，刚才的枪声分明是一种示威。

这是个最恶的场面！我处在这个四壁坚实的黑暗的地牢中，除了外面有人来救我，我自己简直没有逃生的机会了。不是我自己气馁，实际上实在无路可走。这班匪党不但手段厉害，组织也特别严密。别的莫说，这种秘密的地室和严密的布置，实足使侦探们束手无策。我所处的一室据说是第九号，不知一共究竟有多少号数。假使每一号中都有一件绑票案，这匪党的气焰也足够教人心惊。我这时虽还存着扑灭这个匪党的雄心，不过我手无寸铁，又没有一条出路，怎么样着手，虽绞尽脑汁，也想不出。

正当这个时候，电灯忽而熄灭了。这又使我吃一惊。又有什么变化吗？我知道电灯的机钮装在门外。他们熄灭了灯，将有什么动作？我处在这黑牢中，生死未卜，加着霉湿的空气刺鼻难受，我感到的烦闷惶惑也可想而知。

静！是死一般的静！黑，是坟墓般的黑！我简直像一个给活埋的有呼吸的死人！

我绝望吗？不！霍桑常常说："希望是同呼吸一起存在的。"我在万分困难中，忽然想得一计。那门外的看守人我可能运动一下吗？如果成功，不但我的性命可保，也许还可以成全我的打破匪巢的奢望。这不是值得试一试的吗？

于是我又冒险走到铁门背后，希望听得门外的人走过，然后招呼他谈话。不料我的耳朵刚要贴在铁皮门上，电灯忽又通明，那铁门上的方洞也跟着拉开了。我急忙把身子一侧，才见从方洞中送进一只长方形的小盘，盘中放着一个面包，一方块牛肉，还有一杯热水。我连忙接住了盘，乘势从方洞中低声说话：

"朋友，我和你谈一句话，行不行？"

那人果真住了步，把头凑到洞口："你要说什么？"

我忙接续道："朋友，你若使能放我出去，我一定重重谢你。"

那人忽冷笑一声："书呆了！你谢我多少呀？你卖掉了老婆，能值得几个钱呢？"

"不，我有钱，你要多少，我都依。"我赶紧补两句。

他仍站着不走："喔，你有钱？有多少？"

"我给你一千块！"

没有反响，有的是静默。这不是希望吗？同意了？还是还嫌少？

“喂，朋友，我还可以多给些——再加五百也行，只要你马上放我！”

有回音了！声音很低。他的头仍凑在洞口，两只黑眼闪一闪：

“喔，你肯给一千五？”

“是！”

“现货交易吗？”

“嗯……我身上没有现钱。你一放我出去，不妨跟我一起去拿。”

“跟你一起去！嘿嘿嘿！”

砰！

方洞合上了，他走开了！

我急急补充说：“喂……喂，我有金表……喂，还有墨水笔……”

没有回音！

完！这计划不成功，我只空欢喜了一场。真懊丧！我把食物盘放在半桌上，刚才坐下，电灯忽又暗掉了。我哪里吃得下？无聊中我但把热水饮了一口，接着便倒在板榻上面。

我的身体一经躺平，脑中的思潮越发起伏得厉害。我的希望是渺茫了，不能不想到归宿。

人生百年，谁也有个归宿，死原不足畏惧。我想起了十九日那天早晨，霍桑因批改罗隐的蜜蜂诗而发表的几句话：“生存在这个时代的人，谁也应得有这‘为人’的观念……”霍桑和我历年来竭尽心力，企图荡涤些人群的渣滓，扑灭些社会的蠹害，让大众们走一条更平坦光明的路，就因此和那班歹徒恶棍处于势不两立的地位。现在我不幸落进了匪手，就算牺牲了性命，总比马援说的“卧床上死儿女子手中”更有意义。不过人也是有情感的，生离死别，对于生平所亲昵的人也不能不有所系恋。

第一系恋的是我的妻子佩芹，第二便是我的老朋友霍桑。我死在这里，这两个人连消息都没有一个，“生死存亡两不知”，想起来最觉难受。再进一步，我又替霍桑担忧。此番他即使不会因着我的字条而落入匪徒的圈套，但这班悍匪和霍桑不共戴天，随时都有暗算他的可能。假使他又失去了我的助力，单身双拳，无论他怎样机智出众，也许也不免要步我的后尘吧！

我躺着，呼吸有些艰难。时间在一分分一秒秒过去。内和外一片黑，一片静。

我这样似梦非梦地胡思乱想，不知经过了多少时候。我的耳朵中忽感受一种异声，仿佛有人在那里开动室门外的铁闩。我不由得坐直了身子，把我全身的精神都运用在听觉上面。

嘎吱……嘎吱……

似乎是铁闩拔动的声音，不过非常轻微。怎么？莫非刚才那个看守人受了我的运动，表面上虽不理会，此刻却来暗暗地放我逃走吗？不，不会。这意念未免太如意了。那么可是有人要悄悄地进来，致我的死命吗？

铁皮门果真轻轻地开动了。这仍旧是我的听觉的警报。电灯仍不明亮，使我无从防备。我缩在一边，留神地听。那铁门显然在开展，等到开了半扇以后，外面有一缕细而长的灯光射进来。隐约中我瞧见一个戴鸭舌帽的黑形伛偻着缓步走进来！

我仍把身子贴住了水泥的墙壁，我的呼吸也忍住了。来人的用意怎么样？不会是好意吧？我正想举起一只方凳暂时做武器，忽见那黑形一进门后，站一站，并没有动手行凶的模样。更奇怪的，他把电筒光向我照一照，像在摇手作势。

什么意思？进来的人是谁？莫非是霍桑？但是那人的身材又不像。

迟疑间我手中拿着木凳，但也不敢轻动。那人慢慢地走到了我的身旁，向我连连地摇手。他忽把一支手枪倒握了枪管，塞在我的手中，接着又是另一种东西——我的那把便用刀。我真是莫名其妙。

那人低声说："别慌！这都是你自己的东西，拿好了。"

"什么意思？"我也挣出了一句。

"你不用疑虑。放着胆子，跟我走。"

"哪里去？"

"走向光明去！"

抽象的光明已经在我的心头活动。这个人不但没有恶意，像是来救我的，而且他的声音我也熟悉。

我不禁问道："那么你是谁？可就是小——？"

他忽阻止我道："别说废话！轻声些，跟我走！"

"外面没有人吗？"

"有人，就开枪，不过能不开更好。你跟着我。走。"

是梦境吗？不，是现实。可是这个人明明是动手把我绑到这里来的黄脸匪徒小朱，因为在暗淡的光线中，我还看得出他戴着黑眼镜。此刻他怎么又来放我？这真是我所意想不到的！他要引我出外，另外有什么动作吗？也不像。他们若要害我，随处都可以，何必多此一举？况且我的手枪他也还我了，更百分之百不像有什么恶意。这时候我还没有脱离险境，也没有机会深究，只有傀儡似的跟着他进行。

出了门口，我们都站一站。电筒光照见一条狭长弧形的甬道。离这第九号室不远，壁顶上还装着一盏电灯。就在那电灯下面，有一个人蜷卧在地上。我不禁吃了一吓。

小朱附着我的耳朵说："别怕。这个人已经没有呼吸了。"

甬道的两端都有木栅门。两边有十多扇包铁皮的小门，既像旅馆，又像监牢中的囚室。

小朱在甬道中略一迟疑，又向我低声说："我想还是从这边走，比较的容易些。你得振作些，手枪也姑且藏好。我希望我们能够不用它最好。"

我点点头，但依着他的话进行。我们向右首一端走，举步轻缓而稳定。到了木栅的门口，那黄脸人忽掏出一串钥匙，开那门上的锁。可是试开了半晌，锁仍旧不开。他另换一个钥匙，竟也同样地扞格不入。他有些着急不耐。我的心也乱跳。等到他换了第三个钥匙，变端发生了！

砰！……砰！……

枪声隐约地从甬道的左端透过来。小朱突地一震，急急住手。他侧耳倾听。枪声竟连续地不断，并且越发清晰了。

小朱惊呼道："不好！大概是侦探们来哩！"

我的反应倒相反，不但不惊慌，胆子转壮了。

我安慰他道："若使真是侦探，我可以给你担保。你不用害怕。"

他仍惊惶地道："慢。你自己的生命怎么样，此刻也还说不定哩。"

他急急把那第三个钥匙用力旋转。不凑巧，仍旧不相配。

但那边的枪声仍继续不停。好容易换了第四个钥匙，那锁才应手而开。

他拉着我走出了木栅门，转了两个弯，便有七八层阶级。他一口气先跑到上面，仰面探了一探，又回过来向我招手。当我上梯级的时候，隐约中听得枪声更急促些，好像来源不止一处。到了梯级的上面，虽有一盏电灯，光线却更暗淡。

他仍拉着我的手，低声道："你在这里暂时伏一伏，让我去骗他们开门。这一扇门是我们的生死关！现在只能看一看我们的命运！小心，回头你得照顾你自己！"

我看见他走到一扇小门口，曲着两个指头，在门上连叩三声；略停一停，又叩三声；连续着又叩两下。这分明是一种暗号。枪声仍错落地响着，听起来越发近了些。小朱的叩门声停了不久，室门便开了。他跨出门去，似在向开门人打什么招呼。不料小朱的身子才刚走出，那门又突地重新关上。

这是生死关头，我再不能迟疑了。我一边摸出手枪，一边奔到门口，不等外面的人下锁，猛力把门冲开。一出这门，我的眼睛骤然受了光照，不由得昏花得瞧不清楚。

一个黑影飞过来，像是拳头。我来不及闪躲，拳头已经打在我的胸口。痛吗？我没有感觉。恍惚中我看见是个短衣的男子，站在门口，正在狠命地再度打过来。我举起右腕来招架，把那拳头挡开了。他在拔手枪，我飞起一腿，踢在他的手腕上。他的枪始终没有拔出来。我不再顾忌，便向这看门人开了一枪。那人来不及避，立即应声倒地。

冲！我继续着前冲！我瞧见那小朱正在从一个门口里奔出去。那是一间宽大的房，堆积着木箱酒瓶之类。那看门人倒地时，带翻了几个酒瓶，曾发出一种响亮的声音，增加了我的危险。

砰！……砰！……砰！……

激越清晰的枪声分明就在这储藏室的外面。从那时急时缓的响声上推测，好像有人正在做一攻一守的射击。我不暇顾虑，把小朱走出去的门做目标，用力冲出去。

我出了这一个门口，显然逃出了第三关。我站一站，才知是一爿西式的酒吧间。场面很混乱。有好几个人正躲在柜背后，桌底下和壁角里。枪声仍断断续续。我执了手枪，一时不知道怎样射击。地上有个穿糙米衣服的人像蚯蚓似的在爬，已爬近了酒店的大门，门正开着。我正想跟着他的踪迹，忽而手枪又一响，一粒弹子从我的左侧里飞来。我急急把头一偏，但左肩上已中了一弹，我忍痛盲目地回了一枪。

砰！

右首里另有枪声，我的腿上马上又中一弹。我仍负痛向前奔去，刚到门口，门外又有连珠般的枪声。

我进退不得了！我的意识开始模糊，足也再支撑不住，身体一失平衡，便跌倒在门外的水泥径上；但觉眼睛前一阵昏花，顿时又进入了黑暗境界。我的知觉失去了！

奇怪的电话

人们大概都经历过凶险的梦境，在万分紧张的时候，往往惊极而醒；醒觉以后，回想前情，精神上自然会感觉到无量的安慰。当三月二十三日早晨，我在爱仁医院里醒转来时，正像从一个惊心动魄的噩梦中醒转来一般。我的眼光最先接触的人有两个：一个是我的老友霍桑，另一个是我的爱人佩芹。

我揉了揉眼睛，看见佩芹坐在我的床边，含愁的双目正凝注在我的脸上。伊的眼眶略略有些红肿，面容也灰白可怜。我一把拉住了伊的手，想要坐起来，忽觉我的左肩和右腿上都隐隐作痛。伊急忙站起来，按住我的身体，不许我撑起来。

伊说："医生叮嘱的，你虽侥幸地没有伤筋骨，可是不能动。现在你觉得怎么样？还痛吗？"语声有些哽咽。

"不。"我摇摇头，仍握住伊的手不放。

"唉，好了！"

霍桑正站在床的一端，说了一句，舒口气，缓缓地走近我的头部。

我回头问道："霍桑，我们可是做梦？"

霍桑微笑答道："唔，是的，可是梦已经过去哩！"

"那么这究竟是怎么一回事？"

"话长哩。你耐性些。我想你现在还需要休息。"

"是的。朗，你再睡一会儿再谈。要不要吃些东西？"佩芹也附和霍桑的表示。

我说："不。我现在需要的就是这回事的内幕。霍桑，你快告诉我。"

霍桑嘻一嘻，走到我的床边，在一只直背椅上坐下来。佩芹拿了一杯热牛奶送过来，扶起了我的头，叫我吃。我领情地一口气喝完了，重新向霍桑提出解释的要求。霍桑答应了。佩芹仍坐在床的另一边，静静地听霍桑分析。

他说："昨天你是从匪窟里逃出来的。"

我应道："是，我记得了。当我跌在酒吧间门外的时候，可是你救我起来的？"

"不是。一半是汪银林手下的几个探伙，一半是另有一个不知谁何的人。”

“怎么？我不明白。”

“原来当时我只知道一条通匪窟的通路，故而我们大家都向黄河路的医室里进攻；不知道这匪党有秘密的地道，而且那地道还通过弯角，有两个出口，分散在两条路上。等到转角上做后援的探伙们听得了富洲路上的枪声，才知道玫瑰酒店里有嫌疑人逃出来，警署的门警开始阻拦。汪银林才派了大队过来，方始将你救起。”

我作惊异声道：“什么？匪窟的通道就在富洲路上？”

霍桑点头道：“是啊。你可是以为富洲路是警署的所在，因此认为奇怪吗？岂知那一爿假名的玫瑰酒店竟就在警署的隔邻！因此之故，警探们寻遍了上海的四乡，竟找不到匪窟的所在！”

我纳罕地说：“唉，匪党们真狡猾极了！这种地点谁想得到？你又怎样知道的？”

霍桑解释道：“五天以前我们不是破过一件大华银行的失窃案吗？我早已说过，这案子定是什么匪徒冒托着江南燕的名义干的。他们能够破坏如此坚固的铁箱，并且把赃物藏得如此严密，也足见这班人的能耐。在一两个月之前，我听说有一班有组织的匪徒，内幕中有一个有科学知识的人，在操纵指挥，实在不容易应付。”

我叹息道：“唉！我国人的科学知识还在幼稚时期，别的没有发展，在犯法作恶的勾当上倒马上就有成效！”

霍桑也微微叹一口气：“我知道有这班匪徒的存在，社会上的恐慌势难有停止的希望。我料想大华银行的案子也定是这班匪徒干的，案情虽揭破了，真贼还没着落，所以我就决心彻底扑灭他们。我和汪银林探长商量了好久，又费了不少功夫，从各方面探访，可是终查不出匪窟的所在。于是我便想出我自己失踪的计策，来引他们入彀。”

我插口道：“你的失踪是一种自动的计策吗？你为什么不通知我一声？”

霍桑道：“这一点要请你原谅。我的目的在于使匪党们信以为真。他们知道我和他们势不两立，我一天在社会上活动，他们是一天不能安心的。还有一件事，我还没有告诉你。在十九日早晨那只飞燕的事过去以后，到了下午，你就回家去。在那天晚上十点光景，忽然又有人到我的寓所里来开枪行刺，也许是威吓。”

“喔，施桂也提起过，不过不清楚。那也许就是匪首所说的信号。我听得了这消息，正要到你那边去问个明白，就给绑了去。那是怎么一回事？”

“那时候我在楼下办公室看一本《变态心理》。有人向我靠近的窗口开了一枪。那枪弹没有进来，似乎是随便放的，也许只起着恐吓作用。我马上探头到窗外去看看。又是一枪，仍旧是空发的，并没有伤我。我因此将计就计，下一天早晨，拿了些应用的东西，就悄悄地失踪不见。我料想他们一听得我失踪的消息，势必要派人来探听虚实，我便可以因此得到一个引线。至于我不和你说明——连施桂也不知道——就因为你是一个老实人。若使你知道我的失踪是假的，你就绝不会发急。你总知道，有好多人都把你做我的行动的镜子。万一你的行动态度被他们瞧破虚实，岂不弄巧成拙？为了这层，我只得故意不通知你。这一来使你冒了一次很大的险，我很抱歉。不过我也防你有什么意外，早就派人守候在你的寓所的左右，以防万一的不测。”

“那么，我被他们绑去的时候，有人看见的？”

“不错。那时候两个守伺的人原也亲眼看见。不过他们奉命不能救你。”

“为什么？”

“这又得请你原谅。我已经说过，我的目的原想找一条线路，探悉他们的地点。所以两个监伺人只奉命跟踪，并不负援救或把你劫夺下来的责任。我也料定他们一时绝不会难为你，只需探得匪窟的地点，我就可以设法救援你。”

“你就从这条线路得悉匪窟地点的？”

“不。他们只跟到沙渡路的一宅屋子。屋子的门外标着 F. R. Henrg——一个外国人——住宅的牌子，其实是匪党的接洽机关。我们后来知道这屋子里并无犯罪的证迹，真正的匪窟却是我刚才所说的富洲路和黄河路的地牢。”

“嗯，你怎么样查明的？”

“他们当初把你绑到了沙渡路以后，那跟踪的人——他叫许道中——便回来报告。我们还以为那里就是匪党的总机关。我就和银林商量，集合了几个勇敢干练的探伙，准备前去掩捕。不料我们正自分配任务的当儿，忽然有一个人送你的条子来。”

“那时候你重新回到了你的寓所里去了吗？”

“不是。我用间接的方法，和施桂通电话。这字条一送到，施桂马上通知我。我一得这个消息，立刻赶回去，见了那送信人，略略用些手段，他就反而被我利用。所以我们能够破获他们真正的匪窟，不能不归功于你。美中不足的是累你冒了一次险，吃了些痛苦。”

“只要这回事对大众有些好处，我的冒险也算不得什么。”

霍桑笑道："你有这个见解，那么你得赞同我改的那首蜜蜂诗了。"

我也笑一笑，又提出另一个问句："你用怎么样的方法利用这个送信人？"因为我想起了我也曾企图利用一个地牢中的监守人，结果是失败的。

他微笑地说："那是很简便的。他叫瞿启新，是那匪首莫敬奇的心腹，也是党中的一个重要分子，所以知道密窟的所在。他先听我说出了他们党中的情形和接洽的地点，都非常明了，不由得心虚起来。他一样是一个人，读过些书，年纪还轻，究竟也爱惜性命。所以我费了半小时工夫的训话，并不曾花什么钱，他到底屈服了。接着我们便集合了大队人马，直向那匪窟进攻。

"瞿启新也许一边省悟，一边对于他的伙伴还存几分顾全的私意，给他的同党们留一条生路。所以他只指点黄河路的敬奇医室，却并不说明富洲路的玫瑰酒店也是一个出路。我们攻进去时，大家都拼着全力，匪党虽没防备，也拼命回枪抵抗。因此伤了两个探伙，我的手背上也受了些微伤。"

他不自觉地举起他的左手来。我看见他的左手背上粘着橡皮膏。他继续说下去：

"那时我们在医室中酣战，想不到你也从另一条出路逃出来。幸亏那转角上的几个后备探伙，听得了酒店门口门警阻拦的枪声，报告了汪探长，才奔过来把你救出。据那两个救你的探伙说，在你的后面另有一个人跌倒在门槛上面。这个人分明是追你出来的，不知如何，竟也中枪倒地。此外另有一个戴黑眼镜，穿糙米色西装大衣戴鸭舌帽的匪徒，在你前面飞奔逃出。门警的枪没有打中他，探伙们也追赶不着。"

我想起了那个黄脸人，忙应道："唉！这个人我认识，叫小朱，那当然是假名。不过很奇怪，我此刻还莫名其妙。"

霍桑动容地问道："怎样奇怪？"

"这西装匪徒就是亲手把我绑去的人；后来放我出来的也就是他。我再三思索，再也想不出他的用意。"

"什么？绑你的和放你的是一个人？"霍桑显然很惊异。

"是！"

"你不会误会？"

"不会。他的身材比较短小，先后和我谈过不少话。我绝不会误会。"

"他的面貌怎么样？"

"很特别。脸色是淡黄的，像是上的蜡；眉毛细长，嘴也不大；眼睛给黑眼镜罩住了，我没有看清楚。"

我又把他里面穿的是棕色西装，谈吐像受过教育的情形和他起先绑我后来又救我的经过说了一遍。佩芹在旁边，虽没有插口，却好几次用白巾掩伊的嘴，似乎禁止伊的惊骇声音喊出来。霍桑低头沉默了半晌，才缓缓地表示：

"这真是奇怪！我也想不出这把戏有什么意思。"

"虽然，这个匪党既已破获，这一个小小的疑问总可以打破。你说的那个叫作莫敬奇的匪首可曾给捉住了？"

"捉住了。莫敬奇是在沙渡路被擒的。匪窟里的党徒一共打死了七个，捉住了十四个，那麻脸大汉老王也在内。还有那被拘禁的肉票救出了多少，和起出来的赃物一共有若干，我还没有知道。我因着赶到这里来瞧你，故而一切善后手续都由汪银林在办理。"他站起来，"现在你真不觉得痛楚了吗？好，你得安心静养几天。我去看看汪银林，问问他经过的情形，回头再来瞧你。”

这件事如此结束完全出我的意料。我虽受了一番虚惊和吃了些痛苦，但这一班破坏社会秩序的凶恶的匪街徒竟得一举歼灭，减少了社会上的一种恐怖，我这代价也总算值得。

这晚上佩芹亲自充当特别护士，在病室中陪我。我的痛苦也因而减轻了不少，但是心中反觉得对伊不住。

二十四日清早霍桑又到医院里来瞧我。据说党魁莫敬奇已经供出了不少话：他们先后犯了四十一件案子，党里的党徒总数在二百以外，那天从玫瑰酒店里逃掉的也不少，不过那些比较重要的分子大半都在被打死和捕住的二十一个人里面。其余漏网的匪徒，若要完全肃清，还得费些功夫，才能办到。那莫敬奇受过教育，真有些科学知识，也懂些西医学，故而表面上挂着敬奇医室的牌子，算是一个西医。他的手下当真也有几个懂电学和机械学的，大华银行保管库的那件案子，设计的虽然是他，实际动手的是他手下的一个姓夏的匪徒。这个人也已给捉住了。据他说那保管库库门里面用白铅粉画的那只燕子，是姓夏的偶然画上去的，并不是莫敬奇的命令；所以他不承认有故意假冒的意思。

起出来的赃物，现款一项竟有十七八万之多，其他还有不少珍贵首饰。只有第三号保管库中遗失的刘伯蓉的夫人的金刚钻镯和民众教育团的基金和有价证券都不知去向。汪银林曾再三究问，据莫敬奇说，那是一起藏在地道中第三号密室里的。但密室中别的东西都在，只少了这两样东西，还不免是美中不足。不过霍桑这一回总算出了全力，他的责任也可以告一个段落了。

我的心中仍怀着一个没法解释的疑团，就是那个西装的黄脸人，起先既然把我绑进了匪窟里去，事后又为什么放我出来？并且据霍桑说，当我逃出那玫瑰酒店门口的时候，门外面分明也有人助我回枪。现今想来，这一枪大概就把我背后追赶的人打倒，才救了我的性命。这个代我回枪的人可就是小朱？他究竟有什么用意呢？此刻他显然逃遁无踪了，我的疑团当然再也没法解释了。

过了两天，我的右腿的伤势略见好些，左手还不能举起。我才刚勉强能够起床，忽而有人打电话给我。那电话来得很突兀。我问他的姓名，那人不回答，却向我说了一大串道歉的话，连带地解释了那个还没着落的燕子的谜：

“包先生，你怎么这样健忘？你今天已好些吗？我已经打了三次电话，今天居然能够和你谈话，很快乐。我得向你道一个歉。此番我因着要出洋去玩一下，从上海经过，本来想悄悄地不教人知道。后来我向姓杨的借了些盘费，偏偏他不小心在外面漏了风声，才惹出这场风波。

“我到上海的消息在报纸上披露以后，隔了两天，便发生大华银行的案子。我最恨人家冒我的虚名。这案子干得很笨拙，弄到的东西价值却不小。刘某的历史我很熟悉，损失些原不算什么，但他为掩护起见，担任了民众教育团的理事。那基金也由他负责保管。这基金一起遗失了，关系很大，我不能置之不理。我抱着这个目的，就定意和这班人接近。我想探悉他们的秘窟所在，那就不能不献一个苦肉计。不过抱歉得很，我这苦肉计成立，完全借重了你老人家，后来又累你受伤，我真是万分不安。

“现在我的目的已经完成，教育团的证券也已归了原主。我想这是你和霍桑先生最关心的，现在也可以宽慰了。我不日就要放洋，特地来和你道一声歉。霍桑先生那边，也请你致意一声。那天他给我声明大华案子出于假冒，我是很感激的。后来那只燕子就是代表我亲自道谢的意思。我的话完了，祝你早日痊愈。我们后会有期呢。”

这个奇怪的电话是什么人打来的，他虽不肯明言，谅来读者们总也想象得到了。不过我所用的“他”字，似乎还不能确定。因为霍桑在事后表示过他的见解，这“他”字也许有改换“伊”字的可能。我在本案中的疑团此刻虽已完全打破，但“他”和“伊”的疑问若要希望彻底解决，那只能等待将来了。

古钢表

酒能误事

在一般人的眼中，霍桑的性情要被看作相当古怪的。他最厌憎无聊的应酬。他常说我国的有闲阶级里面，有一种专门应酬不作别用的人才。他们靠着祖先的余荫，无所事事，生活的方式只限于今天李家请客，后天张家答席；或是王某三十大庆应当去应酬几副扑克，赵家如夫人开书，又得去敷衍几圈麻将。“不做无益事，怎遣有涯生？”便是他们的人生哲学。结果影响了那些意志薄弱的后辈，弄得社会的风尚奢靡好闲，正当的社交反不容易推行开来。所以凡是什么冥庆、弥月一类的会集，霍桑不顾人家的“矫情”“古怪”的批评，总是一概谢绝。但是那一天他和我一同到仓桥路米振愚家里去赴他们的水晶婚宴，情形却不同。

米振愚是我们在中华大学时的老同学。他服务于教育界，所结交的都是些美术家、著作家和有新知识的商人们。那天他请的客人只限于少数知己朋友。他拿出了几册他亲自拍摄的照片簿和几本图画的册页，给来客们欣赏消遣了好久。席间的安排也与众不同，不但那些繁文缛节一概免除，就是座席的时候也只听任客人们自由，彼此选择相识的人同席。有不相识的，主人才按照来客的职业和年龄，介绍他们合在一起，绝没有一毫“假谦让虚恭敬”的麻烦。他在席间的谈话也是非常坦直率真而不用客套的。他把霍桑介绍给来宾们时，着实称颂过几句，说他不但思想敏锐，而且正直无私，极富责任心，在同辈中实在少见。霍桑本来不喜欢人家当面谀赞，但此刻都是知识分子，主人所下的评语又不虚不滥，比不得那些虚伪的恭维或笼统的誉扬，所以他也觉得十分开怀。人类的心理，凡有一技一艺的长处，对于知音的赏识，除了少数矫俗逃名的高士，总是愿意接受的。霍桑既不是矫俗的高士，当然不能例外。

在那许多赏识的人中间，有一个人的天真无邪的称赏，霍桑最喜欢领受。这人就是主人米振愚的公子，名唤慧生。这孩子生得眉清目秀，活泼伶俐，穿一套灰布学生装，今年才十五岁，在中学二年级读书。慧生在空闲的时候，最喜欢读我所记述的《霍桑探案》。所以当众人从人的行为转到记录的作品一致称赞霍桑的时候，慧生也随声附和。

他笑着说："霍叔叔，你真是了不得！"

霍桑也笑着问道："慧生，你也懂得我的长处？我的长处在哪里？"

慧生应道："霍叔叔的探案的长处是思想周密，绝没有疏漏的地方，是不是？"

霍桑的嘴角上露着微笑，向我瞧了一眼，似乎说这孩子会有这样的批评，有些出乎意料。

他又向慧生说："慧生，你是自己瞧出来的？还是——？"

慧生忙答道："不，这是我爸爸说的。爸爸常说侦探小说，应当选择思想缜密，可以助长想象力和养成精细的观察力的读。我起先只喜读惊奇的东西，但听了爸爸的话以后，果然渐渐地觉得惊奇的东西有头无尾，远不及霍叔叔的探案有趣味。"

霍桑不禁连连点头，向振愚说："这孩子真是不凡，我很愿意认他作一个小朋友。”

我也笑道：“他将来长成的时候，也许可以传你的衣钵吧？”

那晚上因着谈得投机，大家不觉多饮了几杯，我和霍桑都有些醉意。酒席罢后，主人又留住谈天，有些唱歌弹琴，有些拍球游戏，因而又耽搁了几个钟头。等到众客散时，天忽然下起雨来。米振愚因此说我们的寓所在爱文路，距离最远，不如就在他家里权宿一宵，免得冒雨夜行。霍桑踌躇了一下，便应允了。他就打了一个电话给施桂，叫他不要等候。于是我们就在楼下的左厢房里设榻安宿。

那时正交五月，天气已有些热。米振愚上楼之后，卸了他的外褂，重新下楼来和我们闲谈，直到时钟打了一下，彼此才道别安睡。这一晚我睡得很熟，一则夜深，二则有些醉意，所以头一着枕，便呼呼地睡去。睡梦中恍惚觉得有一种怪物压在我的胸口，耳朵中又听得荷荷的怪声。我进了一口气，把身子一挣，张开眼来，忽然看见慧生立在我的榻前。

这时候天已破晓，淡淡的曙光，随着清凉的晓风，从窗口中悄然地透进来。我看见慧生面色惊慌，不觉大吃一惊。

慧生开口道：“包叔叔，你醒了？很好！很好！我方才叫霍叔叔不醒，叫你又不答应。我正是着急呢！”

我从榻上坐起来，问道：“你为什么要叫醒我们？”

慧生低声道：“包叔叔，轻声些。我家已出了盗案！”

“当真？盗失了什么？”我有些惊异。

“一只表——一只古表。”

“唔？”

“那是我爸爸的表，价值很高。这件事现在还没有让仆人们知道。爸爸的意思，叫我来请两位先生上楼去看一看。”

事情正凑巧。昨晚我们正谈论探案，不料今天果真发生了盗案，霍桑又有工作做了。但是他今天怎么会这样子酣睡？难道昨晚的酒力实在太厉害，至今还控制着他，就使他的官觉的敏锐失了常度？我略一转念，正待喊他，忽然看见霍桑已经从床上直坐起来。

他骇异地问道："可不是发生了盗案吗？"

我才知道他的官觉的敏锐到底不曾减失，忙应道："是。振愚兄在楼上等我们，不如先上去瞧一下子。"

霍桑问慧生道："你不是说被盗的是一只古表？"

"是。"

"在哪里盗去的？"

"就在我们的卧房里。"

霍桑点了点头，急忙套了一件衬衫，又穿上了国产白哔叽的裤子，立起来揩一揩眼睛，预备上楼。我也不穿外褂，一同跟着慧生上去。慧生是和他的父母同房间的，就在右厢的楼上。我们进房的时候，米振愚的夫人已避往中楼的米老太房里去，振愚自己早候在卧室门口。

他一见我们，便低着声音说："二位请见谅。我这样惊扰你们的清梦，很不安。但这件事既然不幸突然发生，二位又恰巧在舍间，不得不烦劳一下。"

霍桑答道："振愚兄，何必客气？我们进房后再说。"

这卧房本是侧厢连次间，非常宽敞。房的东向南向都有窗子——南向的窗临街，东向的窗下就是天井，这时候都开着。米振愚夫妇的铜床向南而设，位置在次间的尽端。近床放着一只红木镜台。台上摆列着一对银质花瓶，一只小瓷钟，几种化妆品和一副珠耳环。靠南窗的东向另有一张小铁床，就是那孩子慧生睡的。

米振愚指着那临街的南窗，说："这窗本来是关着的。因为我们为谨慎起见，睡时只开东窗，把南窗关住。方才慧生起来小遗，忽然看见南窗开着。他觉得有异，急忙向镜台上一瞧，那只我所最心爱的古式钢表果然已经不翼而飞了。"

霍桑道："是一只钢表吗？"

"是。表壳虽是钢质的，机械却是瑞士工匠手工做的，非常准确坚固。我当初向一个朋友买来，出价一百五十元，用了九年，从不曾修理过一次，因此我非常心爱它。"

"除了这表以外，可还有什么别的损失？"

米振愚摇头道："没有。我们已约略查过，镜台和抽屉中都一切如旧。"

霍桑沉吟了一下，才说："这样还好，幸亏只有百多元的损失。"

米振愚着急道："霍桑兄，这不是钱的问题。表的价值虽然不大，但那是我一刻不离的心爱东西，总望你费一些心。"

霍桑向四周瞧了一瞧，目光终于停在镜台面上，问道："那么你可是确实把表放在镜台上的？"

"是。白天我总带在身上，晚上睡时才取出来放在镜台上，天天如此。"

"昨天也是如此？"

"当然。"

"你可记得昨晚放表的时候，在客散之前，还是在客散之后？"

米振愚低头想了一想，答道："大概在客散以后。"

霍桑点点头，就走向南窗口去。我也跟着去视察。窗外就是静修路，夜间当然是很冷静的。窗口离街面有一丈多高，街边的墙根还长着细草和蒲公英一类的野花。我又细察窗口，果然见窗槛上有些泥迹。

霍桑回头问道："振愚兄，这窗是有栓子的。你每晚关窗，是不是一定下栓？"

米振愚疑迟道："昨晚我多喝了几杯，有些模糊。我平日关窗的时候，总是顺手下栓的。昨晚上楼时，似乎窗已经关好，我不曾动手。"

慧生忽从旁插嘴道："昨晚的窗是我关的，但是不曾落栓。"

霍桑应道："那就对了。否则窗栓若然扣着，玻璃又没有移动的痕迹，外面是开不开的。"他向慧生点点头："小朋友，你是个聪明不过的人，又读过许多探案。此番你自己家里出了这件意外的事，你也可以出马练习一下了啊。"

慧生的眼睛霎了几霎，瞧瞧霍桑，又瞧瞧他的父亲，却不说话。

霍桑又问道："小朋友，你对于这回事可有什么见解？"

慧生低垂了头，手指在捻一件灰布学生装的袋口，似乎有些不好意思。振愚用力搔他的头皮，好像焦急不耐，对于霍桑这种好整以暇地态度有些不满。

他说："霍桑兄，这孩子只会淘气，懂得什么？你看究竟怎么样把表追回来？"

霍桑仍自顾自地问慧生，说："你说说看。我要试试你的眼光。"

慧生才仰面答道："霍叔叔，像我这样年纪，哪里真会侦探？"

霍桑笑道："别客气了。无论你所想的是否合理，尽不妨直说出来。我很有意思把你收作一个小门徒呢。”他又笑一笑。

慧生略略踌躇，果然答道：“据我看，表的遗失一定是有人从窗口里进来取去的。否则房门上有外国锁，睡时天天下锁，又可以从哪里进来？”

霍桑连连点头道：“对。不过你所说的窗，是南窗还是东窗？”他俯身向东窗口下瞧一下。

慧生说：“东窗只通天井。我想大概是南窗吧？”

霍桑道：“那么你的意思是指外来的人？”

慧生点点头。霍桑也点一点头，又向他笑一笑，似乎称赞他的说话果真有些见地。他看见旁边的米振愚又要耐不住地插口，才回头问话。

他问：“振愚兄，你的房门上的钥匙，平日放在什么地方？”

米振愚道：“总是在桌子上或抽屉里面。”

“那么这房里总有仆人们出进。他们可有看见房门钥匙的机会？”

“出进的只有两个：一个是小女的乳娘苏妈，一个是小使女采芹。她们俩瞧见钥匙的机会固然不能保没有，不过我不相信这两个人会偷东西。霍桑兄，你的意思是不是以为这表就是屋内人窃的？”

霍桑摸着下颌，说：“我没有什么成见。这不过是侦查上应有的问句。”

慧生正立在南窗近处，似乎在那里视察泥迹，忽地回过头来。

他问道：“霍叔叔，你看这案子容易破吗？那钢表是不是还有追还的希望？”

振愚附和道：“对，这才是眼前最切实的问句。”

我觉得这问句有些尴尬，霍桑很不容易回答。因为如果真有外来的贼，那么霍桑对于追捕小窃的任务是不擅长的，失表的珠还当然也没有把握。但是霍桑仍慢条斯理地毫不着急。他再看一看房门上的锁，向振愚摇摇头。

霍桑缓缓地答道："振愚兄，你不用如此着急，急也没有用。你这问句，我必须细细地考虑一下，才能答复。"他向慧生点点头："小朋友，你也得助我一臂，想一个进行方法。现在我要下楼去漱洗，少停再来听你的计划。"他回身出房，一个人匆匆下楼去。

我慢走一步，乘机问道："振愚兄，你睡时房门上是不是天天下锁？"

振愚道："是的，昨晚也照常下锁。我还记得是我亲手锁的。直到刚才慧生唤醒我时，我起来瞧房门，门还是好好地锁着。"

"那么昨晚这房门既锁之后，除非有人另有钥匙，当然没有人可以进来。"

"是。"

"但当房门锁以前，可有什么人进来过？"

振愚寻思说："我记得昨晚和你们两位谈罢登楼的时候，乳娘苏妈刚在房里。"

我又问："那时你的表是不是已经取出来放在台上？"

振愚皱眉说："这个……这个我已记不清楚。"

"那么你的表本来放在哪一件衣服袋里的？"

"在这套灰色西装的半臂袋里。"他拍一拍他身上的半臂的空袋。

我记起了上晚的事，又说："我记得你昨晚重新下楼的时候，你的外褂虽已卸去，这件半臂还穿在身上。"

米振愚又有些犹豫不决："虽然，但我第一次登楼脱外褂时，有没有顺手将表取出，或是直到第二次进房时方才取出来，现在已经记不清楚。”

我道：“这一点很有关系，可惜你记不得。”

米振愚又搔搔头皮，抱歉似的说：“酒能误事，这句话今天果真应验了！不然一夜工夫，我何至于这样健忘？”他略顿一顿：“这样吧，我不妨问问内人。伊也许瞧见我卸外褂时有没有顺手把表拿出来。”

我道：“好。我下楼去洗脸，回头再谈。”就也回身下楼。

听觉测验

我回到我们下榻的左厢房的门口，刚要跨进门去，忽听得霍桑在里面高声喊叫，似乎有什么意外惊喜的事。我走进去一看，他正丢了烟尾，从椅子上直跳起来，身上的衣裳既没有穿好，漱洗的水也仍好端端地放在桌上，没有用过。

我问道：“霍桑，什么事？还没有洗脸？”

霍桑似乎不听得，瞧着我道：“包朗，我正要找你！你在楼上做什么？”

“我帮你察查。”

“当真？你可曾发现什么？”

“虽没有什么发现，但你所遗漏的一个要点，我已经给你问过一下。”

霍桑张大了双目：“我遗漏的一个要点？请原谅，我还莫名其妙！”

我答道：“我看这案子的唯一疑点，就在那扇南窗。但南窗虽开着，槛上也有些泥迹，可是我看见窗下面的野花细草还是好端端的，不见有什么迹象，不能就算作有人从外面进来的证据。你难道没有瞧见？”

霍桑弯弯腰，作谦逊态道：“瞧是瞧见的，可是没有像你那么精细。你的意见怎么样？”

我说：“窗上的疑迹既然不足完全凭信，那就不得不另寻一个通道，就是那房门。因为房门如果有做通道的可能，那么这屋子里的仆人们——”

霍桑忽更深地弯着腰，又作恭维状道：“费心，费心！你真是周到极了！”

我正要把和米振愚问答的经过情形说给他听，但看见了他那种故意做作的恭维的态度和一味敷衍的语气，觉得有些不是滋味。哼！他不是在听我的报告，实是在那里匿笑戏弄我呢！

我涨红了脸，微怒道：“霍桑，你好狡猾！这案子你不是已经有了成竹，却还在戏弄我吗？”

霍桑也笑出声来：“谁戏弄你？你分明在怪我不仔细，我受了责备，自然只有唯命是听！”

“我所有的只是一种假定。你既然有了成竹，觉得我的假定不对，也应当早些说明，怎么故意藏在心里，不宣布出来？那不是戏弄我是什么？”

霍桑摇摇手，笑道：“你别这样蛮横。你说我胸有成竹。不错，这是事实。但你不但没有问过我一句，并且也不容我有自述的机会。你仔细想一想，到底是谁的不是？”

我经他一说，回想我一进门来，就说他遗漏一个要点，果然也有些鲁莽。我的怒气不觉平了一半。

霍桑又婉声说：“好了，闲话休讲，言归正传。你帮助我侦查，你的好意，我是领受的。不过你刚才看见了我的态度就应明白，这件事用不着多费心思。老实告诉你，这案子太简单，我已经完全破获了。”

我惊异道：“真的？那失去的古表怎么样？”

“当然也没有问题。”

“什么意思？这表也有了着落？”

霍桑点点头：“这一件事的真相我早已知道，但因着古表的所在一时还没有把握，所以才下楼来思索。直到你方才进门的当儿，我无意中发现了古表的所在，这才算大功告成。”

我急忙道：“那么表在哪里？窃表的人是谁？”

霍桑不即回答，忽地拉了我的手，走到他刚才坐的一张椅子边，叫我坐下来。

他说：“你坐着。我们应保持静寂五分钟。”

“做什么？”

“我要考一考你的听觉。来。”

我不知道他有什么用意，只得依着他的话坐下来。我静听了一会儿，一些听不出什么。

我不耐地说：“霍桑，你还要把哑谜给人家猜？到底是怎么一回事？”

霍桑问道：“你真听不出一些声音？”

我摇头道：“没有。你要我听什么声音？”

霍桑不答，伸手从他的皮箧中取出一卷绳尺来，从我所坐的椅子量起，一直量到那挂衣的衣架为止。我愕异地摸不着头脑。

他惊讶地说：“唉，这中间的距离竟有五十七英寸！”

我疑惑地问道：“什么意思？”

他仍自顾自地说：“美国童子军的创办人西登有过一个官

能测验。他测验听觉时，用的是一只标准的二号表，受测的是三百五十七个童子军。他的结论是，常人的听觉能够达四十英寸以外的，已算是优越；若能达到六十英寸的距离，那人听觉已可像枭一样敏锐，因为枭的听觉在动物中算是最灵敏的。现在这之间既然有这样远的距离，莫怪你听不出。"

我仍惶惑地问道："霍桑，你到底捣什么鬼？"

"我要测验你的听觉。"

"结果呢？"

"我知道你的听觉实在不及我。"

"你要我听什么？"

"表的声音。"

"什么表？"

"自然就是振愚失去的那只钢表。"

"表在哪里？"

"就在你的外褂袋里！"

我惊疑道："当真？你又开玩笑？"

霍桑正色道："你自己去瞧吧。"他用手指一指："你的法兰绒外褂不就挂在那距离你五十七英寸的衣架上吗？"

事情太突兀，我还是半信半疑，但是无论真假，到衣袋里去摸一下子，也不见得怎样费事。我立起身来，走近衣架，伸手向那白法兰绒外褂的两只外面袋里摸了一回，却并没有表。衣架上只有我的一件外褂。霍桑的外褂挂在他的榻栏杆上，距离很远，似乎不会误会，况且霍桑明明指明我的法兰绒外褂。现在外褂的袋里空空，不是他又在那里闹笑话吗？我正待回身发作，霍桑又大声说话：

"包朗，你的耳朵在哪里？距离这么样近，难道还听不出？"

我经他一提醒，敛神一听，果然叮叮叮的表机声音非常清楚。我更不疑迟，又伸手向里襟袋中一摸，当真摸出一只古式镂刻的大钢表来。

太奇怪！表怎会到我的衣袋里去？

我问道："霍桑，表果然在这里。但窃表的又是谁？"

霍桑含笑道："你还问我？真赃实据，还容得你辩？"

我道："你还说笑话？快告诉我，谁弄这把戏？"我呆看着手中的表。

"你且猜一下子，到底是谁？"

"那当然是屋内的人。"

"对，很对。经过情形怎么样？"

"可是有什么仆役从房门里或者竟是从东窗口里进去，偷窃了这表，现在觉得我们已经着手侦查，恐防查出真相，便悄悄地把表放在我的袋里，为卸罪起见？"

"不对，不对，而且你的话还矛盾哩。"

"唔？矛盾在哪里？"

"我们现在侦查，仆人们未必知道；即使知道，我们茫无头绪，还不曾疑心他们，他们何必先自己心虚地把表呕出来？"

我说："他们也许震于你的大名。那人知道你是一个百无一失的大侦探——"

霍桑摇手笑道："慢！这就是你的矛盾点了。这个人假使果真震于我的虚名，那就应早早知趣，断不敢多此一举！"

我负气道："那么你自己说吧，我被你玩弄得够了！"

霍桑仿佛叹一口气，走近桌子边去，开始洗脸。

他一边说："你说我玩弄你？那真是冤枉。我自己才被人家玩弄呢！"

“哪个玩弄你？”

“就是那位小朋友米慧生！”

我一听这话，恍然领悟说：“失表的事莫非就是慧生玩弄的把戏？”

霍桑点点头：“可不是吗？这孩子真是不凡。他久闻我的虚名，此番相见，便来试我一试。我险些失败在他的手里！”

“唉！他不但戏弄你，而且也连带地戏弄我。他取表之后，竟把它藏在我的袋里，你想可恶不可恶？”

“是啊，就在这一着上，我险些失败。因为当慧生进来叫你的时候，我就惊醒。他告诉你，他叫我不醒，方才叫你。这明明是他说谎。因为他进来藏表的时候，我虽没有觉察，但他第一声叫你，我便醒来。他实在不曾先叫过我。”

“他所以不敢直接叫你，大概知道你的本领强过我许多，怕你瞧出破绽来的缘故。”

“也许如此，但这就是他的弱点。他若使直接叫我，我也许反而不容易怀疑他。”

“你可是因着他的说谎，就注意到他？”

“不，这一着只给我一丝疑痕。我经过一度观察，又运用一下推理，略一推想，才料定是慧生作弄。”

“有根据吗？”

“自然有。”

“那是什么？”

霍桑用干巾擦着脸，一边说：“多着呢。第一，南窗虽开着，却寻不出有人上落的迹象，你也早已见到了。第二，如果有人盗窃，镜台上还有银瓶瓷钟和别的饰物，怎么不一起偷去，单单偷这一只钢表？因为这表的外观并不像是值钱的东西。第三，据振愚说，这案子是慧生发现的。他发现时首先关心的就是镜台上的钢表，偏偏单不见了这表。岂不太奇怪？第四，房门上是耶尔锁，并无挖撬痕迹。第五，窗槛上有伪造的泥迹，也不是仆人们布置得出。此外我更把慧生叫呼时的谎话做一个印证，便一切显然了。”

“当时你就知道慧生在弄把戏？”

“是。不过我还没有知道他把表藏在什么地方，若使当场指实出来，他必不肯承认，我也不免要被他讪笑。我曾刺探他的口气，这孩子真狡黠，绝不透露什么。我也就不露声色走下楼来，打算想个方法到楼上去搜索一下。我默想一会儿，忽然在静寂中听得衣架方面有表机走动的声音。我看见你的手表留在桌子上，以外又没有别的表，便料想这一定就是那只遗失的钢表。”

哑谜给揭发了，我才知道我们俩都受了那小孩子的戏弄。我再也按耐不住，拿了那钢表，一口气奔上楼去。

圈 套

我把慧生从楼上拖下来时，霍桑正在穿衣，自顾自地结领带，扣皮鞋，并不理会。我叫慧生坐下了，自己也开始漱洗。

慧生带着诧异的神气，问道：“包叔叔，你不是说这件小小的案子已经给查明了吗？”

我点点头：“是，完全明白了。”

“喔？这是怎么一回事？表是谁拿的？”

“谁拿的？不，慧生，你应得说谁‘偷’的！”

那孩子顿了一顿，又说：“唉，那么谁偷的？”

我吐出一口漱口水，答道："我告诉你，有一个人因着垂涎这表的重价而偷去的。"

慧生笑嘻嘻地问道："果真？这个人是谁？"

"那是一个本屋子内的人。他偷了以后，就把表交给一个同党，所以这一件案子内一共有两个人。"

"喔？有两个人？包叔叔，这两个人你都已查明白？"

"自然。"

慧生好像要笑出来似的，但仍忍住着，问道："那么，请你说出来吧。偷表的人是谁？同党又是谁？并且那表现在又在什么地方？"

我道："偷表的人的姓名，我们姑且隐一隐，同党可不是别人。很不幸，他就是我的朋友！"

"包叔叔的朋友？"

"是，也是霍叔叔的朋友，是我们的小朋友！"

慧生有些踌躇："他……他是谁？"

我说："他叫米慧生！"

慧生怔一怔，牵牵嘴角，笑道："我是同党？"

我瞧着他，反问道："难道我说错了？"

"你有什么证据？"

"我说过的，那偷表人取表以后，把表交给同党。现在表还在你的身上，难道还算不得证据？"

慧生仍笑着说："哪里有这一回事？包叔叔，你不是闹笑话？"

我道："你还要强辩？你姑且伸手到你的衣袋里去摸一摸再说。"

慧生不由得呆了一呆。他把手伸进他的灰布学生装的袋里去一摸，不禁惊怪地直立起来。他的面色一白，立即又涨得通红。我一边用木梳理发，一边偷眼看他，看见了他这种羞窘状态，不禁暗暗地产生一种愉快的感觉。这里面也许含着些报复得遂的意味。

慧生果然摸出一只表来，向我道："唉，包叔叔，这表是你放在我的袋里的。你设下了圈套，特地把我圈在里面罢了！"

这时候霍桑已整装完毕，也微笑着说："小朋友，你说的不错。这果然是包叔叔给你设下的圈套。但是你自己怎么样？可也曾设什么圈套给我们钻？"

慧生又红了一阵脸，笑道："我设什么圈套？"

霍桑道："有两个。"

"唔？"

"你的第一个圈套，取了表谎报失窃。这倒并没有什么难处，在我们眼里，当然可以一瞧就破。譬如你在窗槛上擦些泥土，目的要我们疑心有外来的人。可惜你还欠精细些，反而留下了破绽。昨晚上曾经下过雨，泥土是湿的。你却只把干鞋底上的干泥擦了一些，并且擦泥时只擦在窗槛的中心，槛的边角上却反而没有。你下楼报告的时候，又不敢叫我，却叫包叔叔，又当我睡着了撒谎。这都是你的圈套上的疑点。"

慧生呆住了，脸上忽红忽白，但那不自然的微笑还不曾消灭。霍桑装作没有瞧见，自顾自继续下去：

"你的第二个藏表的圈套可厉害多了。若不是我的感觉敏锐些，我还疑心你把表藏在楼上，要到楼上去找。那就不免真要落进你的圈套，让你大笑一笑了！"

慧生面上的神色又经过一度改变，从轻笑的变为钦佩的。他只是暗暗地点头，再也说不出话来。

霍桑又说："小朋友，你这一次的举动，我并不怪怨你。你虽然久闻我的虚名，却还不曾目睹，就想亲自实试一下究竟怎么样，是不是？这原是一种凭证求真的科学态度，动机是可取的。当昨晚上我们在席间谈论的时候，你也许就起意设计这一出把戏，要测验我们一下——"

慧生忽插口道："霍叔叔，请你原谅。我这一次的举动，只想开开玩笑。你说我要测验你们两位，我实在不敢。这事的起意也是出于偶然的。我今天清早起来小遗的时候，忽然看见南窗开着，大概因昨晚上没有下栓，下雨时被风所吹开的。那时候我忽然想跟包叔叔玩一玩，便不知不觉地做出这件勾当来。现在我真是后悔莫及！……包叔叔，请你原谅。"

我笑道："好，我去向你的爸爸算账！"

慧生一听这句，两只手捧住了那表，不由得目瞪口呆，分明十二分惊惧。

霍桑忙解围道："慧生，别着急。我知道你干这件事，你爸爸并不知情。我们若要追究，你当然是要受责备的。现在你放心，回头我会向你的爸爸解说，决不教你吃苦。"

慧生颤声说："霍叔叔，谢谢你！……包叔叔，请你饶恕我！"

我笑道："我也跟你说说笑话啊。"

霍桑拍拍那孩子的肩："慧生，你听我说，你的动机虽可取，但所用的方法却并不正当。这样的游戏可一不可再，否则不但无益，也许有害。你得牢记我这一句话，少年的行动应当趋向正当的轨道。"

慧生忽一声欢呼，奔到霍桑面前，展着两臂，像依人小鸟般地扑在他的怀中。

毋宁死

失　踪

这是若干年前的事了，那时候我和霍桑还住在苏城。初冬的雨夜，北风呼啸，越到晚上越是寒冷。突然有一个客人来访我的朋友。客人年约四十岁，穿着深颜色花绸的厚裘皮袍，十分大方。他乘轿子来，衣服鞋子都没有湿，但是面无血色，身体微微抖动，似乎十分怕冷。我冷眼瞧着，他的这种神态，并非全是天气寒冷的缘故，一半是忧虑所致。客人先自我介绍，说姓何名芝贝，是苏城的税务局长，接着就匆忙地说明他的来意：

“霍先生，我冒昧得很，晚上到这里来，实在有桩十分紧迫的事，非得到先生的帮助不可。我久闻先生大名，屡破奇案，肯帮助失意的人，社会人士有口皆碑。现在——”

霍桑不等他说下去，就插话道：“何先生，如果有什么事需我相助，请直言。只要力所能及，一定从命。”

何听见此话后，曾两次想说又停，脸上泛红，似乎有些羞于启口。

霍桑又说道：“不要有顾虑，但说无妨。”又指着我道：“这是我的好友包朗先生，常常帮助我办理案件！他是一个正直的君子。你如果有一些涉及幽秘的事，我俩都会保守秘密，请不必过虑。”

何芝贝有些羞惭而脸红。他说道："甚好。这件事涉及我的不肖女儿，因此不得不希望两位保守秘密。明天是我女儿黛影的婚期，而今天伊却失踪了！"

客人顿了一顿，用他的懊丧的两眼盯住我的朋友，似乎在窥测他的反应怎样。霍桑垂着头静听，并不立即有所表示，于是客人继续说下去：

"我的女儿已许配给田厅长的儿子少芹。少芹倜傥风流，年轻貌美。他的父亲田震东在政界颇有声望，家产盈万，司前街的那座三层楼洋房就是他的私邸。像这样的门第，我的女儿许配给少芹，可算得良缘了。不料祸变之来，出人意料，黛影恰巧在这个时候出走了！"

霍桑的头慢慢地抬起来，注视着客人。我听了也有些震惊，私自想："目前自由之风很盛，这个女子在婚期临近时出走，要不也是爱慕自由，不满于父母做主的婚姻吗？"

霍桑皱皱双眉，淡然答道："先生来此，是不是委托我立即去寻觅你的女儿？然而像这样的细小事，我很不愿意参与。"

何芝贝急道："霍先生，幸勿拒绝，事情虽然小，但情节奇特。我女儿的失踪，开始我也弄不清其所以然，到现在再回想，还令人怀疑这好像是一种幻变！"

霍桑的想法稍有些松动，他掀一掀双眉，说道："你说什么？"

"我女儿起初对于这桩婚事是不同意的，曾好几次提出抗议。因此我暗下派了两个人监视伊。我女儿逃脱后，这两个人还没有觉察，好像我女儿有隐身术。这确实奇怪。"

"竟有这等事？"

"不仅如此。我家有前后两扇门，后门加锁，钥匙由我亲自掌管。前门有看门的人，胡兴和帮喜两个仆人一同看守。事情给发觉以后，门上面的锁，锁得一如既往，而看守前门的三个人都说没有看见伊出去。此岂非咄咄怪事？”

霍桑听到这里，似乎他的好奇心已被引起。他搓搓双手，目光闪烁。客人则睁着眼睛对着他，好像急于盼望得到我朋友的许诺。

霍桑问道：“先生方才所言，有两个人在暗中监视。他们是谁？”

“这两个人，一是我的外甥女慧侠。伊在三天前跟随我的妹妹从常州来参加婚礼。我交给她监视的任务。因为伊和我女儿年龄相仿，可以常在我女儿房中陪伴，随时侦查而不致引起我女儿的疑心。另外一人是胡兴，他为人诚实可靠，所以我秘密告诉他，不要让我女儿擅自外出。事后我问他，他肯定地回答说没有看见。至于其他男女仆人也众口一词，不但没有看见黛影出走，也没有看见伊下楼来。这种种情况实在使人百思不得其解。”

霍桑惊讶地说道：“这确实奇怪。令爱的闺房处在楼房中的什么位置？房间中有没有通向街道的窗？”

何想了一想说：“我家房屋共有三进。我女儿居住在第二进的正楼，正好是全房屋的正中。因此，我女儿的卧室中没有通向街道的窗。”

“其他房间里面有没有？”

“二楼藏书室里有一扇窗，窗外是一条小巷。但是窗离地面有二丈高，如果说黛影跃窗而出，那绝无其事。”

霍桑眨一眨眼，问道：“果然这样吗？先生凭什么而确信令爱肯定不从窗口逃遁？”

来客坚决地答道："我女儿无此胆力，所以我判断伊不会走这一着。况且事后我曾查看过这扇窗，窗闩得好好的，丝毫没有可疑之处。"

"如果屋里有帮助的人，那么事后也可以将窗栓闩上——"

何芝贝突然摇手阻止霍桑说下去："不，不！霍先生，请勿拘泥！窗关了好久，窗框里积了灰尘，除非一跃而下，如果利用绳索降下来，也应该留下痕迹。但是我仔细观察，没有见到可疑的地方。"

霍桑低了头一言不发，我就插话解围。

我说道："后门怎样？会不会用第二把钥匙偷偷地开锁？"

何说道："不可能。后门的锁是最新式的耶尔牌，肯定无人能够仿制钥匙。况且从后门出去，必须经过厨房，厨房里仆役很多，难道没有一个人看见？"

霍桑突然说道："那么令爱也许还没有离开屋子，现在还隐匿在某个幽密的地方。"

何说道："这也不是。我在上灯时，听说女儿失踪，马上就到处搜寻，到现在已经有一个小时，几乎搜遍全屋，无论是地下室、空房间，一一亲自看过，都没有发现踪迹。"

霍桑皱皱眉头说道："如果如此，这实在是不可思议了！"房间里稍静一下，霍桑又说道："依我看来，还有一点可以说明令爱失踪的由来。"

"这是什么？"

"那些受命监视的人可能已被令爱所买通了。"

何犹豫一下，说道："按情而计，这一点确近乎人情，但是看看事实，又不能没有怀疑。试想受命监视伊的有两个人，一是我的外甥女慧侠，另一个是看门的胡兴，但这两个人的地位悬殊，万无接近之理。我女儿如果和伊的表姐相策谋，还可以说得通；然而前门有胡兴严加把守，伊用什么方法打通这一关？假使说有可能，那么胡兴以外还有守门的另外两人和其他仆人，势必都打通不可。如果是这样，我女儿有什么神通能掩盖众人的口呢？”

霍桑突然跃起身来，说道：“奇哉，奇哉！令爱的失踪的确玄之又玄，使人无从推想。”他略顿一顿，忽然对着我看：“包朗，你认为怎样？有意见吗？”

我讷讷然答道：“这件事情，就表面而论，固然是一桩寻常的失踪案件，但是内中情节幻秘，实在困人头脑。”

何芝贝拱拱手，说道：“先生既然也认为奇怪，就请勿再吝惜此行。这件事对于我的利害关系甚大。因为在这一宵中间，如果无法使我的女儿回来，明天彩轿临门，我又怎样应付？这不单丧失了我的信誉，使我在社会上蒙受羞惭，就是我未来的地位也岌岌难保了。田厅长是我的上峰，拉一把，推一手都在他的手掌之中。况且我女儿失踪，合家惶恐不安，我的外甥女慧侠也因此事而得病。一门喜事，转瞬间忽成意外的灾难。要转祸为安，全仗先生的大力。如果事情办成功，我决不吝惜优厚的酬谢。”

霍桑在房中徘徊，等来客的话说完，忽停足回过头来：

“你外甥女怎么会得病？伊对于令爱的失踪说些什么话？”

“伊说今日午后陪伴我女儿，一步都没有离开。薄暮时分，伊感到有些冷，才走出房门到我妹妹的房中去取一条围巾。我妹妹住在第二进左厢房的楼上，离开我女儿的卧室不远。不料我的外甥女返回时，房中已空。桌上留一纸条，我的女儿已出走了。”

何说到这里，伸手从怀里取出一小方白色洋纸，他将纸展开，递给霍桑。纸上仅有“毋宁死”三个字，字迹很潦草，一看就知道是在匆忙之中写就的。这三个字是法国人罗曼·罗兰的“不自由，毋宁死”的那句名言的下半截，是当时我国人笔尖口头上的流行话。推测它的含义，果然不出我的所料，这女子也是一个反抗旧式婚姻者。

霍桑问道：“这是令爱的手迹吗？”

何芝贝道：“对，我能辨认得出。霍先生，请就这三个字分析一下，我女儿会不会变卦？”

霍桑脸色有些改变，沉吟一下然后说道：“这也难下判断。”接着又问：“你府上有井吗？”

“有，井在厨房间前面，刚才我已派人去查看，没有看见什么。”客人咬着嘴唇，两只手缩在衣袖里，垂下他的双目，发出恨恨的怨声，“黛影如果自寻短见，而死在我的家门里面，也无可怜恤，现在就怕丑名外扬，使我无容身之地。”

我暗自揣度，何芝贝这个人把自己的颜面看得比他女儿的生命还重，这不只是观念错误，而且是居心也太忍。霍桑低下头沉默了一下，才慢慢地回话。

霍桑道：“从种种迹象看，令爱失踪的根由，恐怕是不满意你做主的婚姻。伊或许已另有心上人了，是吗？”

何脸朝天，脸色泛红，讷讷然答道：“当然……从情况判断，固然不外于此，不过想不到受了九年的新教育，结果竟然到这一地步！我只能怨恨我自己了！”

霍桑微微一笑，并不立刻回答，抬头看电灯，闭上口，叹气。房中就静默片刻。我默思把这件事归罪于教育，实在不公平。按情而论，要不是何某为了高攀而夺去他女儿的自由，迫到如此地步，就不会酿成大祸了。何某的确应该平分这个罪责。

霍桑又问道："令爱的心上人，究竟是谁，你可知道？如果知道，就不怕没有着手之处了。"

他摇摇头说："我就是不知道。"

"先生家中有人知道否？"

"事后我曾经问遍各人，都没人知道这个消息。就连我的外甥女，陪伴了三天，也曾经悄悄地婉言相问，而我的女儿绝口不谈。"

"果然如此，那么不得不另外找着手之处了。"

何芝贝忽取出一张相片，说道："这就是我女儿黛影的肖像。看了相片去找，希望先生能成功。"

霍桑道："不错，现在我所顾虑的是时间匆促，一时间实在不知何所适从呀。"

霍桑招呼我一起观看照片，是四寸大的，上有一妙龄女子，丰姿绝美，穿白色衫，黑色裙；装饰朴素淡雅，还没有沾染上世俗女子的那种争艳斗奇的恶习惯。

霍桑又问何道："令爱今年几岁了？"

何说道："十九岁，比我外甥女慧侠仅小五个月。"

"这张照片是今年所摄的吗？"

"对的，相片上是初秋时的装束。今天伊出去时身穿蓝色缎子的裘皮袄。"

霍桑点点头，取过相片，放在口袋中，说道："这张相片暂存在我这里，谅不见怪。现在还有几件事希望先生实说。"

何立即应声道："可以，能得到先生的相助，不敢不从命。"

"令爱的婚事缔约了多久？"

"今年春天订婚。"

“当订婚时，令爱的意见怎样？”

“伊立即表示反对，后来经我妻力劝，幸未决裂。”

“后来伊就默许，而不再反抗吗？”

“并不如此。每一次涉及婚事伊就起而争执。就是三天前我妹妹从常州来，伊还极力请求姑母帮助毁这婚约。我怕出什么事，才派人监视。”

“令妹对于这一着，有什么意见？”

“我妹妹做事犹豫，缺乏决断。伊听了我女儿的请求后，相当同情，因此曾替我女儿讲过话。然而事到今天，木已成舟，万无撕毁婚约的道理，所以我严加拒绝。”

霍桑点点头，稍沉默一下，又说道：“我还有一句话要请教，先生除了女公子外，还生有子女否？”

何说道：“还有一个幼儿，名叫鸣升，才九岁。”

“够了。现在请先生先回去，我们随后就到。等一会儿见到令外甥女时，我还要向伊请教一二，请先生打一个招呼。”

何踌躇了一下，说道：“因为我盘问我的外甥女，伊已受惊病倒，烧得很高。先生想问问伊，我恐怕再度引起伊的惊恐，在我妹妹那里就难以交代了。”

霍桑说：“知道了。我的话十分简洁，请先生不要过虑。现在请告诉我尊府的地址。”

何告诉了我们地址，一躬到地而后告别。霍桑随即叫施桂准备两肩轿子。当时苏城的交通虽然有车辆，但以城外为限，城内则依赖驴马船轿。夜间下雨不宜骑驴马，因此除乘轿以外，没有其他交通工具。我和霍桑都取来了外衣及雨衣。衣服穿好而轿还迟迟没有来。

我问霍桑：“这案件你有没有头绪？”

霍桑道："现在还难说。"他搓搓手，皱起了眉头。

我又道："你有什么犹豫？"

"我不知道该从何而断？"

"这什么意思？"

"不是其他。现在黛影的父亲委托我寻找伊，假使我找到，则伊势必仍旧嫁给田某。如果这样，岂不是我帮了这小官僚的忙而夺去了他女儿的自由吗？"

"你也认为这个女子的失踪是由于反抗旧式婚姻而争自由吗？"

"当然，事情很明显，留下三个字，就足以证明了。"

我憬然，说道："你的话对极了。时代趋新，旧的婚姻制度也应该加以改革。我愿你当自由的保障而不是助纣为虐。"

霍桑低沉地答道："当然如此。但自由也应有一定的轨范。假使是漫无限制，一开始就不顾人格凭一时情感冲动而盲从私奔的人，这也不是我所赞成的。"

我说道："然而你猜想，这个女子是不知检点的人吗？还是——？"

我的话还没说完，施桂突然进来，报告轿子已到。

霍桑就说："包朗，走吧。你的这个问题暂且搁一搁，我不作回答。实际上这时候单凭想象，我也不能答复。"

病　女

何芝贝的家在侍骑巷，离开我们的寓所不远，坐轿子二十分钟就到了。我们走进去时，看门的老仆人鞠躬相迎，并引导我们到一间灯光灿亮的书房里去。我知道这老者就是胡兴。他年约六十，穿黑色棉袍，面貌诚朴，不像狡诈之辈。霍桑将帽子放在书房内后，就再走出书房，唤胡兴来私下交谈。我独自留在书房，静候主人出见，这时候已有人到内室去通报了。

书房呈长方形，室内陈设精雅，满壁书画，都出自近代名家之手。几桌间参差布置着彝鼎古玩，在电灯光的照射下，更觉得琳琅满目，墙壁上悬挂着几帧照片。一帧是主人何芝贝的父亲戴翎顶冠作满清装束，很是刺目。近窗放置一架大风琴，琴盖上面有一天蓝色的瓷瓶插着几枝月季花，嫣红悦目。瓷瓶旁边有一银边相片架。相片上是两个少女，一坐一立，风致娟好。虽然两人姿态衣装不一样，但是面貌相同，似乎是黛影的化身相片。当时好事的年轻人常常喜欢利用摄影术的技巧在一帧照片上化身为二，我也曾经戏摄过一帧。

隔了相当时间，霍桑进来，从我身背后叫我。我应声回顾，见霍桑方运目向四面观看。

我问他道："胡兴怎么说？"

霍桑道："胡兴说从前门出入的人虽然多，但是他全神贯注，以防女公子外出。他绝口说没有看见伊出去。"

"你认为他的话可信否？"

"我瞧他的神态，似乎不在说谎。况且我已经观察过后门了。"

"怎样？"

"依旧没有可疑的形迹。"

"你何不再去搜索一次？那女子会不会还隐匿在这屋子中？"

霍桑摇摇头，说道："这有什么用处？是一个人，又不是一粒芥菜籽、一枚绣花针，可以被深藏起来。况且何芝贝不是说遍搜过了吗？"

何芝贝走进书房，霍桑和他略谈几句就提出要见见慧侠。

何既十分恭敬又相当不安宁地说道："我的外甥女正在就医中，先生不妨问问医生，他能否同意先生的询问。"

霍桑点点头说道："可以，请引导我们上楼。"

何芝贝同意，就领我们上去。走到一房间门口，何刚准备进室又让开，有一穿西装的中年男子，手提皮包从里面出来。他就是医生。

何问道："先生，病不碍吗？"

医生说道："不妨害，热度已退尽，但是这时候神志还没有清醒，是受了惊恐而引起的。"

霍桑接口道："究竟是什么疾病？"

"怔忡头昏，服药后可以逐渐好起来。"

"现在能不能容许我们和伊谈几句话？"

"这没有关系，但是要少讲一些。"

霍桑表示感谢，医生告别。接着何芝贝首先走进去，我们跟随他入内。

这间房处在左厢的楼上，也是呈长方形。室中有电灯，但灯光暗淡。室内陈设简单，却很整洁干净。朝窗一面放一张榻，素色的帐子半垂着。榻前面坐着一个中年妇女，着深青色缎料狐裘外衣，脸色苍白。后来我知道，她就是慧侠的母亲，何芝贝的妹妹。当我们走进去时，那妇人傲慢少礼，坐着不打招呼，似乎不十分欢迎我们。霍桑置之不顾，轻轻地走到床的前面。我跟在他后面，瞧见帐子里面坐着一个妙龄女子，着黑缎子裘皮袄，头额上裹一块白纱毛巾，两颊微红，这是因为发热头痛的缘故。

霍桑鞠一躬，轻轻地说："女士，请原谅。我有几句话相问，希望见答。”

那女子将脸侧向里面，看样子在害羞。没有多时，伊开始用常州土音回答，声音低而讲得很慢：

“先生，有什么要问？”

“我想问问令表妹黛影失踪的事。”

“我已经详细讲给姑丈听了。”

“这我知道。令表妹的房间中，除了你以外，有没有其他人？”

“还有小用人兰屏。”

“这个小用人是不是专供差遣使唤的？”

“是的。”

“那么你要取围巾，为什么不差这小用人去？”

“兰屏不在那里，伊受我表妹的差遣下楼去拿茶。我因为没有人可使唤，所以自己来取围巾的。”

“你离开表妹就直接到这室中来的吗？”

女子点点头，然后回头瞧榻前的母亲说道：“这时候我妈妈在房中。”

霍桑就对那妇人说道：“夫人，请见谅。那时候令爱到这里来大约是几点钟？”

妇人慢慢地说道：“好像近五点钟。”

霍桑道：“令爱进来后，约留多少时间才离开？”

妇人低声说道：“伊来向我索取围巾，我取给伊，所需时间甚短，但是我不能确切说出什么时刻。”

少女插话道：“至多不超过十分钟。”

霍桑说道：“你回到你的表妹的寝室中，室内已经没有人了吗？”

慧侠说道："对，我只见桌上留下'毋宁死'三个字，大为惊异。当我退身出来时，方始瞧见兰屏送茶进来。我问伊有没有看见小姐下楼，伊惊恐地瞧着我，说不出话来。我的表妹就在那时候失踪的。"

霍桑且听且不时点头，用手抚着下巴在沉思着，一会儿再仰面往上瞧。

霍桑问道："还有一句话，你和表妹往日也时常见面吗？"

少女摇摇头道："没有。"

"伊所交往的人中，你能否指出一二人来？"

"我无可奉告。因为我们既然两地相隔，平时极少有见面的机会，只有乘假期有空，我表妹到常州偶尔聚聚。伊的交友，我一无所知。"

霍桑再鞠一躬，说道："谢谢女士的见告，请保重，不要为这桩事担忧，令表妹事我自能处置。"

我们下得楼来，重新回到书房中拿帽子。霍桑先进去，相隔几小步，何芝贝也走进来了。

何问道："霍先生，有线索吗？要知道我女儿的得失，关系重大，姑且不论其他，但是一想到吉期就在眼前，我将怎样对付呢？"

霍桑徐徐答道："让我略加探索，如有所得，就可答复你的所请。"

"能不能在今晚解决？"

"可以，现在已经九点半了，时间十分仓促，当然我必尽力而为之。"

"谢谢先生。如果能找到我女儿，我决不忘厚报，但是希望先生们保守秘密。"

“我们固然能保守秘密，但是先生家中仆人们都知道这失踪事，先生也应该加以防备。”

霍桑话毕，缓缓地从怀中取出黛影的那帧相片再一次审视一遍，对我说道：“我的朋友，请你先乘轿回家。”

我说道：“你又要到哪里去？”

霍桑道：“我还要探问一番，不需要轿子，可代我回绝了吧。”

霍桑说完话，略点点头，立即戴帽匆匆离去。

我回到寓所，静静地思索，这桩案子虽然平凡，从现在的情势而论，要彻底查明真相，短时间也使不上力。那女子的失踪情节很奇怪，或逃走，或藏匿，或则已投井自寻短见，很难判断。这三种可能，都有相似的地方，而都得不到确证，因此我不敢贸贸然加以裁决。然而这一方面，霍桑断断不会像我这样愚昧，他必有独到的见解。揣度他临行时所说的“探问一番”的话，似乎他确知少女已经外逃，所以外出侦访。我想那少女如果是外逃，凭什么法术脱身呢？从形势判断，二楼藏书室的那扇窗是关键。可是霍桑没有加以查察，这会不会是他的疏忽？况且在这个昏黑的雨夜，难找痕迹。少女既已逃走，藏迹在什么地方呢？是远是近？霍桑又怎么知道呢？时间匆促，要在今天晚上结束这桩案子，霍桑此行果真能奏效吗？

我继续思索，终得不到解释，越想越烦闷，只得吸纸烟解闷。夜深雨骤，雨点打在窗上发出咚咚声，更加助长了寒冷的气氛。我大约坐了一小时，霍桑才踉跄归来。我瞧见他被雨打得满身淋漓，十分狼狈。

霍桑问道：“何芝贝还没有来吗？”

我道：“没有，他为什么要来？”

“方才我打电话叫他来，估计他会立刻就到。”

“你为什么打电话叫他，是不是这件事已有眉目了？”

“确实如此。”

我大为惊喜，急急乎问他：“能不能让我听一听？”

霍桑卸下他的雨衣答道：“请你稍微耐心一下，我先要试一试我的小提琴。”

我不再开口，默想他虽不讲，可是事情成败可以从琴声的节奏和旋律中听出来。我的朋友有一个奇癖，每当胸中有忧乐，往往把它寄托在琴弦之中。我集中注意力加以分辨，或喜或忧，往往被我猜中。这时候琴声响亮，音调铿锵，节拍快速，充满着欢乐的旋律。我知道这是他感到愉快的表现。他离开我只有一小时，是什么办法使他奏功回来呢？琴声戛然而止，霍桑放开嗓子高声唤叫：

“施桂，你没听见叩门声吗？快请客人进来。”

数分钟后，施桂果然引一个人进来，他就是何芝贝。何进来后瞪着双目看我们，神色惶恐不安。

“霍先生，事情办得怎样？”

“有收获。”

“已找到我女儿了吗？”

“是的。”

“伊现在在哪里？”

霍桑不慌不忙地说道：“我只得到令爱的踪迹。请容许我再问一句话，明日什么时候来迎娶？”

何极度喜悦而身体有些抖动，说道：“上午九时。”

霍桑忽而将目光对着我，皱皱眉头，说道：“唉，包朗，这中间还有一个难题，我实在无法解决，怎么办呢？”

何急问道："究竟什么事？为何不说说清楚。"

霍桑说道："没有什么。我虽得到了令爱的踪迹，但是伊最早也得在明天中午才能回来。"

何惊惧地说道："这又因为什么？先生不能使伊早点归来吗？"

霍桑摇摇头，说道："不，我不能。请先生自己安排，恕我不能代劳了。"

退 婚

翌日早晨，天放晴，但是比昨天晚上还冷。我醒得很早，或许是因为昨夜的事，不仅何芝贝带着疑问回去，就是我也同样被闷在葫芦当中。霍桑只用了一个小时，竟能得到那女子的踪迹，实在出乎我的意料。霍桑出去不乘轿而徒步，似乎说明那女子就在近处，所以能一寻就到。他既找到女子，又何必推迟到中午方始归来？莫非那女子已经远飏而不在苏城了吗？如果是这样，霍桑又怎能如此自信，立刻讲已经获得女子的行踪？花一个小时的工夫，他势必没有和女子见面，究竟根据什么而这样讲的？我的疑潮回旋往复，还是得不到一些眉目，想问问霍桑，此刻他正依照他平时的习惯，在园中做户外运动。到九点钟，霍桑方始进来。我刚想问他，忽见施桂跟在他后面进来，送一封信给霍桑。

霍桑坐下来，拆开信封看信，笑道："我早已料到他必定走这一着。现在果然如此！"

我惊奇地说道："你说什么？这封信是谁给你的？"

霍桑不回答，但将信授给我。我接过来就看。

信中写道：

霍桑先生大鉴：

失踪之耗不幸已为田家所风闻，今晨特请媒人来寓解除婚约，此事盖作罢论矣。嗟夫！我抚育伊十九载，伊恩德未报，而反贻我以毕生莫涤之耻！生女如此，夫复何言？今特函告先生，请勿复以此事为怀，盖父女恩谊至此已绝，或归或否，听其自然可也。

何芝贝启

我说道："看了这封信，不幸，你竟劳而无功了。"

霍桑起立，整一整衣冠，答道："你所讲的功是指什么？我侦查案件，又何尝有居功的念头，但求问心无愧就足够了。不要多讲，何不和我一起去？"

我说道："到哪里去？"

霍桑道："到何家去结束这桩案子。"

我不说什么，就跟他走。这时候太阳光已晒满街，但道路还是冰滑难行。约二十分钟，我们才走到何家。见面后只见何芝贝哭丧着脸。

他说道："我不幸，遭此奇辱，又劳你的步到这里来。"

霍桑笑道："先生，什么事不幸？婚姻大事，选择门第并非首要的事，相女婿则不得不谨慎。现在田家断绝婚姻，说是不幸，倒不如说是大幸。先生又为何如此忧郁啊？"

何板着脸，说道："先生的话，什么意思？"

霍桑道："那个田某的儿子田少芹，靠他父亲的权势，吃喝嫖赌无所不为，真是一个无赖。先生没有听说过吗？"

何芝贝有些羞惭而脸红，说道："不，我的确没有听说他是这样的道德败坏。然而先生又怎样知道的？"

"昨晚我花了一小时的工夫，去访问而知道的。"

"这是确实的吗？"

"哪能不确？昨晚我到司前街去，从少芹家的邻居口中知道的。唉！像少芹这样堕落，怎能期望他有所成就呢？这一次断绝婚姻，为令爱终身计，岂不是不幸中的大幸吗？"

我听到这里，方始知道霍桑昨晚之行，是去探询田家的情形。但是少女的踪迹他又怎样探知的？莫非霍桑有分身术，他是双管齐下的吗？

何芝贝沉默很长时间，方始叹息地说道："虽然这田家子是堕落了，而我的女儿又怎样呢？先生纵然尽力劝慰，我终无颜见人呀！"

霍桑立即说道："为什么如此呢？令爱未尝有失德的事发生。"

"伊已经出走，谁敢担保没有其他事？"

"我敢担保。"

"有什么可以证明？"

"要请你自己作证。"

何惊讶地说道："我不明白先生的话。莫非你已找到我的女儿，是特地为伊来说情的吗？"

霍桑说道："今天是我送伊归来的。"

"唉！伊将什么时候归来？"

"伊早已回来了。"

何芝贝惊异地说道："没有呀。现在伊在哪里？"

霍桑笑着说："伊现在还睡在左厢楼上的帐子中，估计神志已经清醒了。”

何芝贝听到这里，两眼大睁，惊骇得说不出话来。

霍桑又说：“跟先生实说了吧。令爱始终没有离开此屋，不过化装成你外甥女慧侠的外形，当你在惊慌之余，没有仔细察看，被伊蒙混过去了。现在你也毋庸惊疑。但是有一句话，希望先生采纳。婚姻大事关系到一生的幸福。父母包办，有违潮流，况且以父母个人的利益作为择婿的标准，更是不足为训了。唉，凭令爱的才貌不怕找不到好女婿，我敢预先祝贺你。我要告辞了，后会有期。”霍桑起立走向书房门又停足说道：“令爱心神不定，现在先生可以前去将事情经过说清楚，一叙天伦之乐。”

这桩案子如此结局，实在出乎我的意料。那天回寓所后，吃罢午膳，我极力请霍桑剖析说明其中的奥秘。

霍桑点火吸烟，笑道：“这案子一开始就没有什么奥秘，就是你不细心，没有能看出我的行径。我初听见何的话，就感觉到少女未必外出，又想到门户严守，窗栏留尘，况且那些仆人众口一词，都说没有瞧见伊出去，这些都是确证。到了何家，我瞧见琴上那张双美相片，就想到少女或许已经乔装出走。因为相片中的两个少女容貌酷似，必有血统关系。因而知道其中一人是黛影，另一人是伊的表姐慧侠。”

我插言道：“唉，相片上竟是两个人吗？我初以为是一个人的化身相。”

霍桑道：“不，她们两人虽很相似，究竟有区别。黛影的下巴比较丰满，慧侠则有些瘦削，况且头发有高低之分。你不细细地看才把她们当一个人。我既然瞧见慧侠，除了听语音外，又见伊头上缠着白纱毛巾，又发现一个破绽，伊裹毛巾，佯为发热头痛，实际上是要掩遮伊的低的头发。而且据医生说，热已退尽，可见生病是伪装。于是我知道伊实在不是慧侠，而是黛影乔装改扮的。

我恍然大悟，说道："对了。我听伊说话带着生硬的常州土音。"

霍桑道："的确如此。伊说话往往夹杂着吴语口音。因为这两点，我才知道是李代桃僵，但是还不敢断然下结论。到下楼重回书房时，我将藏好的相片和琴上的加以比较，方始确信出走的并非黛影，而留在床上的才是黛影啊！"

我听到这里，不觉有些自咎，说道："我实在糊涂！怎么会一点儿也没有发觉？然而你昨晚既已知道，为什么又不讲清楚？"

霍桑严肃地说道："包朗，你怎么自相矛盾起来？你不是要我做自由的保障吗？"

我才明白过来，说道："这是你故意设计，想阻止这桩婚事的成功，是吗？"

"的确如此。黛影是一个纯洁的女子。伊的父亲想保持他的禄位，就把女儿作为献媚获宠的本钱，这是原始时代把女子看成财物的陋俗。黛影不满伊的父亲的所为，要保全婚姻的自由，用心良苦，我怎能不成全伊呢？"

"你的话很对，我佩服你的用心。然而她们的策谋也很险呀。"

"是的，因此我也想到要有后援。"

"谁能援助她们？"

"慧侠的母亲，就是黛影的姑母。"

"真的吗？"

“不错。”

“你怎么知道的？”

“只要看我们走进去时，慧侠的母亲傲不为礼，就是顾虑我们可能看透她们的隐秘，所以用憎恶不礼貌的态度待人。否则慧侠是伊的亲生女儿，伊陪同在床边，不像何芝贝那样的惊魂不定，也不至于辨不出人来。”

我点点头说道：“我相信，这样的分析也近情理。从你的角度考虑，黛影拒婚，是否因伊已有了意中人？”

霍桑说道：“这一点还难说。不论有或无，少女的态度很明朗。田姓儿子的无赖行为，少女必有所闻，拒婚是合情合理。”

我说道：“还有一点，那个慧侠现在又在哪里呢？”

霍桑低声说道：“大概已回常州，或者躲藏在附近亲友的家中，我们不久就能得到消息。”

“然而当伊出门时，为什么不被旁人所怀疑？”

“伊不像黛影那样被人监视着，本来是自由的。况且事后大家所传的，只是黛影已失踪而不是慧侠失踪；要追究的仍旧是黛影而不是慧侠，其他人又怎能怀疑到伊身上？更进一层讲，我说慧侠这个女子必定绝顶聪明。不讲其他，就是化装一计，恐怕也是伊主谋。”

“真的吗？这一点有解释吗？”

霍桑来不及回答我的问话，施桂递一封信进来。霍桑接过来读一遍，将信授给我：

“包朗，这封信可代我回答了。”

我将信拿过来一看，是何芝贝发的，表示谢意，并且说明缘由。信上说方才他得到外甥女从常州寄来的信，承认这件事，伊是主谋，实在因为怜恤表妹不愿嫁给那个恶少的意志，于是想出这个化身的秘策，以便阻挡那婚事，表明表妹的心迹；黛影虽然意想有一理想的丈夫，然而还没有选中，因此现在并无留恋的人。

霍桑吐一口烟，样子很得意："怎样？我的话不是说对了吗？"

我到这一地步，再没有什么话好说的，就说道："超人的智力，我的朋友呀！你真不愧是大侦探了。"

霍桑立刻挺立着，挥动他夹纸烟的手，说道："包朗，不要过于夸奖，我要做一些菲薄的贡献，为社会服务。凡是暴戾阴险之徒，我必加以揭发，使他们受到应有的惩罚；如果是不合时代潮流的制度礼教，我也要加以抨击而摧毁它！对于有反抗封建精神的像慧侠、黛影那样的人，我们也应该表示同情。包朗，今天和你约定，以此为目标，作为我毕生服务的准则。这件事是小试的开端呀。"